Kijk niet a

Karin Fossum

Kijk niet achterom

LITERAIRE THRILLER
Manteau | **Anthos**

Oorspronkelijke titel: *Se deg ikke tilbake!*
Vertaling: Annemarie Smit

Deze vertaling kwam tot stand dankzij de steun van NORLA.

Standaard Uitgeverij nv, Belgiëlei 147a, B-2018 Antwerpen
www.manteau.be
info@manteau.be
Voor Nederland: Uitgeverij Anthos, Amsterdam
Omslagontwerp Studio Jan de Boer

Eerste druk maart 2001
Twaalfde druk januari 2005

ISBN 90 854 9017 0
D 2005/0034/151
NUR 305

Voor Bente Konstance

Hoewel sommige namen zijn veranderd, zou de omgeving waar dit verhaal zich afspeelt, herkend kunnen worden door de mensen die er wonen. Ik wil daarom graag benadrukken dat iedere gelijkenis met bestaande personen op louter toeval berust.

VALSTAD, FEBRUARI 1996, KARIN FOSSUM

Ragnhild deed voorzichtig de deur open en keek naar buiten. Op straat was alles stil en de wind die 's nachts tussen de huizen had gespeeld, was eindelijk gaan liggen. Ze draaide zich om en trok de poppenwagen over de drempel.

'We hebben nog niet eens gegeten', klaagde Marthe. Ze duwde tegen de achterkant van het wagentje om te helpen.

'Ik moet naar huis. We gaan boodschappen doen', antwoordde Ragnhild.

'Zal ik straks naar je toe komen?'

'Best. Als we naar de winkel zijn geweest.'

Ze stond op het grindpad en duwde de poppenwagen nu omhoog naar het hek. Dat was niet zo gemakkelijk, daarom draaide ze zich om en trok ze het wagentje maar achter zich aan.

'Tot straks, Ragnhild.'

De deur sloeg dicht. Een harde knal van hout tegen metaal. Ragnhild had moeite het hek dicht te krijgen, maar ze durfde het niet open te laten staan: stel dat de hond van Marthe wegliep. Die lag onder de tuintafel en volgde haar oplettend met zijn ogen. Toen ze zeker wist dat het hek naar behoren dicht zat, liep ze de weg op in de richting van de garages. Ze kon een stukje afsteken door het paadje tussen de huizen door te nemen, maar ze bedacht dat dat te lastig was met de poppenwagen. Een van de buren deed net zijn garagedeur dicht. Hij glimlachte naar haar en knoopte zijn jas dicht, een beetje onhandig, met één hand. Een grote zwarte Volvo stond zachtjes te brommen.

'Zo, Ragnhild, je bent al vroeg op pad. Sliep Marthe nog?'

'Ik heb vannacht bij haar gelogeerd', deelde ze mee. 'Op een matras op de grond.'

'O, op die manier.'

Hij deed de garagedeur op slot en keek op zijn horloge, het was zes minuten over acht. Even later sloeg de auto de hoek om.

Ragnhild hield de poppenwagen met beide handen vast. Ze was op het punt aangekomen waar de weg nogal steil naar beneden afliep, ze moest haar best doen om het wagentje in bedwang te houden. De pop, die Elise heette, naar haar vernoemd omdat zij Ragnhild Elise heette, gleed naar het hoofdeinde van het wagentje. Dat zag er niet prettig uit, dus liet ze de wagen met één hand los en trok de pop terug, duwde even op het dekentje en liep verder. Ze droeg plastic schoenen, de ene was rood met een groene veter, de andere was groen met een rode veter, en zo hoorde het ook. Verder droeg ze een rood trainingspak met de leeuw Simba op de voorkant, met daaroverheen een groen windjack. Ze had onwaarschijnlijk dun blond haar, niet erg lang, maar toch had ze een elastiekje bovenop haar hoofd vastgemaakt. Aan het elastiekje bungelden kleurige plastic vruchtjes en in het midden stak een plukje haar omhoog, als een zielig palmboompje. Ze was zes en een half jaar oud, maar klein voor haar leeftijd. Pas als ze haar mond opendeed begreep je dat ze binnenkort naar school zou gaan.

Ze kwam niemand tegen op straat, maar toen ze vlakbij het kruispunt was, hoorde ze een auto aankomen. Daarom bleef ze aan de kant van de weg staan wachten tot de roestige bestelauto over de verkeersdrempel was gehobbeld. De auto ging nog langzamer rijden toen de bestuurder het in het rood geklede kind zag staan. Ragnhild wilde de straat oversteken. Aan de overkant was een stoep en haar moeder had gezegd dat ze altijd op de stoep moest lopen. Ze wachtte tot de auto doorreed, maar hij stopte. De bestuurder draaide het raampje omlaag.

'Steek maar over, ik wacht wel', riep hij.

Ze aarzelde even, toen stak ze de straat over. Ze moest zich omdraaien om de poppenwagen de stoep op te trekken. De auto reed een stukje verder en stopte toen weer. Het raampje aan de andere kant ging open. Hij heeft gekke ogen, dacht ze, heel groot en heel rond, als knikkers. Ze stonden ver uit elkaar en waren flets, als dun ijs. Zijn kleine mond met de vlezige lippen hing een beetje naar beneden, als de bek van een vis. Hij keek naar haar.

'Moet je helemaal naar boven met die wagen?'

Ze knikte. 'Ik woon aan de Granietweg.'

'Da's nog een heel eind. Wat zit er in je wagentje?'

'Elise', antwoordde ze en tilde de pop op.

'Mooi', zei hij met een brede glimlach. Als hij lachte was zijn mond mooier.

Toen krabde hij op zijn hoofd. Zijn haar was borstelig en stak in dikke bosjes omhoog, als de bladeren van een ananas. Door het krabben werd het nog erger.

'Ik kan je wel een stukje meenemen', zei hij toen. 'De poppenwagen kan achterin.'

Ragnhild dacht even na. Ze keek omhoog, de straat was lang en steil. De man trok de handrem aan en keek achterom.

'Mamma wacht op me', zei Ragnhild. Ergens in haar achterhoofd rinkelde een belletje, maar niet hard genoeg.

'Je bent sneller thuis als ik je breng', zei hij toen.

Dat gaf de doorslag. Ragnhild was een praktisch meisje, ze duwde de poppenwagen naar de achterkant van de auto en de bestuurder sprong naar buiten. Hij maakte de achterdeur open en zette met één hand de poppenwagen in de auto, daarna tilde hij Ragnhild op.

'Jij moet achterin zitten om je wagentje vast te houden. Anders slingert het heen en weer.'

Hij liep weer naar voren, stapte in en maakte de handrem los.

'Moet je elke dag tegen die helling op?' Hij keek haar via het spiegeltje aan.

'Alleen als ik bij Marthe ben geweest. Ik heb bij haar gelogeerd.'

Ze haalde een gebloemde toilettas onder het poppendekentje vandaan en maakte die open. Constateerde dat alles erin zat: de nachtpon met de afbeelding van Nala, haar tandenborstel en de haarborstel. De bestelauto hobbelde over de volgende verkeersdrempel. De man keek voortdurend in zijn spiegeltje.

'Heb je wel eens zo'n tandenborstel gezien?' vroeg Ragnhild, terwijl ze het ding voor hem omhoog hield. Het was een tandenborstel op pootjes.

'Nee!' zei hij enthousiast. 'Hoe kom je daaraan?'

'Die heeft pappa gekocht. Heb jij niet zo eentje?'

'Die ga ik voor kerst vragen.'

Toen ze eindelijk over de laatste hobbel waren, schakelde hij naar de tweede versnelling. Dat maakte een hard, schrapend geluid. Het meisje zat op de vloer van de auto en hield de poppenwagen stevig vast. Wat een lief, klein meisje, dacht hij, zo mooi in haar rode trainingspak, net een rijpe bes. Hij floot een deuntje en voelde zich de koning te rijk, zoals hij achter het stuur van de grote auto troonde, met het kleine meisje achterin. Echt de koning te rijk.

*

Het dorp lag in een dal, diep landinwaarts aan een fjord, aan de voet van een berg. Als een kolk in een rivier waarin het water veel te stil stond. En iedereen weet dat alleen stromend water vers is. Het dorp was het stiefkind van de gemeente en de wegen die erheen leidden waren onbeschrijfelijk slecht. Een doodenkele keer was een bus genegen om bij de oude melkfabriek te stoppen en mensen op te pikken die naar de stad wilden. Weer thuiskomen was moeilijker.

De berg was een grijze top, vrijwel onbenut door de mensen die er woonden, maar drukbezocht door mensen die van ver kwamen. Dat was te danken aan de bijzondere mineralen en een niet onbelangrijke, unieke flora. Op rustige dagen kon je zacht gerinkel op de berg horen, je zou bijna denken dat het er spookte. In werkelijkheid waren het de schapen die op de top graasden.

De heuvelruggen rondom staken blauw en doorschijnend door de nevel, die als dik vilt, met hier en daar een wollige mistsluier, over het landschap hing. Konrad Sejers vinger volgde de hoofdweg op de plattegrond. Ze naderden een rotonde. Agent Karlsen zat achter het stuur, hij keek oplettend over de velden en volgde de aanwijzingen.

'Hier moet je rechtsaf de Gneisweg in, dan de Leisteenlaan op en linksaf de Veldspaatweg in. De Granietweg is een zijstraat aan de rechterkant. Een doodlopende straat', zei Sejer bedachtzaam. 'Nummer vijf zou dan het derde huis aan de linkerkant moeten zijn.'

Hij was gespannen. Zijn stem klonk nog afgemetener dan anders.

Karlsen reed de auto de nieuwbouwwijk binnen, over de verkeersdrempels. Zoals op veel andere plaatsen kropen de nieuwe bewoners bij elkaar op een kluitje, een eindje van de plaatselijke bevolking af. Behalve de aanwijzingen werd er niet veel gezegd. Ze naderden het huis, bereidden zich voor, hoopten dat het vermiste kind alweer was thuisgekomen. Misschien zat ze bij haar moeder op schoot, verbaasd en geschrokken van alle consternatie. Het was één uur, dus het meisje werd al vijf uur vermist. Twee uur zou nog redelijk zijn, vijf was absoluut te lang. Het ongemakkelijke gevoel werd sterker, als een dood punt in de borst waar het bloed niet verder wilde stromen. Ze hadden allebei zelf kinderen, Karlsen had een dochter van acht, Sejer een kleinzoon van vier. De stilte tussen hen was gevuld met beelden die misschien werkelijkheid zouden worden. Dat was precies wat Sejer besefte, op het moment dat ze voor het huis parkeerden. Nummer vijf was een laag wit huis met donkerblauwe kozijnen. Een typisch standaard nieuwbouwhuis zonder karakter, als een poppenhuis versierd met decoratieve luiken en een sierrand langs het dak. De tuin was goed onderhouden. Rond het hele huis lag een grote veranda met een fraai houten hek eromheen. Het huis stond bijna bovenaan de helling, met uitzicht over het hele dorp, een mooi gehucht met boerderijen en landerijen. Naast de brievenbus stond de dienstauto die vooruit was gegaan.

Sejer ging als eerste naar binnen, hij veegde zijn voeten zorgvuldig op de deurmat en boog zijn hoofd bij de deur naar de woonkamer. Binnen een seconde hadden ze de situatie overzien. Het meisje was nog steeds spoorloos, de paniek was tastbaar. De moeder zat op de bank, een grote vrouw in een geruite jurk. Naast haar, met een hand op haar arm, zat een agente. De angst in de kamer was bijna te ruiken. De moeder probeerde uit alle macht haar tranen, of misschien een schelle angstkreet, binnen te houden, daarom hijgde ze bij de minste krachtsinspanning. Zoals toen ze opstond en hun een hand toestak.

'Mevrouw Album,' zei Sejer, 'er zijn mensen naar haar op zoek, nietwaar?'

'Een paar buren. Ze hebben een hond bij zich.' Ze liet zich weer op de bank vallen. 'We moeten elkaar helpen.'

Sejer ging in de stoel tegenover haar zitten en boog zich naar voren. Hij bleef haar in de ogen kijken.

'We zullen een hondenpatrouille op pad sturen. U moet me alles over Ragnhild vertellen. Wie ze is, hoe ze eruitziet en wat ze aan had.'

Geen antwoord, alleen heftig geknik. Haar mond was stijf, bewoog niet.

'Heeft u naar alle denkbare plaatsen gebeld?'

'Er zijn niet zo veel plaatsen waar ze kan zijn', mompelde ze. 'Ik heb ze allemaal gebeld.'

'Heeft u familie in het dorp?'

'Nee. Wij komen hier niet vandaan.'

'Gaat Ragnhild naar een peuterspeelzaal of een kleuterschool?'

'Er was geen plek.'

'Heeft u nog meer kinderen?'

'We hebben alleen haar.'

Hij probeerde adem te halen zonder geluid te maken. 'In de eerste plaats,' zei hij toen, 'haar kleren. Graag zo nauwkeurig mogelijk.'

'Een rood trainingspak,' stamelde ze, 'met een leeuw op de voorkant. Een groen windjack met een capuchon. Een rode en een groene schoen.' Het kwam er met horten en stoten uit, haar stem begaf het bijna.

'En Ragnhild zelf? Kunt u haar voor mij beschrijven?'

'Eén meter tien. Achttien kilo. Lichtblond haar. We zijn pas nog bij het consultatiebureau geweest.'

Ze liep naar de televisie, waar een paar foto's aan de muur hingen. De meeste waren van Ragnhild, één was van haarzelf in traditionele klederdracht en één van een man in een uniform van de landmacht, waarschijnlijk haar echtgenoot. Ze koos er eentje uit waar het meisje lachend op stond en gaf die aan hem. Het haar van het kind was bijna wit, dat van haar moeder gitzwart. Maar de vader was blond. Er piepten wat plukjes haar onder de legerpet vandaan.

'Wat is ze voor meisje?'
'Ze vertrouwt iedereen', hikte ze. 'Praat met iedereen.' Ze rilde bij deze bekentenis.
'Zulke kinderen redden zich in feite het beste in deze wereld', zei hij overtuigend. 'We moeten de foto meenemen.'
'Dat begrijp ik.'
'Vertelt u eens,' zei hij, en ging weer zitten, 'waar de kinderen in dit dorp naartoe gaan als ze een stukje gaan wandelen.'
'Naar de fjord. Naar het strand. Of naar Horgen. Of naar de top van de Koll. Sommigen gaan naar het drinkwaterbassin, of ze gaan het bos in.'
Hij keek door het raam naar buiten en zag de zwarte dennenbomen.
'Is er überhaupt iemand die Ragnhild nog heeft gezien, nadat ze vertrokken is?'
'De buurman van Marthe heeft haar bij de garage gezien toen hij naar zijn werk ging. Dat weet ik omdat ik zijn vrouw heb gesproken.'
'En waar woont Marthe?'
'Aan de Kristalweg. Een paar minuten hiervandaan.'
'Ze had een poppenwagen bij zich?'
'Ja. Een roze, van het merk Brio.'
'Hoe heet die buurman? Die haar gezien heeft?'
'Walther', zei ze verbaasd. 'Walther Isaksen.'
'Waar kan ik hem vinden?'
'Hij werkt bij Dyno Industrie. Personeelszaken.'
Sejer stond op, liep naar de telefoon en belde de inlichtingen, kreeg het nummer, draaide dat en wachtte.
'Ik moet dringend een medewerker van u spreken. Zijn naam is Walther Isaksen.'
Mevrouw Album staarde hem vanaf de bank bezorgd aan, Karlsen bestudeerde het uitzicht door de ramen, de blauwe heuvels, de landerijen, in de verte zag hij een witte kerktoren.

'Konrad Sejer van de politie', zei hij kortaf. 'Ik bel vanaf de Granietweg nummer vijf, dan begrijpt u misschien waarom.'
'Is Ragnhild nog steeds zoek?'
'Ja. Maar ik heb gehoord dat u haar heeft gezien toen ze het huis verliet?'
'Ik deed net de garagedeur dicht.'
'Heeft u toevallig op de klok gekeken?'
'Het was zes over acht, ik was een beetje aan de late kant.'
'Bent u heel zeker van het tijdstip?'
'Ik heb een digitaal horloge.'
Sejer zweeg, probeerde zich de weg die ze gereden hadden voor de geest te halen. 'U hebt haar dus om acht uur nul zes bij de garage achtergelaten en bent rechtstreeks naar uw werk gereden?'
'Ja.'
'De Gneisweg af naar de hoofdweg?'
'Dat klopt.'
'Ik zou denken,' zei Sejer, 'dat de meeste mensen op dat tijdstip naar de stad rijden en er dan wellicht weinig verkeer de andere kant op is?'
'Ja, dat klopt. Er is in onze wijk geen doorgaande weg. En geen werk ook.'
'Bent u onderweg toch nog auto's tegengekomen? Iemand die de wijk in reed?'
De man dacht na. Sejer wachtte. In de kamer was het zo stil als in een grafkamer.
'Ja, ik ben inderdaad iemand tegengekomen, beneden op de vlakte. Vlak voor de rotonde. Een bestelwagen geloof ik, gevlekt en lelijk. Reed heel erg langzaam.'
'Wie zat er in?'
'Een man', zei hij aarzelend. 'Een man alleen.'

*

'Ik heet Raymond', zei hij glimlachend.
Ragnhild keek op, zag het lachende gezicht in het spiegeltje, en de Koll die in de ochtendzon baadde.
'Zullen we een eindje gaan rijden?'
'Mamma wacht op me.' Ze zei het op een ouwelijke toon.
'Ben je wel eens boven op de Koll geweest?'
'Eén keer, met pappa. We hadden eten meegenomen.'
'Je kunt met de auto naar boven rijden', vertelde hij. 'Vanaf de andere kant. Zullen we naar de top rijden?'
'Ik wil naar huis', zei ze, een beetje onzeker nu.
Hij schakelde terug en stopte.
'Een klein stukje maar?' bedelde hij.
Hij had een iele stem. Ragnhild vond dat hij een beetje zielig klonk. En ze was het niet gewend om tegen de wensen van volwassenen in te gaan. Ze stond op en liep naar voren, leunde over de stoel.
'Een klein stukje', herhaalde ze. 'Naar de top en meteen weer naar huis.'
Hij reed achteruit de Veldspaatweg in, keerde en reed toen weer terug.
'Hoe heet je?' vroeg hij.
'Ragnhild Elise.'
Hij wiegde een beetje heen en weer en kuchte belerend. 'Ragnhild Elise. Je kunt zo vroeg op de ochtend nog geen boodschappen doen. Het is nog maar kwart over acht. De winkel is nog niet open.'
Ze gaf geen antwoord. In plaats daarvan tilde ze Elise uit het wagentje, zette de pop op haar schoot en schikte haar jurk. Daarna trok ze de speen uit de mond van de pop. Die begon meteen te huilen, een teer, metalig zuigelingengejank.
'Wat is dat?'
Hij remde plotseling af en keek in het spiegeltje.
'Dat is Elise maar. Ze huilt als ik de speen eruit haal.'

'Dat wil ik niet horen! Stop hem er weer in!'

Hij zat nu onrustig achter het stuur, de auto slingerde heen en weer.

'Pappa kan beter autorijden dan jij', zei ze.

'Ik heb het mezelf moeten leren', zei hij verongelijkt. 'Niemand wilde mij les geven.'

'Waarom niet?'

Hij gaf geen antwoord, gooide alleen zijn hoofd in zijn nek. De auto was nu bij de hoofdweg gekomen, hij reed in tweede versnelling naar de rotonde en stak met een roestig gebrul de kruising over.

'Nu zijn we zo bij Horgen', zei ze tevreden.

Hij gaf nog steeds geen antwoord. Tien minuten later sloeg hij linksaf, de berg op. Onderweg passeerden ze een paar boerderijen, rode hooischuren en enkele geparkeerde tractoren. Ze kwamen niemand tegen. De weg werd steeds smaller, met steeds meer kuilen. Ragnhild kreeg moeë armen van het vasthouden van de poppenwagen, ze legde de pop op de grond en zette een voet als rem tussen de wielen.

'Hier woon ik', zei hij plotseling en liet de auto halt houden.

'Met je vrouw?'

'Nee, met mijn vader. Maar die ligt in bed.'

'Is hij nog niet wakker?'

'Hij ligt altijd in bed.'

Ze keek nieuwsgierig door het raampje naar buiten en zag een merkwaardig huis staan. Oorspronkelijk was het een vakantiehuisje waar een stuk was aangebouwd, eerst één stuk, toen nog een stuk. De delen hadden allemaal een andere kleur. Naast het huis stond een garage van golfplaten. Het erf was dichtgegroeid. Een oude roestige eg werd langzaam door brandnetels en paardebloemen gesmoord. Maar Ragnhild was niet in het huis geïnteresseerd, ze had iets anders opgemerkt.

'Konijnen!' zei ze ademloos.
'Ja', zei hij tevreden. 'Wil je ze zien?'
Hij sprong naar buiten, maakte de achterdeur open en tilde haar uit de auto. Hij had een vreemde manier van lopen, zijn benen waren bijna onnatuurlijk kort en hij had heel erge o-benen. Hij had kleine voeten. Tussen zijn brede neus en zijn enigszins uitstekende onderlip zat maar een klein stukje. Aan zijn neus hing een grote heldere druppel. Ragnhild begreep dat hij niet zo oud was, hoewel hij waggelde als een oude man. Maar het was ook grappig. Een jongensgezicht op een oud lichaam. Hij waggelde naar de konijnenhokken en maakte ze open. Ragnhild stond als betoverd.
'Mag ik er eentje vasthouden?'
'Ja. Kies maar.'
'Die kleine bruine', zei ze verrukt.
'Dat is Påsan. Hij is de mooiste.'
Hij maakte het hok open en tilde het kleine beestje eruit. Een mollig dwergkonijn met hangoren en de kleur van koffie met veel melk. Hij trappelde enorm met zijn poten, maar werd rustiger zodra hij in Ragnhilds armen lag. Die was een ogenblik volkomen sprakeloos. Ze voelde zijn hartje tekeergaan en raakte voorzichtig zijn ene oor aan. Het was net een stukje fluweel tussen haar vingers. Zijn snuit glom zwart en vochtig als een dropje. Raymond stond naast haar en keek ernaar. Hij had een meisje, helemaal voor zichzelf, en niemand had hen gezien.

*

'De foto', zei Sejer, 'wordt met het signalement naar de kranten gestuurd. Zonder tegenbericht wordt het vannacht afgedrukt.'
Irene Album viel snikkend over de tafel heen. De anderen keken zwijgend naar hun handen en naar haar

schokkende rug. De agente zat gereed met een zakdoek. Karlsen schoof wat met zijn stoel en keek stiekem op zijn horloge.

'Is Ragnhild bang voor honden?' wilde Sejer weten.

'Waarom vraagt u dat?' snikte ze.

'Het gebeurt wel eens dat we met de hondenpatrouille naar kinderen zoeken en dat ze zich verstoppen als ze onze herdershonden horen.'

'Ze is niet bang.'

De woorden herhaalden zich in zijn hoofd. *Ze is niet bang.*

'U heeft uw man nog niet te pakken gekregen?'

'Hij is in Narvik op oefening', fluisterde ze. 'Ergens in de bergen.'

'Gebruiken ze geen mobiele telefoons?'

'Er is daar geen ontvangst.'

'De mensen die haar nu zoeken, wie zijn dat?'

'Jongens uit de buurt. Die overdag thuis zijn. Eentje heeft een telefoon bij zich.'

'Hoe lang zijn ze nu al weg?'

Ze keek op de klok aan de muur. 'Ruim twee uur.'

Haar stem trilde niet meer, ze klonk nu een beetje alsof ze onder de medicijnen zat, suf bijna, alsof ze half in haar slaap praatte. Hij boog zich weer naar voren en praatte zo langzaam en duidelijk mogelijk tegen haar.

'Waar u momenteel het allerbangst voor bent, is hoogstwaarschijnlijk niet gebeurd. Begrijpt u dat? Meestal verdwijnen kinderen vanwege kleinigheden. Het is zelfs zo dat er aan de lopende band kinderen verdwijnen, eenvoudigweg omdat ze kinderen zijn. Ze hebben geen gevoel voor tijd en verantwoordelijkheid, en ze zijn zo verdraaid nieuwsgierig dat ze elk idee dat ze maar invalt volgen. Zo zijn kinderen en daarom verdwijnen ze. Maar gewoonlijk duiken ze net zo plotseling weer op. Vaak kunnen ze niet eens goed uitleggen waar ze zijn geweest of wat ze hebben gedaan. In de regel', hij haalde diep adem, 'mankeren ze helemaal niets.'

'Ja!' zei ze, hem strak aankijkend. 'Maar ze is nog nooit eerder zomaar verdwenen!'

'Ze wordt groter, en ouder', zei hij indringend. 'Ze durft steeds meer.'

God sta me bij, dacht hij meteen, ik heb overal een antwoord op. Hij stond weer op en draaide een ander telefoonnummer. Weerstond de neiging om nogmaals op zijn horloge te kijken, dat zou hem er alleen maar aan herinneren dat de tijd doorliep en daar zat niemand op te wachten. Hij kreeg de meldkamer aan de lijn, gaf een korte samenvatting van de situatie en vroeg hun contact op te nemen met het Rode Kruis. Hij gaf het adres door en schetste snel een beeld van het meisje. Rode kleding, nagenoeg wit haar, roze poppenwagen. Hij vroeg of er nog nieuwe meldingen waren binnengekomen, maar ze hadden niets ontvangen. Hij ging weer zitten.

'Heeft Ragnhild het de laatste tijd wel eens over mensen gehad die u niet kent?'

'Nee.'

'Had ze geld? Kan ze op zoek zijn gegaan naar een kiosk?'

'Ze had geen geld.'

'Dit is een klein dorp', ging hij verder. 'Is het wel eens voorgekomen dat ze buiten was en dat een van de buren haar een lift gaf?'

'Ja, dat is wel eens gebeurd. Er staan hier ongeveer honderd huizen en ze kent bijna iedereen. En ze kent hun auto's. Af en toe gaat ze wel eens naar de kerk, samen met Marthe, met hun poppenwagens, en dan is er wel eens een of andere buur die hen terugbrengt.'

'Hebben ze een bepaalde reden om naar de kerk te gaan?'

'Er ligt daar een jongetje begraven dat ze gekend hebben. Ze plukken bloemen en leggen die op zijn graf en dan gaan ze weer terug. Ik geloof dat ze het spannend vinden.'

'Heeft u al bij de kerk gezocht?'

'Ik heb om tien uur gebeld om te vragen waar Ragnhild bleef. Toen Marthe zei dat ze om acht uur was weggegaan, ben ik als de bliksem in de auto gestapt. Ik heb de deur opengelaten voor het geval ze thuis zou komen terwijl ik haar aan het zoeken was. Ik ben naar de kerk gereden en naar het Fina-station, ik ben uitgestapt en heb overal gezocht. Ik ben bij het garagebedrijf naar binnen gegaan en heb achter de melkfabriek gekeken, daarna ben ik naar de basisschool gereden om op het schoolplein te zoeken, want daar hebben ze klimtoestellen en zo. En toen heb ik het nog bij de kleuterschool gevraagd. Daar wilde ze zo ontzettend graag naartoe, ze...'

Een nieuwe huilbui diende zich aan. Zolang ze huilde zaten de anderen stil te wachten. Haar ogen waren nu opgezwollen en ze verfrommelde wanhopig haar jurk tussen haar vingers. Na een tijdje ebde het huilen weer weg en kwam de sufheid terug. Een schild dat de gruwelijke mogelijkheden op een afstand hield.

De telefoon rinkelde. Een plotseling, onheilspellend gerinkel. Ze sprong van de bank op en wilde opnemen, maar zag Sejers hand als een stopbord de lucht ingaan. Hij pakte de hoorn op.

'Hallo? Is Irene daar?' Het klonk als een jonge jongen.

'Met wie spreek ik?'

'Thorbjørn Haugen. Wij proberen Ragnhild te vinden.'

'Je spreekt met de politie. Heb je iets te melden?'

'We zijn bij alle huizen in de wijk geweest. Echt allemaal. Veel mensen waren natuurlijk niet thuis, maar we hebben een mevrouw aan de Veldspaatweg gesproken. Vanmorgen is er een grote auto voor haar huis gekeerd, ze woont op nummer één. Een soort bestelwagen, dacht ze. En binnen in de auto heeft ze een meisje gezien met een groen jack en wit haar. In een staartje boven op haar hoofd. Ragnhild heeft haar haar ook vaak in een staartje boven op haar hoofd.'

'Ga door.'

'Hij is halverwege de Leisteenlaan gekeerd en weer teruggereden. En toen sloeg hij de hoek om.'

'Weet je hoe laat dat was?'

'Om kwart over acht.'

'Kun je naar de Granietweg komen?'

'We zijn er al bijna, we zijn bij de rotonde.'

Hij legde neer. Irene Album stond nog steeds.

'Wat was dat?' fluisterde ze. 'Wat zeiden ze?'

'Iemand heeft haar gezien', zei hij langzaam. 'Ze is in een auto gestapt.'

*

Eindelijk kwam de schreeuw. Het was alsof het geluid zich een weg baande door het dichte bos en een vage beweging in Ragnhilds hoofd teweegbracht.

'Ik heb honger', zei ze ineens. 'Ik moet naar huis.'

Raymond keek op. Påsan hipte over de keukentafel en likte van de maïzena die ze op de tafel hadden gestrooid. Ze waren tijd en plaats vergeten. Ze hadden alle konijnen gevoerd, Raymond had haar zijn plaatjes laten zien, die hij uit tijdschriften had geknipt en zorgvuldig in een groot plakboek had geplakt. Ragnhild moest de hele tijd giechelen om zijn gekke gezicht. Het begon nu langzaam tot haar door te dringen dat het al laat was.

'Je mag wel een boterham.'

'Ik wil naar huis. We gaan boodschappen doen.'

'We gaan eerst naar de Koll, dan breng ik je daarna naar huis.'

'Nu!' zei ze beslist. 'Ik wil nu naar huis.'

Raymond zocht wanhopig naar een mogelijkheid tot uitstel.

'Ja, ik weet het. Maar eerst moet ik melk kopen voor pappa. Bij Horgen. Het duurt niet lang. Als je zolang hier wacht, gaat het sneller.'

Hij stond op en keek naar haar. Naar het lichte gezicht met het kleine mondje dat hem aan snoephartjes deed denken. Haar ogen waren helder en blauw en haar wenkbrauwen verrassend donker onder de witte pony. Hij zuchtte diep, stond op en deed de keukendeur open. Ragnhild had zin om weg te gaan, maar ze wist de weg niet, ze moest wel blijven wachten. Ze liep met het konijn in haar armen de kleine woonkamer binnen en ging met opgetrokken knieën in de hoek van de bank zitten. Ze hadden vannacht niet veel geslapen, Marthe en zij, en met het warme dier tegen haar hals aan werd ze snel slaperig. Het duurde niet lang of haar ogen vielen dicht.

Er was behoorlijk wat tijd verstreken, toen hij eindelijk terugkwam. Hij bleef een hele tijd naar haar zitten kijken en verbaasde zich erover hoe stil ze sliep. Geen enkele beweging, geen enkel zuchtje. Hij had het idee dat ze een beetje gerezen was, groter en warmer was geworden, als een brood in de oven. Na een tijdje werd hij onrustig, hij wist niet waar hij zijn handen moest laten, daarom stopte hij ze in zijn zakken en wiegde een beetje heen en weer in de stoel. Begon de stof van zijn broek tussen zijn handen te kneden, terwijl hij wiegde en wiegde, steeds sneller. Hij keek angstig door het raam naar buiten en in de richting van zijn vaders slaapkamer. Zijn handen werkten maar door. Hij staarde de hele tijd naar haar haren, glanzend als zijde, bijna als een konijnenvacht. Toen kreunde hij zacht en rukte zich los. Stond op en gaf haar voorzichtig een duwtje.

'We kunnen nu weggaan. Geef mij Påsan maar.'

Ragnhild was heel eventjes volkomen in de war. Ze

stond langzaam op en staarde Raymond aan. Ze volgde hem naar de keuken en trok haar windjack aan. Wandelde naar buiten, zag het bruine wolbaaltje in het hok verdwijnen. De poppenwagen stond nog steeds achterin de auto. Raymond zag er verdrietig uit, maar hij gaf haar een zetje om haar naar binnen te helpen. Toen ging hij voorin zitten en draaide het sleuteltje om. Er gebeurde niets.

'Hij start niet', zei hij geërgerd. 'Ik snap het niet. Daarnet deed hij het nog. Rotauto!'

'Ik moet naar huis!' zei Ragnhild luid, alsof het probleem daardoor verholpen zou zijn. Hij draaide de sleutel nogmaals om en gaf gas, hij had spanning en hoorde iets ronddraaien, maar het bleef bij een klaaglijk gejank dat niet wilde aanslaan.

'Dan moeten we maar lopen.'

'Maar het is hartstikke ver!' jengelde ze.

'Nee, hiervandaan niet. We zijn nu aan de achterkant van de Koll, we zijn al bijna boven, en dan kun je zo je huis zien. Ik zal de poppenwagen wel voor je duwen.'

Hij schoot een jack aan dat op de voorbank lag, sprong weer naar buiten en maakte de deur voor haar open. Ragnhild droeg de pop en Raymond trok de wagen achter zich aan. Die hobbelde over de kuilige weg. In de verte zag Ragnhild de Koll boven het donkere bos uitsteken. Toen een auto met hoge snelheid passeerde, moesten ze zich een onrustig moment in de berm drukken. De auto veroorzaakte een dikke stofwolk. Raymond kende de weg goed, hij liep niet erg hard en Ragnhild kon hem gemakkelijk bijhouden. Na een tijdje werd het steiler, de weg eindigde bij een plek om te keren en het paadje dat rechts om de top heen liep was zacht en prettig. De schapen hadden het pad breder gemaakt. Ragnhild vond het leuk om op de schapenkeutels te trappen, ze waren droog en het voelde lekker aan. Na een paar minuten zagen ze een mooie glinstering tussen de bomen.

'Het Slangenven', zei Raymond.

Ze bleef naast hem staan. Keek uit over het water, zag de bladeren van de waterlelies en een bootje dat op z'n kop aan de kant lag.

'Niet te dicht bij het water komen', zei Raymond. 'Dat is gevaarlijk. Je kunt hier niet zwemmen, je zakt weg in het zand en dan verdwijn je. Drijfzand', voegde hij er met een ernstig gezicht aan toe. Ragnhild huiverde. Ze volgde de oever met haar ogen, een waaierende lijn van geel riet, behalve op één plek, waar iets wat je met een beetje goede wil een strandje zou kunnen noemen een donkere onderbreking van de lijn vormde. Daar keken ze naar. Raymond liet de poppenwagen los en Ragnhild stak een vinger in haar mond.

*

Thorbjørn bleef staan, hij prutste wat met zijn mobiele telefoon. Hij was een jaar of zestien, zijn halflange, donkere, licht golvende haren werden door een gekleurd doekje op hun plaats gehouden. Vanuit de knoop bij zijn slaap staken de uiteinden als twee rode veren omhoog, zodat hij een beetje op een bleke indiaan leek. Hij ontweek de ogen van Ragnhilds moeder, maar staarde Sejer aan één stuk door aan en likte een aantal malen zijn lippen af.

'Je hebt iets heel belangrijks ontdekt', zei Sejer. 'Schrijf alsjeblieft hier het adres op. Weet je haar naam nog?'

'Helga Moen, op nummer één. Een grijs huis met een hondenhok ervoor.' Hij fluisterde het bijna en schreef met grote letters op het schrijfblok dat Sejer hem gaf.

'Jullie zijn zowat overal geweest?' vroeg Sejer toen.

'We zijn eerst op de Koll geweest, toen zijn we weer naar beneden gelopen, langs het Slangenven, en daar hebben we op alle paadjes gekeken. We zijn bij het drinkwaterbassin geweest, bij Horgen Handel en we hebben op het strand bij de fjord rondgekeken. En bij de kerk. Daarna nog bij een paar van de boerderijen, bij Bjerkerud en bij de manege. Ragnhild was, eh, ik bedoel ís dol op beesten.'

Hij bloosde hevig vanwege de verspreking. Sejer gaf hem een klapje op zijn schouder.

'Ga zitten, Thorbjørn.'

Hij knikte naar de bank, naast mevrouw Album was nog een plaatsje vrij. Zij had inmiddels een volgend stadium bereikt, ze probeerde met alle macht de duizelingwekkende mogelijkheid onder ogen te zien dat Ragnhild misschien nooit meer thuis zou komen en dat ze het de rest van haar leven zonder het kleine meisje met de grote blauwe ogen zou moeten stellen. Dit besef kwam in de vorm van kleine stootjes, waar ze voorzichtig aan voelde. Haar lichaam was volkomen verstijfd, alsof er een stalen balk in haar rug zat. De agente, die in de tijd dat ze er nu waren nog bijna geen woord had gezegd, stond langzaam op. Voor het eerst waagde ze het een voorstel te doen.

'Mevrouw Album,' vroeg ze zachtjes, 'zal ik wat koffie voor ons maken?'

Ze knikte zwak, stond op en volgde de agente naar de keuken. Een waterkraan werd opengedraaid en kopjes rammelden. Sejer gaf Karlsen bijna onmerkbaar een knikje en wenkte hem mee naar de gang. Daar bleven ze een poosje zachtjes staan mompelen, Thorbjørn kon nog net een stukje van Sejers hoofd en een punt van Karlsens zwarte, glimmende schoen zien. In de schemerige gang konden ze ongezien op hun horloges kijken. Dat deden ze en ze knikten naar elkaar. Ragnhilds verdwijning was nu dodelijke ernst, en het grote politieapparaat moest in werking worden gezet. Sejer krabde door de stof van zijn overhemd aan zijn elleboog.

'Ik moet er niet aan denken dat we haar ergens in een greppel vinden.'

Hij maakte de deur open om wat frisse lucht in te ademen. En daar stond ze. In een rood trainingspak, op de onderste tree, met een wit handje op de leuning.

'Ragnhild?' vroeg hij verbaasd.

Een halfuur later, toen de auto de Leisteenlaan afreed, haalde hij tevreden zijn vingers door zijn haar. Karlsen vond het net een staalborstel, nu het pas geknipt was en korter dan ooit. Zo'n ding waar je oude verf mee wegboent. Zijn doorgroefde gezicht zag er vredig uit, niet zo gesloten en ernstig als anders. Halverwege de helling passeerden ze het grijze huis. Ze zagen het hondenhok en een gezicht achter het raam. Als Helga Moen hoopte dat de politie op bezoek zou komen, werd ze teleurgesteld. Ragnhild zat veilig bij haar moeder op schoot, met een dubbele boterham in haar hand.

Het moment waarop het meisje de kamer was binnengekomen, stond bij beide mannen in hun geheugen gegrift. Toen de moeder het hoge stemmetje hoorde, was ze de keuken uitgerend en had ze zich op haar dochter geworpen, bliksemsnel, als een roofdier dat een prooi grijpt die hij van zijn leven niet meer wil loslaten. Het was alsof Ragnhild in een vossenklem gevangen zat. Haar dunne armpjes en het witte haarpluimpje staken tussen haar moeders stevige armen door. En zo waren ze blijven staan. Van geen van beiden kwam ook maar enig geluid, er was nog geen snik te horen. Thorbjørn zat zijn mobiele telefoon te mollen, de agente rammelde met de kopjes, Karlsen draaide aan een stuk door aan zijn snor, terwijl er een gelukzalige grijns op zijn gezicht verscheen. De kamer werd lichter, alsof de zon plotseling door de ruit drong. En uiteindelijk kwam het, met een snikkende lach: 'JIJ VERSCHRIKKELIJK KIND!'

'Ik denk erover,' schraapte Sejer zijn keel, 'om een weekje vakantie te nemen. Ik heb nog wat dagen te goed.'

Karlsen stuurde de auto over een verkeersdrempel.

'Wat ga je doen? Parachutespringen in Florida?'

'Ik was van plan mijn vakantiehuisje weer eens zomerklaar te maken.'

'Bij Brevik, is het niet?'

'Sandøya.'

Ze draaiden de hoofdweg op en meerderden snelheid.

'Ik moet dit jaar naar Legoland', mompelde Karlsen. 'Daar kom ik nu niet langer onderuit. Mijn dochter zeurt me de oren van het hoofd.'

'Je doet alsof het een straf is', zei Sejer. 'Legoland is leuk. Als je daarvandaan komt, heb je de auto gegarandeerd volgeladen met lego en ben je door het virus aangestoken. Ga er alsjeblieft heen. Je zult er geen spijt van krijgen.'

'Dus jij bent er wel eens geweest?'

'Ik ben er met Matteus geweest. Weet je dat ze een standbeeld van Chief Sitting Bull hebben gemaakt, helemaal van lego? Eén komma vier miljoen legosteentjes van een heel speciale kleur. Niet te geloven.'

Hij zweeg, zag links de kerk liggen, een klein, wit houten kerkje, een stukje van de weg af, te midden van groene en gele akkers, omringd door welig tierende bomen. Een mooi kerkje, dacht hij, op zo'n plaats had hij zijn vrouw moeten begraven. Ook al zou dat wat verder van huis zijn geweest. Nu was het daar natuurlijk te laat voor. Ze was nu al meer dan acht jaar dood en had een graf in het centrum van de stad, vlakbij de drukke hoofdstraat, omringd door uitlaatgassen en lawaai.

'Denk je dat het meisje in orde was?'

'Ik had wel die indruk. Ik heb haar moeder gevraagd over een poosje te bellen. Ze zal na een tijdje wel spraakzamer worden. Zes uur,' zei hij peinzend, 'dat is vrij lang. Het moet een innemende zonderling zijn geweest.'

'Hij had in ieder geval zijn rijbewijs. Dus hij zal wel niet helemaal van lotje getikt zijn.'

'Dat weten we toch niet? Of hij een rijbewijs heeft?'

'Nee, verdikkeme, daar heb je gelijk in', moest Karlsen toegeven. Hij remde plotseling af en reed naar wat ze het centrum noemden, met een postkantoor en een bank en een kapper en de Fina. Op het raam van de Kiwi-supermarkt hing een bord met het woord MEDICIJNVERKOOP en de kapper lokte klanten met een nieuwe zonnebank.

'Ik moet even wat eten, een stuk chocola of zo. Ga je mee naar binnen?'

Ze slenterden het benzinestation binnen en Sejer kocht een krant en een reep chocolade. Hij keek door het raam naar de fjord.

'Neemt u me niet kwalijk,' zei het meisje achter de kassa, 'maar er is toch niets met Ragnhild gebeurd?'

Ze blikte nerveus naar Karlsens uniform.

'Ken je haar?' Sejer legde het geld op de toonbank.

'Nee, kennen niet, maar ik weet wie ze zijn. Haar moeder was hier vanmorgen om haar te zoeken.'

'Ragnhild mankeert niets. Ze is weer thuis.'

Ze glimlachte opgelucht en legde het wisselgeld in zijn hand.

'Kom je hier vandaan?' vroeg Sejer. 'Ken je veel mensen hier?'

'Ja, de meesten. Het zijn er niet zo veel.'

'Als ik je vraag of je een man kent, die misschien een beetje bijzonder is, die in een bestelwagen rijdt, een oude, lelijke, roestige bestelwagen, gaat er dan een belletje rinkelen?'

'Klinkt als Raymond', zei ze knikkend. 'Raymond Låke.'

'Wat weet je van hem?'

'Hij werkt op de sociale werkplaats. Woont samen met zijn vader in een huisje achter de Koll. Raymond is een mongool. Een jaar of dertig en heel erg aardig. Zijn vader heeft vroeger trouwens dit benzinestation gehad. Tot hij met pensioen ging.'

'Heeft Raymond een rijbewijs?'

'Nee, maar hij rijdt toch. In de auto van zijn vader. Die is bedlegerig, hij heeft denk ik niet helemaal zicht op wat Raymond doet. De politie weet ervan en houdt hem zo nu en dan aan, maar dat helpt niet erg. Hij is een beetje vreemd, rijdt altijd alleen in de tweede versnelling. Had hij Ragnhild meegenomen?'

'Ja.'

'Veiliger had ze niet kunnen zijn', glimlachte ze. 'Raymond zou zelfs midden op straat stoppen om een lieveheersbeestje over te laten steken.'

Ze glimlachten steeds tevredener en liepen weer naar buiten. Karlsen zette zijn tanden in zijn reep en keek om zich heen.

'Leuk plaatsje', zei hij kauwend.

Sejer, die een reep met marsepeinvulling had gekocht, volgde zijn blik. 'Die fjord is diep, meer dan driehonderd meter. Wordt nooit warmer dan zeventien graden.'

'Ken je hier iemand?'

'Ik niet, maar mijn dochter Ingrid wel. Zij heeft hier een keer zo'n historische wandeling gedaan, die ze hier ieder najaar organiseren. "Ken uw dorp". Dat soort dingen vindt ze leuk.'

Hij rolde het zilverpapiertje op tot een dun strookje en stopte het in zijn overhemdzakje. 'Kunnen mongolen goede chauffeurs zijn, denk je?'

'Geen idee', zei Karlsen. 'Maar ze mankeren natuurlijk niets, afgezien van dat ene chromosoompje dat ze te veel hebben. Het grootste probleem is dat ze wat meer tijd nodig hebben dan andere mensen om iets te leren, als ik het goed heb begrepen. Bovendien hebben ze een slecht hart. Ze worden niet erg oud. En dan is er nog iets met hun handen.'

'Wat dan?'

'Ze missen een lijn in hun hand of zoiets.'

Sejer keek hem verbaasd aan. 'Ragnhild was in ieder geval nogal gecharmeerd van hem.'

'Daar hebben die konijnen denk ik wel een handje bij geholpen.'

Karlsen haalde een zakdoek uit zijn binnenzak en veegde de chocolade uit zijn mondhoeken. 'Vroeger, toen ik jong was, kende ik ook zo iemand. We noemden hem Gekke Gunnar. Als ik er nu aan terugdenk, geloof ik zelfs dat we dachten dat hij van een andere planeet kwam. Hij is nu dood, hij is maar vijfendertig geworden.'

Ze stapten in en reden verder. Sejer bereidde een eenvoudig speechje voor de afdelingschef voor, dat hij hem zou voorschotelen zodra ze weer op het politiebureau waren. Het was ineens ontzettend belangrijk geworden om een paar dagen vrij te hebben en naar zijn vakantiehuisje te gaan. Het kwam goed uit, de weersvooruitzichten waren prima en het feit dat het meisje terug was had hem opgevrolijkt. Hij staarde naar de akkers en de velden, registreerde dat ze plotseling erg langzaam reden en zag toen dat ze achter een tractor zaten. Een groene John Deere met botergele velgen, die in een slakkengangetje voor hen uit reed. Ze konden met geen mogelijkheid passeren, steeds als ze bij een recht stuk weg kwamen, bleek dat te kort te zijn. De boer, die een pet en oorbeschermers droeg, zat zo stram als een boomstronk, alsof hij zo uit zijn tractorstoel groeide. Karlsen schakelde terug en zuchtte. 'Hij vervoert spruitjes. Kun je je hand niet even uitsteken en een kistje gappen? Dan maken we ze in de keuken van de kantine klaar.'

'We rijden nu ongeveer net zo snel als Raymond', mompelde Sejer. 'Je hele leven in de tweede versnelling. Dat zou niet eens zo gek zijn, vind je niet?'

Hij legde zijn grijze hoofd tegen de hoofdsteun en sloot zijn ogen.

Na de stilte op het land leek de stad op een smerige, krioelende chaos van mensen en auto's. Het verkeer ging nog steeds dwars door het centrum, de gemeenteraad vocht een verbeten strijd voor de tunnel die gereed lag op de tekentafel, maar ondertussen stonden er steeds nieuwe protestgroepen op, met meer of minder zwaarwegende tegenargumenten. De afzichtelijke ontluchtingstorens die het landschap rond de rivier zouden verpesten, het lawaai en de verontreiniging tijdens de aanleg, en *last but not least*: het prijskaartje.

Sejer keek vanuit het kantoor van zijn chef neer op de straat. Hij had zojuist zijn wens geuit en wachtte nu op het antwoord. Het was eigenlijk al een uitgemaakte zaak. Holthemann zou het niet in zijn hoofd halen om nee te zeggen, niet als Sejer het vroeg. Maar hij had zo zijn principes.

'Heb je de roosters gecheckt? Met de rest van het team overlegd?'

Sejer knikte. 'Soot doet twee diensten samen met Siven, ik reken erop dat zij hem in toom houdt.'

'Dan zie ik geen reden om...'

De telefoon ging. Twee korte piepjes, als van een hongerig vogeltje. Sejer was niet religieus, maar hij deed toch een schietgebedje, misschien tot de Voorzienigheid, dat zijn vakantie niet vlak voor zijn neus zou worden weggekaapt.

'Of Konrad hier is?' Holthemann knikte. 'Ja, die is hier. Verbind haar maar door.'

Hij trok aan het snoer en gaf hem de hoorn. Sejer nam hem aan, dacht dat het misschien Ingrid was die hem iets wilde vragen, hij hoefde zich tenslotte niet meteen onnodig zorgen te maken. Het was mevrouw Album.

'Is alles goed met Ragnhild?' vroeg hij snel.

'Ja, het gaat goed. Alles in orde. Maar toen we uiteindelijk alleen waren, heeft ze me iets vreemds verteld. Ik vond dat ik u moest bellen, het klonk zo merkwaardig en ze verzint gewoonlijk niet zomaar iets, in ieder geval niet zulke dingen, dus voor de zekerheid bel ik u maar. Dan heb ik het in ieder geval aan iemand verteld.'

'En wat is dat?'

'Die man, waar ze mee was, die heeft haar dus thuisgebracht. Hij heette trouwens Raymond, ze herinnerde zich zijn naam later weer. Ze zijn aan de achterkant van de Koll omhoog gelopen, langs het Slangenven, en daar zijn ze even blijven staan.'

'Ja?'

'Ragnhild zegt dat er daarboven een vrouw ligt.'

Hij knipperde verrast met zijn ogen. 'Wat zegt u?'

'Dat er een vrouw bij het Slangenven ligt. Helemaal stil en zonder kleren.' Haar stem klonk angstig en bezorgd tegelijk.

'Gelooft u haar?'

'Ja, ik geloof haar. Een kind bedenkt zoiets toch niet? Maar ik durf er niet alleen naartoe te gaan en ik wil haar niet met me meenemen.'

'Dan zal ik zorgen dat dit gecheckt wordt. Zegt u het maar tegen niemand. U hoort nog van ons.'

Hij legde neer en sloot zijn vakantiehuisje, dat hij in gedachten al had opengemaakt, weer af. De geur van opspattend zeewater en van verse, gestoofde kabeljauw verdween als sneeuw voor de zon. Hij glimlachte somber naar Holthemann.

'Ik moet eerst nog iets afhandelen.'

Karlsen was op surveillance, in de enige dienstauto die vandaag ter beschikking stond en waarmee ze de hele stadskern moesten bedienen. Daarom kreeg hij Skarre mee, een jonge krullenbol, ongeveer half zo oud als hijzelf. Skarre was een opgewekte kerel, vrolijk en optimistisch, met een vaag zuidelijk dialect dat sterker doorklonk naarmate zijn hartslag toenam. Ze parkeerden weer naast de brievenbus aan de Granietweg en praatten een poosje met Irene Album. Ragnhild hing als een klit aan haar rokken. Er waren ongetwijfeld enkele waarschuwingen tot haar witharige hoofdje doorgedrongen. Haar moeder wees de weg, zei dat ze een gemarkeerd pad moesten volgen dat vanaf de bosrand aan de overkant van het huis, langs de linkerkant van de Koll, omhoog liep. Het zou hen als sportieve mannen zo'n twintig minuten kosten, dacht ze, om naar boven te wandelen.

De stammen van de sparren waren met blauwe pijlen gemarkeerd. Ze keken sceptisch naar de schapenkeutels, stapten af en toe opzij in de heide, maar liepen in een flink tempo naar boven. Het werd steeds steiler. Skarre hijgde een beetje, Sejer liep gemakkelijk en ondervond geen problemen. Eén keer bleef hij staan, hij draaide zich om en keek omlaag naar de woonwijk. Ze konden nu alleen nog de bruinroze en zwarte daken in de verte zien. Daarna liepen ze weer door, ze spraken niet meer met elkaar, deels omdat ze hun adem nodig hadden om hun voeten op te tillen, deels om wat ze vreesden aan te treffen. De bomen stonden hier zo dicht op elkaar dat ze in het halfduister liepen. Sejer hield zijn blik op het pad gericht, niet omdat hij bang was te struikelen, maar om mogelijk iets te vinden. Als hierboven echt iets was voorgevallen, mochten ze niets over het hoofd zien. Ze hadden exact zeventien minuten gelopen, toen het bos opener werd en het daglicht door het bladerdak drong. Nu zagen ze het water. Een spiegelglad meertje, niet groter dan een flinke vijver. Het lag als een geheime kamer tussen de sparren. Een ogenblik lieten ze hun ogen over het terrein gaan. Ze volgden met hun blik de gele lijn van het riet en zagen een stukje verderop iets dat een strandje kon zijn. Daar liepen ze naartoe, op enige afstand van het water, de rietkraag was tamelijk breed en ze droegen gewone schoenen. Het was nauwelijks een strandje te noemen. Het was eerder een modderige plek met een stuk of vier, vijf grote keien, precies genoeg om het riet weg te houden en misschien de enige plaats waar je helemaal bij het water kon komen. In de modder en het slijk lag een vrouw. Ze lag op haar zij, met haar rug naar hen toe, een donker windjack bedekte haar bovenlichaam, verder was ze naakt. Blauwe en witte kleren lagen er op een stapeltje naast. Sejer bleef abrupt staan en greep automatisch naar de mobiele telefoon die aan zijn riem hing. Toen bedacht hij zich. Stapte van het pad af en liep voorzichtig naar haar toe, hij hoorde hoe het water in zijn schoenen sopte.

'Staan blijven', zei hij zacht.

Skarre gehoorzaamde. Sejer was nu helemaal bij het water, hij zette zijn voet op een steen die een stukje in het water lag om haar van voren te kunnen bekijken. Hij wilde niets aanraken, nog niet. Haar ogen waren een beetje weggezonken. Ze waren halfopen en op een punt verderop in het ven gevestigd. Het oogvlies was mat en gerimpeld. Haar pupillen waren groot en niet meer helemaal rond. Haar openstaande mond en een deel van haar neus waren bedekt met geelwit schuim, alsof ze iets had uitgebraakt. Hij bukte zich en blies erop, het bewoog niet. Haar gezicht lag maar een paar centimeter van het water vandaan. Hij legde twee vingers op haar halsslagader. De huid had zijn elasticiteit al verloren, maar voelde niet zo koud aan als hij had verwacht.

'Dood', zei hij.

Op haar oorlellen en op de zijkant van haar hals ontdekte hij een paar vage paarse vlekken. De huid van haar benen vertoonde kippenvel, maar verder geen oneffenheden. Hij stapte via dezelfde weg terug. Skarre stond een beetje verbouwereerd te wachten, met zijn handen in zijn zakken. Hij was doodsbang een fout te maken.

'Helemaal naakt onder het jack. Geen zichtbare uiterlijke verwondingen. Achttien, misschien twintig jaar.'

Toen belde hij op, vroeg om een ambulance, een forensisch arts, een fotograaf en de technische recherche. Legde uit dat ze het weggetje moesten nemen dat langs de achterkant van de Koll liep en berijdbaar was. Hij vroeg hun op enige afstand te parkeren om eventuele autosporen niet uit te wissen. Keek om zich heen naar iets om op te zitten en koos de platste steen die hij zag. Skarre kwam naast hem zitten. Ze keken zwijgend naar haar witte benen en het blonde haar, dat steil en halflang was. Ze lag op haar zij, bijna in foetushouding. Haar armen voor haar borst, haar knieën opgetrokken. Het windjack lag losjes over haar bovenlichaam en reikte tot halverwege haar dijen. Het was schoon en droog. De rest van haar kleren lag op een stapeltje achter haar rug en was nat en vies. Een spijkerbroek met een riem, een blauw met wit geruite blouse, een bh, een donkerblauwe collegetrui. Reebok sportschoenen.

'Wat is dat spul op haar mond?' mompelde Skarre.

'Schuim.'

'Ja maar, wat voor schuim? Waar komt dat vandaan?'

'Ik neem aan dat we daar wel achter komen.' Hij schudde zijn hoofd. 'Het lijkt alsof ze is gaan liggen om te slapen. Met haar rug naar de wereld.'

'Je kleedt je toch niet uit als je er een einde aan wilt maken?'

Sejer gaf geen antwoord. Hij bekeek haar weer, het witte lichaam naast het zwarte water, omringd door donkere sparren. Het beeld had niets gewelddadigs, het zag er eerder vredig uit. Ze wachtten op de dingen die komen gingen.

Zes mannen kwamen met grote passen uit het bos tevoorschijn. Het geluid van hun stemmen stierf met wat zacht gehoest weg, toen ze de twee bij het water zagen zitten. Het volgende moment zagen ze de dode vrouw. Sejer stond op en wenkte.

'Blijf aan de zijkant!' riep hij.

Ze deden wat hij zei. Allemaal kenden ze die grijze kop. Een van hen nam met een getraind oog het terrein op, stampte wat op de grond die op de plaats waar hij stond relatief stevig was en mompelde iets over te weinig neerslag. De fotograaf ging er als eerste heen. Hij lette niet erg op de dode, maar keek eerst naar de hemel, alsof hij een inschatting van het licht maakte.

'Fotografeer haar van beide kanten,' zei Sejer, 'en zorg dat je ook de begroeiing meekrijgt. Ik ben bang dat je daarna het water in moet, ik wil ook foto's van de voorkant hebben, zonder haar te verplaatsen. Als je een halve film hebt opgeschoten, halen we haar jack weg.'

'Zulke poelen zijn meestal bodemloos', zei de fotograaf sceptisch.

'Je kunt toch wel zwemmen?'

Het was even stil.

'Er ligt daarginds een bootje. Dat kunnen we gebruiken.'

'Die platbodem? Ziet er vermolmd uit.'

'We zullen wel zien', zei Sejer kortaf.

Terwijl de fotograaf bezig was, stonden de anderen stil te wachten, maar een van de technici doorzocht een stukje verderop het terrein dat volkomen vrij van afval bleek te zijn. Dit was een idyllisch plekje en op zulke plaatsen was de grond gewoonlijk bezaaid met bierdoppen, gebruikte condooms, peuken en chocoladepapiertjes. Ze vonden helemaal niets.

'Ongelofelijk', zei hij. 'Nog geen afgestreken lucifer.'

'Hij heeft de boel blijkbaar achter zich opgeruimd', zei Sejer.

'Maar het ziet eruit als een zelfmoord, vind je niet?'

'Ze is poedelnaakt', was zijn antwoord.

'Ja, maar het lijkt erop dat ze dat zelf heeft gedaan. Die kleren zijn niet met geweld van haar lichaam getrokken, dat is zeker.'

'Ze zijn vies.'
'Misschien heeft ze ze daarom uitgetrokken', glimlachte hij. 'Bovendien heeft ze overgegeven. Heeft vast iets gegeten waar ze niet tegen kon.'
Sejer slikte een antwoord in en keek naar haar. Hij begreep de gedachtegang wel. Het zag er inderdaad uit alsof ze daar zelf was gaan liggen en het was waar dat haar kleren netjes naast haar lagen, niet in het rond geslingerd. Ze waren modderig, maar leken niet kapot. Alleen het windjack dat haar bovenlichaam bedekte, was droog en schoon. Hij keek naar de modder en het slijk en ontdekte iets wat op de afdruk van een schoen leek. 'Kijk hier eens', zei hij tegen de technicus.
De man in de overall hurkte en mat alle afdrukken een paar keer.
'Dit is hopeloos. Ze staan vol water.'
'Is er niets van te gebruiken?'
'Waarschijnlijk niet.'
Ze tuurden in de met water gevulde ovalen.
'Fotografeer ze toch maar. Ik vind dat ze er klein uitzien. Misschien iemand met kleine voeten.'
'Ongeveer zevenentwintig centimeter. Niet echt een reuzenvoet. Kan van haarzelf zijn.'
De fotograaf nam verscheidene foto's van de sporen. Daarna stapte hij in de gammele praam. Ze hadden geen roeispanen aangetroffen, dus hij moest zich steeds met zijn handen in positie peddelen. Telkens als hij bewoog, helde de boot vervaarlijk over.
'Hij maakt water!' riep hij bezorgd.
'Rustig maar, we zijn hier met een complete reddingsbrigade!' antwoordde Sejer.
Toen hij eindelijk klaar was, had hij meer dan vijftig foto's gemaakt. Sejer liep naar het ven, zette zijn schoenen en sokken op een steen, rolde zijn broek op en waadde het water in. Hij stond een meter van haar hoofd af. Om

haar hals droeg ze een kettinkje. Hij viste het voorzichtig op, met een pen uit zijn binnenzak. 'Een medaillon', zei hij zacht. 'Vermoedelijk zilver. Er staat iets op. Een H en een M. Hou eens een zakje op.'

Hij boog zich over haar heen en maakte het kettinkje los, daarna verwijderde hij het jack.

'Haar nek is rood', zei hij toen. 'De huid is bijna overal abnormaal licht, maar op haar nek heel erg rood. Een lelijke vlek, zo groot als een hand.'

De forensisch arts, die Snorrason heette, droeg rubberlaarzen. Hij waadde het water in en onderzocht achtereenvolgens haar ogen, tanden en nagels. Aanschouwde de gave huid, de vage rode vlekken, er waren er meer, als het ware willekeurig verspreid over haar hals en borst. Hij merkte ieder detail op, de lange benen, het ontbreken van moedervlekken, wat bijna nooit voorkomt, en vond alleen een kleine petechie op haar rechterschouder. Hij drukte voorzichtig met een houten spateltje op het schuim op haar mond. Het was stevig en compact, bijna als een mousse.

'Wat is dat?' Sejer knikte naar haar mond.

'Op het eerste gezicht zou ik zeggen dat het vocht uit haar longen is, dat proteïnen bevat.'

'En dat betekent?'

'Dat ze verdronken is. Maar het kan ook iets anders betekenen.'

Hij schraapte een beetje van het schuim weg en even later kwam er nieuw schuim uit haar mond tevoorschijn.

'De longen klappen in', verklaarde hij.

Sejer perste zijn lippen op elkaar, terwijl hij het verschijnsel observeerde.

De fotograaf nam meer foto's van haar, nu zonder jack.

'Tijd om het zegel te verbreken', zei Snorrason en hij draaide haar voorzichtig op haar buik. 'Een lichte, beginnende stijfheid, vooral in de nek. Grote, goedgebouwde vrouw in goede staat. Brede schouders. Stevige spieren in bovenarmen, dijen en kuiten. Heeft misschien aan sport gedaan.'

'Zie je überhaupt tekenen van geweld?'

Hij bestudeerde haar rug en de achterkant van haar benen. 'Afgezien van die rode vlekken in haar nek... nee. Iemand kan haar stevig bij haar nek hebben gepakt en haar op haar buik in het water hebben geduwd. Duidelijk terwijl ze haar kleren nog aan had. Daarna is ze weer omhooggetrokken, zorgvuldig uitgekleed, hier zo neergelegd en met een jack toegedekt.'

'Sporen van seksueel geweld?'

'Dat weet ik nog niet.'

Hij nam haar temperatuur op, onverstoorbaar, voor ieders oog, en tuurde naar het resultaat.

'Dertig graden. Samen met de weinige doodsvlekken en de slechts lichte stijfheid in haar nek zou ik zeggen dat de dood tussen de tien... en de twaalf uur geleden is ingetreden.'

'Nee', zei Sejer. 'Niet als ze op deze plek is overleden.'

'Wil je mijn baan overnemen?'

Sejer schudde zijn hoofd. 'Er is hier vanmorgen een zoekactie geweest. Een groepje mensen heeft hier bij het ven met een hond gezocht naar een klein meisje dat vermist werd. Zij zijn hier ergens tussen twaalf en twee geweest. Toen lag ze hier niet. Ze zouden haar gezien hebben. Dat meisje is trouwens ongedeerd teruggekomen', voegde hij eraan toe.

Hij keek om zich heen, tuurde met samengeknepen ogen naar de modder en het slijk. Een miniem, oplichtend puntje ving zijn aandacht. Voorzichtig pakte hij het met twee vingers op. 'Wat is dit?'

Snorrason tuurde in zijn hand. 'Een pil, of een of ander tabletje.'

'Misschien vind je de rest ervan in haar maag?'

‘Dat is goed mogelijk. Maar ik zie hier geen pillendoosje.’

‘Ze kan ze los in haar zak hebben gehad.’

‘In dat geval moeten we stof in haar spijkerbroek aantreffen. Stop maar in een zakje.’

‘Zegt het je iets, zo zonder meer?’

‘Kan van alles zijn. Maar de kleinste tabletten zijn vaak het sterkst. Dat vinden ze in het lab wel uit.’

Sejer knikte naar de mannen met de brancard en bleef met zijn armen over elkaar naar hen staan kijken. Voor de eerste keer in lange tijd richtte hij zijn blik op en staarde over het water. De hemel was bleek en de spitse sparren stonden als opgeheven speren rond het ven. En óf ze het zouden uitvinden! Dat beloofde hij zichzelf. Alles wat hier gebeurd was.

Jacob Skarre, geboren en getogen in Søgne in het vrolijke zuiden van Noorwegen, was net vijfentwintig geworden. Hij had wel vaker naakte vrouwen gezien, maar nog nooit zo naakt als deze vrouw bij het ven. Toen hij naast Sejer in de auto zat, drong het ineens tot hem door dat deze dode meer indruk op hem had gemaakt dan alle andere doden die hij had gezien. Misschien omdat ze erbij lag alsof ze haar eigen naaktheid wilde verhullen, met haar rug naar het pad, haar hoofd gebogen en haar knieën opgetrokken. Maar ze hadden haar toch gevonden, en ze hadden haar naaktheid gezien. Hadden haar omgedraaid, haar lippen opgelicht en haar tanden onderzocht, haar oogleden binnenstebuiten gekeerd. Haar temperatuur opgenomen terwijl ze met gespreide benen op haar buik lag. Alsof ze een merrie op een veiling was.

‘Ze moet eigenlijk best mooi geweest zijn’, zei hij geschokt.

Sejer gaf geen antwoord. Maar hij was blij met het commentaar. Hij had andere meisjes gevonden, andere commentaren gehoord. Ze reden een tijdje zwijgend verder en staarden naar de weg voor hen. Maar in de verte zagen ze voortdurend het naakte lichaam, de wervels van haar ruggengraat, de iets rodere huid op haar voetzolen, de kuiten met blonde haartjes, als een luchtspiegeling zwevend boven het asfalt. Sejer had een vreemd gevoel. Dit was heel anders dan alles wat hij ooit eerder had gezien.

'Heb jij nachtdienst?'

Skarre schraapte zijn keel. 'Tot twaalf uur maar. Ik val een paar uur in voor Ringstad. Ik hoorde trouwens dat je van plan was een weekje vakantie te nemen, valt dat nu in het water?'

'Daar lijkt het wel op.'

In werkelijkheid was hij het al vergeten.

De lijst van vermiste personen lag voor hem op de tafel.

Er stonden maar vier namen op, waarvan twee mannen, en de twee vrouwen waren allebei van voor 1960 en konden niet de vrouw zijn die ze bij het Slangenven hadden gevonden. Een van de twee was verdwenen uit het Centraal Ziekenhuis, afdeling psychiatrie, de ander uit een bejaardentehuis in een naburige gemeente. *Lengte 155 centimeter, gewicht 45 kilo. Sneeuwwit haar.*

Het was zes uur 's avonds en het kon nog uren duren voor een of andere angstige ziel de stap nam om haar als vermist op te geven. Ze moesten wachten, zowel op de foto's als op het sectierapport, dus hij kon momenteel niet veel uitrichten. Niet voordat ze de identiteit van de vrouw kenden. Hij pakte zijn leren jasje van de stoelleuning en ging met de lift naar de hal. Maakte een galante buiging voor mevrouw Brenningen van de receptie en herinnerde zich op datzelfde moment dat zij weduwe was en dat het leven dat zij leidde misschien op het zijne leek. Mooi was ze ook, net zo blond als Elise, maar voller. Op het parkeerterrein zocht hij zijn auto op, een oude, ijsblauwe

Peugeot 604. In gedachten zag hij het gezicht van de dode vrouw voor zich, gezond en rond, zonder make-up. Haar kleren waren degelijk en smaakvol. Het steile, blonde haar zag er verzorgd uit, de sportschoenen waren duur. Om haar pols droeg ze een kostbaar Seiko-sporthorloge. Deze vrouw had een fatsoenlijke achtergrond, een thuis met orde en structuur. Hij had andere vrouwen gevonden, die een heel andere levensstijl hadden uitgestraald. Toch was hij wel eens vaker voor een verrassing komen te staan. Ze wisten bijvoorbeeld nog niet of ze vol zat met alcohol of narcotica, of met andere rotzooi. Alles was mogelijk en de dingen waren niet altijd zoals ze leken. Hij reed langzaam door de stad, langs de markt en de brandweerkazerne. Skarre had beloofd meteen te bellen zodra ze als vermist werd opgegeven. Op het medaillon stonden de letters H en M. Helene, dacht hij, of Hilde misschien. Het zou vast niet lang duren voor er iemand belde. Dit was een meisje dat zich aan haar afspraken hield, dat haar leven onder controle had.

Toen hij de sleutel in het slot stak, hoorde hij hoe de hond met een zware dreun uit de leunstoel sprong, een plek die voor hem verboden terrein was. Sejer woonde in een flat, in het enige appartementsgebouw in de stad dat twaalf verdiepingen telde en dat er daardoor nogal belachelijk uitzag in het landschap. Als een uit zijn krachten gegroeide menhir stak het gebouw hemelshoog tussen de andere bebouwing uit. Dat hij hier twintig jaar geleden, samen met zijn vrouw Elise, toch was komen wonen, was omdat de flat een prima indeling had en een weergaloos uitzicht. Hij kon absoluut de hele stad overzien en als hij aan de alternatieven dacht, leken die allemaal even benauwend. Als je eenmaal binnen was, vergat je al snel wat voor soort gebouw het was, van binnen was de flat gezellig en vriendelijk, betimmerd met schrootjes. De meubels waren nog van zijn ouders geweest, oud en stevig, van geschuurd eiken. De wanden werden voor het grootste deel bedekt met boeken en op de weinige open plaatsen had hij een paar foto's opgehangen. Een van Elise, een aantal van zijn kleinkind en van zijn dochter Ingrid. En een houtskooltekening van Käthe Kollwitz, uit een kunstcatalogus geknipt en in een zwart laklijstje gevat. *De dood met meisje op schoot.* Een foto van hemzelf in vrije val boven het vliegveld. Eentje van zijn ouders, plechtig poserend in hun zondagse kleren. Iedere keer als hij naar de foto van zijn vader keek, kwam zijn eigen ouderdom onaangenaam dichterbij. Zo zouden zijn wangen invallen, zijn oren en zijn wenkbrauwen zouden nog verder groeien en hem hetzelfde ruige uiterlijk geven.

De regels binnen deze gemeenschap, waar de gezinnen als in de monoliet van Vigeland boven op elkaar waren gestapeld, waren zeer streng. Het was verboden om vloerkleden op het balkon uit te kloppen, daarom stuurde hij ze ieder voorjaar naar de stomerij. Daar was het nu eigenlijk de tijd voor. De hond, die Kollberg heette, liet enorme plukken haar achter. Op de bewonersvergadering was hij al een keer onderwerp van gesprek geweest, maar dat was met een sisser afgelopen, waarschijnlijk omdat hij inspecteur was en ze het een veilig gevoel vonden om hem in de buurt te hebben. Hij voelde zich niet opgesloten, hij woonde op de bovenste verdieping. De woning was schoon en opgeruimd en weerspiegelde zijn innerlijk: orde en overzicht. Zijn enige zwakke punt was de hoek in de keuken waar altijd resten droogvoer en gemorst water van de hond lagen. Zijn relatie met de hond werd in veel te hoge mate bepaald door gevoelens en veel te weinig door autoriteit. De badkamer was de enige ruimte waar hij niet tevreden over was, maar daar zou hij nog wel eens iets aan doen. Nu had hij eerst die vrouw en misschien een gevaarlijke man op vrije voeten. Hij had er een vervelend gevoel bij. Alsof hij voor een donkere bocht stond waar hij niet omheen kon kijken.

Hij zette zich schrap en nam de overweldigende omhelzing van de hond in ontvangst. Hij liet hem snel even uit achter het flatgebouw, gaf hem vers water en was halverwege de krant toen de telefoon ging. Hij zette de radio zachter, voelde een lichte spanning toen hij de hoorn opnam. Misschien had er iemand gebeld, misschien hadden ze al een naam.

'Dag opa!' hoorde hij.

'Matteus?'

'Ik ga nu naar bed. Het is avond.'

'Heb je je tanden goed gepoetst?' vroeg hij en ging op het telefoonkrukje zitten. Hij zag het kleine mokkakleurige gezichtje met de parelwitte tanden voor zich.

'Dat heeft mamma gedaan.'

'En heb je je fluortabletje geslikt?'

'Mm.'

'En je avondgebed opgezegd?' plaagde hij.

'Mamma zegt dat ik dat niet hoef.'

Hij babbelde lang met zijn kleinkind, met de hoorn dicht tegen zijn oor aan, om geen enkele zucht of nuance in het hoge stemmetje te missen. Die stem was rond en zacht als een wilgenfluitje in de lente. Ten slotte wisselde hij nog een paar woorden met zijn dochter. Hoorde de bedrukte zucht toen hij over de vondst vertelde, alsof de dingen waarmee hij zijn leven verkoos te vullen, haar maar matig bevielen. Ze zuchtte precies zoals Elise had gedaan. Hij zei niets over haar eigen betrokkenheid bij het door burgeroorlogen getroffen Somalië. In plaats daarvan keek hij op zijn horloge, bedacht plotseling dat ergens anders iemand hetzelfde deed. Ergens anders zat iemand te wachten, naar het raam en naar de telefoon te gluren, iemand die tevergeefs wachtte.

*

Het politiebureau was vierentwintig uur per dag geopend en bestreek een gebied van vijf gemeenten, met een bevolking van honderdvijftienduizend goede en slechte burgers. In het hele gerechtsgebouw werkten meer dan tweehonderd mensen, waarvan honderd tweeënvijftig bij de politie. Hieronder waren tweeëndertig rechercheurs, maar aangezien er constant vrije dagen moesten worden opgenomen en de minister van Justitie hun cursussen of congressen oplegde, waren er in de praktijk dagelijks nooit meer dan twintig personen aan het werk. Dat was te weinig. Volgens Holthemann werd er niet langer op het publiek gefocust, maar was dat al bijna buiten hun blikveld verdwenen.

Kleinere zaken werden door rechercheurs in hun eentje opgehelderd, andere, ingewikkelder zaken werden door grotere teams opgelost. In totaal stroomden er op jaarbasis tussen de veertien- en de vijftienduizend zaken binnen. Op sommige dagen bestond het werk louter uit het behandelen van aanvragen van mensen die een kraampje wilden beginnen om bijvoorbeeld zijden bloemen of brooddeegfiguurtjes op het marktplein te verkopen, of ze wilden ergens tegen demonstreren, zoals tegen de nieuwe tunnel. Of de automatische verkeerscontrole moest worden afgehandeld. Mensen kwamen sputterend van verontwaardiging binnen om onthullende foto's van zichzelf te bestuderen, waarop ze ononderbroken lijnen overschreden en door rood licht reden. Ze zaten in de wachtkamer te snuffen, dertig, veertig man per dag, met hun portefeuille bevend in hun jas. De surveillancewagen moest bemand worden en het was gênant te moeten constateren dat er geen grote belangstelling bij de agenten was om deze belangrijke taak te vervullen. Arrestanten moesten aan de onderzoeksrechter worden voorgeleid en dienden gehaald en gebracht te worden, de eigen mensen van het bureau kwamen met aanvragen voor vrije dagen en compensatie die behandeld moesten worden en verder waren de dagen volgepland met allerlei besprekingen. Op de derde verdieping bevond zich het kantoor van de openbare aanklager en de officier van justitie, waar vijf juristen uitstekend samenwerkten met de politie. Op de vierde en de vijfde was de districtsgevangenis gevestigd. Op het dak was een luchtplaats, waar de gedetineerden een glimp van de hemel konden opvangen.

De meldkamer was het visitekaartje van het bureau naar buiten toe en stelde hoge eisen aan de flexibiliteit en het geduld van de agent die dienst had. De burgers van de stad hingen vierentwintig uur per dag aan de lijn met een welhaast eindeloze stroom vragen, gestolen fietsen, weggelopen honden, inbraken en vernielingen. Opgewonden vaders uit de betere villawijken van de stad belden om zich te beklagen over te hard rijden in de buurt. Een doodenkele keer werd slechts een snikkende stem gehoord, een zielige poging om mishandeling of verkrachting aan te geven, die in vertwijfeling verdronk en slechts een dode zoemtoon in de hoorn achterliet. Nog sporadischer betroffen de telefoontjes moord of verdwijning. Midden in deze stroom zat Skarre te wachten. Hij wist dat het zou komen, hij voelde de spanning stijgen naarmate de klok verder tikte, eerst naar de avond en daarna naar de nacht.

Toen de telefoon bij Sejer voor de tweede keer ging, was het bijna middernacht. Hij zat met de krant op schoot te dommelen in zijn stoel, het bloed in zijn aderen stroomde snel, verdund met een scheut whisky. Hij belde een taxi en twintig minuten later stond hij op kantoor.

'Ze kwamen in een oude Toyota', zei Skarre hectisch. 'Ik heb ze buiten opgewacht. Haar ouders.'

'Wat heb je tegen hen gezegd?'

'Vast niet de juiste dingen. Ik raakte een beetje gestresst. Ze belden eerst op en een halfuur later waren ze hier. Ze zijn al weg.'

'Naar het gerechtelijk laboratorium?'

'Ja.'

'Waren jullie zo zeker?'

'Ze hadden een foto bij zich. Haar moeder wist precies wat ze aan had. Alles klopte, van de gesp van haar riem tot haar ondergoed. Ze had zo'n speciale bh om mee te sporten. Ze trainde vrij veel. Maar het windjack was niet van haar.'

'Wat?'

'Ja, bijna niet te geloven, hè?' Skarre kon er niets aan doen, hoewel hij geschokt was, voelde hij dat zijn ogen schitterden. 'Hij heeft een spoor voor ons achtergelaten, gratis en voor niets. In zijn jaszak zaten een zakje snoepjes en een reflector in de vorm van een uil. Verder niets.'

'Je eigen jack achterlaten, dat begrijp ik niet. Wie is ze trouwens?'

Hij las in zijn aantekeningen. 'Annie Sofie Holland.'

'Annie Holland? Hoe zit het met dat medaillon?'

'Dat is van haar vriendje. Hij heet Halvor.'

'Waar komt ze vandaan?'

'Uit Lundeby. Ze wonen aan de Kristalweg nummer twintig. Dat is trouwens dezelfde straat als waar Ragnhild Album vannacht heeft geslapen, alleen een stukje verder de straat in. Toevallig, hè?'

'En haar ouders, hoe waren die?'

'Die zijn zich kapotgeschrokken', zei hij zacht. 'Nette, fatsoenlijke mensen. Zij praatte aan een stuk door, hij heeft bijna geen woord gezegd. Ze zijn samen met Siven weggegaan. Je kunt wel gaan zitten,' voegde hij toe, 'ik tril ervan.'

Sejer stopte een Fisherman's Friend in zijn mond.

'Ze was nog maar vijftien jaar', ging Skarre verder. 'Zat op de middelbare school.'

'Wat zeg je?! Vijftien?' Hij schudde zijn hoofd. 'Ik dacht dat ze ouder was. Zijn de foto's klaar?' Hij haalde zijn hand door zijn korte haar en ging zitten.

Skarre gaf hem een dossiermap. De foto's waren tot twintig bij vijfentwintig uitvergroot, met uitzondering van twee die nog groter waren.

'Heb je wel eens een zedendelict gezien?'

Skarre schudde zijn hoofd.

'Dit ziet er niet uit als een zedendelict. Dit is anders.' Hij bladerde de stapel door. 'Ze ligt er te fraai bij, ziet er te mooi uit. Als het ware zo gearrangeerd, en toegedekt. Geen verwondingen of krassen, geen tekenen van verweer. Zelfs haar haar ziet eruit alsof het zo geschikt is. Zedendelinquenten doen zoiets niet, zij demonstreren macht. Ze smijten hun slachtoffers van zich af.'

'Maar ze is toch naakt?'

'Ja, jawel.'

'Wat vind jij dan dat die foto's zeggen? Zo op het eerste gezicht?'

'Ik weet het niet goed. Dat jasje ligt zo zorgzaam over haar schouders.'

'Een soort bezorgdheid?'

'Moet je eens kijken. Vind je ook niet?'

'Ja, dat ben ik wel met je eens. Maar waar hebben we het dan over? Moord uit medelijden?'

'In ieder geval zijn er gevoelens in het spel geweest. Ik bedoel, hij moet iets voor haar gevoeld hebben. Iets goeds. Dus hij heeft haar misschien gekend. Dat is trouwens meestal het geval.'

'Hoe lang denk je dat we op het rapport moeten wachten?'

'Ik zal Snorrason achter de veren zitten. Dat er daarboven verdorie helemaal niets te vinden was! Een paar onbruikbare voetafdrukken en een pilletje. En verder nog geen peuk, nog geen ijsstokje.'

Hij vermorzelde de keelpastille tussen zijn tanden, liep naar de wastafel en vulde een kartonnen bekertje met water.

'Morgen gaan we naar de Granietweg. We moeten die knapen die Ragnhild hebben gezocht te pakken zien te krijgen. Thorbjørn, bijvoorbeeld. We moeten weten hoe laat ze langs het Slangenven zijn gekomen.'

'En Raymond Låke?'

'Hij ook. En Ragnhild. Kinderen merken de wonderbaarlijkste dingen op, geloof mij. Ik spreek uit ervaring', voegde hij eraan toe. 'Hoe zit het met het echtpaar Holland? Hebben ze nog meer kinderen?'

'Nog een dochter. Ouder.'

'Godzijdank.'

'Is dat een troost?' vroeg Skarre weifelend.

'Voor ons', zei hij somber.

De agent klopte op zijn zak. 'Heb je er bezwaar tegen als ik een sigaret opsteek?'

'Nee hoor.'

'Zeg,' zei Skarre, terwijl hij een rookwolk uitblies, 'er zijn twee manieren om bij het Slangenven te komen. Via het gemarkeerde pad dat wij hebben gevolgd en via het weggetje aan de andere kant, waar Ragnhild en Raymond langs zijn gegaan. Als er mensen langs die weg wonen moeten we daar morgen zeker ook even aankloppen?'

'Die weg heet de Kollevei. Ik geloof niet dat er veel huizen staan, ik heb het thuis even op de kaart nagekeken. Alleen een paar boerderijen. Maar natuurlijk, als ze in een auto naar het ven is vervoerd, moeten ze via die weg zijn gekomen.'

'Ik heb te doen met dat vriendje van haar, als je hem hier laat komen.'

'We zullen wel zien wat voor type dat is.'

'Als een vent een meisje vermoordt,' zei Skarre, 'door net zo lang haar hoofd onder water te houden tot ze dood is, en haar vervolgens weer omhoog trekt en netjes gaat neerleggen, dan zie ik zoiets voor me als: ik wilde je eigenlijk niet vermoorden, maar ik moest wel. Het doet een beetje denken aan een manier van excuus vragen, vind je ook niet?'

Sejer dronk het kartonnen bekertje leeg en kneep het plat. 'Ik zal morgen met Holthemann praten. Ik wil jou ook op deze zaak hebben.'

Skarre knipperde verbaasd met zijn ogen.

'Hij heeft mij op de Spaarbank gezet', stamelde hij. 'Samen met Gøran.'

'Maar heb je er wel zin in?'

'Of ik zin heb in een moordzaak? Ja, dat is een waar kerstcadeau. Ik bedoel, een grote uitdaging. Natuurlijk heb ik daar zin in.'

Hij begon meteen te blozen en greep de telefoon, die driftig rinkelde. Luisterde, knikte en legde weer neer.

'Dat was Siven. Ze hebben haar geïdentificeerd. Annie Sofie Holland, geboren drie maart negentien tachtig. Maar ze kunnen morgen pas worden gehoord, zegt ze.'

'Is Ringstad er al?'

'Net gekomen.'

'Dan moet jij maken dat je thuiskomt. Het wordt een zware dag morgen. Ik neem de foto's mee', voegde hij eraan toe.

'Ga je haar op bed bestuderen?'

'Dat was ik van plan, ja.' Hij glimlachte weemoedig. 'Ik geef de voorkeur aan papieren plaatjes. Die kan ik na afloop in de la leggen.'

*

De Kristalweg was, net als de Granietweg, een doodlopende straat, die eindigde in een dicht, ontembaar struikgewas, waar enkele ontrouwe lieden in de luwte van de schemering afval hadden gedumpt. De huizen stonden dicht tegen elkaar aan, eenentwintig in totaal. Op een afstand leken het rijtjeshuizen, maar naarmate ze de straat verder inreden, ontdekten ze tussen alle huizen een smalle doorgang, net breed genoeg voor één persoon. De huizen hadden drie verdiepingen, waren hoog en spits en allemaal precies eender, ze deden een beetje denken aan de oude pakhuizen langs de haven van Bergen, dacht Sejer. De kleuren varieerden, maar pasten bij elkaar, dieprood, donkergroen, bruin en grijs. Een van de huizen viel uit de toon, dat was knaloranje.

Waarschijnlijk hadden verscheidene bewoners de politieauto die bij de garages stond en Skarre die zijn uniform droeg al gezien. Over niet al te lange tijd zou de bom barsten. Er hing een gespannen stilte.

Ada en Eddie Holland woonden op nummer twintig. Toen Sejer voor de deur stond, kon hij de ogen van de buren bijna in zijn nek voelen. Er is iets op nummer twintig gebeurd, dachten ze nu, bij Holland, met die twee dochters. Hij probeerde zijn ademhaling onder controle te krijgen, die ging sneller dan gewoonlijk door de drempel waar hij zo dadelijk overheen moest. Dit was zo moeilijk voor hem, dat hij jaren geleden al een aantal vaste repliieken aan elkaar had gebreid, die hij nu, na veel oefening, met vaste stem kon uitbrengen.

Annies ouders hadden blijkbaar niets uitgevoerd, nadat ze die nacht waren thuisgekomen. Ze hadden ook niet geslapen. De schok in het gerechtelijk laboratorium was als een schelle cimbaal, die nog steeds in hun hoofden nagalmde. De moeder zat in een hoekje van de bank, de vader zat op de armleuning. Hij zag er verslagen uit. De omvang van de ramp was nog niet tot de vrouw doorgedrongen, ze staarde Sejer niet-begrijpend aan, alsof ze niet snapte wat die twee politiemannen plotseling in haar kamer deden. Dit was een nachtmerrie en het zou niet lang duren voor ze wakker werd. Sejer moest haar hand van haar schoot pakken.

'Ik kan jullie Annie niet terugbrengen', zei hij zacht.

'Maar ik hoop dat ik erachter kan komen waarom ze gestorven is.'

'We hoeven niet te weten waarom!' zei de moeder met schelle stem. 'We willen weten wie! Jullie moeten uitzoeken wie het gedaan heeft en hem dan laten opsluiten! Hij is ziek.'

De man streelde haar onbeholpen over haar arm.

'We weten nog niet,' zei Sejer, 'of de dader echt ziek is of niet. Niet iedereen die een moord pleegt is ziek.'

'Normale mensen vermoorden geen jonge meisjes, dat kunt u niet menen!'

Ze haalde snel en hortend adem. De man verkrampte tot een keiharde knoop.

'Hoe dan ook,' zei Sejer voorzichtig, 'er is altijd een reden. Niet altijd een reden die wij kunnen begrijpen, maar er is een reden. Maar in de allereerste plaats moeten we de bevestiging krijgen dat ze echt is vermoord.'

'Als u denkt dat ze zelfmoord heeft gepleegd, moet u nog maar eens goed nadenken', zei de moeder verbeten. 'Geen sprake van. Niet Annie.'

Dat zeggen ze allemaal, dacht hij.

'Ik moet u een aantal vragen stellen. Ik wil dat u zo goed mogelijk antwoord geeft. Als u later denkt dat u niet de juiste antwoorden heeft gegeven, of iets vergeten bent, belt u ons dan. Of als u na verloop van tijd nog iets te binnen schiet. Dat kan op ieder uur van de dag.'

Ada Hollands ogen fladderden langs Skarre en Sejer, alsof ze naar de vibrerende cimbaal luisterde en wilde ontdekken waar het geluid vandaan kwam.

'Ik moet weten wat voor soort meisje ze was. Kunt u mij dat zo precies mogelijk vertellen?'

Wat is dat nou voor vraag, dacht hij op hetzelfde moment, wat moesten ze daar nou op antwoorden? De allerbeste, natuurlijk, de liefste en de flinkste. Een heel speciaal iemand. Het aller-, allerliefste dat we hadden. *Alleen Annie was Annie.*

Ze begonnen te huilen. De moeder van diep uit haar keel, een jammerende, snijdende weeklacht, de vader geluidloos, zonder tranen. Sejer herkende bij hem de gezichtstrekken van zijn dochter. Een breed gezicht met een hoog voorhoofd. Hij was niet erg lang, maar fors en stevig gebouwd. Skarre vergat dat hij een pen in zijn hand had, zijn blik was op het schrijfblok gevestigd.

'Laten we van voren af aan beginnen', zei Sejer. 'Het spijt me dat ik u moet lastigvallen, maar we mogen nu geen tijd verliezen. Wanneer is ze van huis gegaan?'

De moeder antwoordde met gebogen hoofd. 'Om halfeen.'

'Waar ging ze naartoe?'

'Naar Anette. Een klasgenootje. Ze moesten een werkstuk maken, met zijn drieën. Ze hadden vrij van school om samen aan die opdracht te werken.'

'Is ze daar geweest?'

'We hebben gisteravond om elf uur gebeld, want toen vonden we dat het laat genoeg was. Anette was al naar bed. Alleen dat andere meisje was gekomen. Ik kon mijn oren niet geloven...'

Ze verborg haar gezicht in haar handen. De hele dag was voorbijgegaan zonder dat ze het hadden geweten.

'Waarom hebben die meisjes niet hiernaartoe gebeld om te vragen waar Annie bleef?'

'Ze dachten dat ze geen zin had', zei ze met gesmoorde stem. 'Dat ze van gedachten was veranderd. Ze kennen Annie niet erg goed als ze zoiets denken. Ze gaat nooit slordig om met haar schoolwerk. Met niets eigenlijk.'

'Hoe ging ze erheen?'

'Lopend. Het is vier kilometer en haar fiets is kapot, anders gaat ze meestal op de fiets. Er gaat geen bus.'

'Waar woont Anette?'

'In Horgen. Ze hebben een boerderij, en een winkel.'

Sejer knikte, hoorde naast zich de pen van Skarre over het papier schrapen.

'Had ze een vriendje?'
'Halvor Muntz.'
'Al lang?'
'Twee jaar ongeveer. Hij is ouder dan zij. Het was dan weer aan en dan weer uit, maar nu was het weer goed, voorzover ik weet.'
Ada Hollands handen waren als het ware te veel, ze frunnikten aan elkaar, openden en sloten zich. Ze was bijna net zo lang als haar man, een beetje zwaar en hoekig, met een blozende uitstraling.
'Weet u of ze een seksuele verhouding hadden?' vroeg hij terloops.
De moeder keek hem nijdig aan. 'Ze is vijftien!'
'U moet weten dat ik haar niet ken', zei hij verontschuldigend.
'Dat hadden ze niet', zei ze beslist.
'Dat weten we toch niet', probeerde de man eindelijk. 'Halvor is achttien. Geen kind meer.'
'Natuurlijk weet ik dat', onderbrak ze hem.
'Ze vertelt jou toch niet alles?'
'Ik zou het geweten hebben!'
'Maar jij praat niet zo makkelijk over zulke dingen!'
De sfeer was gespannen. Sejer trok zijn eigen conclusies en zag aan Skarres schrijfblok dat hij dat ook deed.
'Als ze iets voor school ging doen, dan had ze misschien een tas bij zich?'
'Een bruine leren rugzak. Waar is die?'
'Die hebben wij niet gevonden.' Dat betekent dat we duikers moeten inzetten, dacht hij. 'Gebruikte ze medicijnen?'
'Helemaal niet. Ze mankeerde nooit wat.'
'Wat voor soort meisje was ze? Open? Spraakzaam?'
'Vroeger wel', zei de man somber.
'Wat bedoelt u daarmee?' Sejer keek hem aan.
'Dat is gewoon de leeftijd', viel de moeder in. 'Ze was op een moeilijke leeftijd.'

'Bedoelt u dat ze veranderd was?' Sejer richtte zich weer rechtstreeks tot de vader, om de moeder buiten te sluiten. Dat lukte niet.

'Alle meisjes veranderen op die leeftijd. Ze worden volwassen. Sølvi was ook zo. Sølvi is haar zus', voegde ze eraan toe.

De man antwoordde niet, hij zag er nog steeds verdoofd uit.

'Dus ze was géén open en spraakzaam meisje?'

'Ze was stil en bescheiden', zei de moeder trots. 'Secuur en rechtvaardig. Ze had haar leven onder controle.'

'Maar vroeger was ze levendiger?'

'Kinderen zijn natuurlijk uitbundiger.'

'Ik bedoel te vragen,' ging Sejer verder, 'wanneer ze ongeveer veranderde.'

'Op de gewone leeftijd. Rond haar veertiende. De puberteit', zei ze verklarend.

Hij knikte, staarde weer naar de vader.

'Waren er geen andere oorzaken voor die verandering?'

'Wat zou dat moeten zijn?' vroeg de moeder snel.

'Dat weet ik niet.' Hij slaakte een lichte zucht en leunde achterover. 'Maar ik probeer erachter te komen waarom ze gestorven is.'

De moeder begon zo verschrikkelijk te beven dat ze bijna niet konden verstaan wat ze zei. 'Waaróm ze gestorven is? Maar dit is toch duidelijk een of andere...' Ze kon het woord niet over haar lippen krijgen.

'Dat weten we niet.'

'Maar was ze...' Weer een pauze.

'Dat weten we niet, mevrouw Holland. Nog niet. Zoiets duurt even. Maar de mensen die Annie nu onderzoeken weten wat ze moeten doen.'

Hij keek de kamer rond, die was schoon en opgeruimd, blauw en wit, net als Annies kleren. Kransen van droogbloemen boven de deuren, met kant afgezette gordijnen, krakelingen van brooddeeg aan de wand. Foto's. Gehaakte kleedjes. Alles was op elkaar afgestemd, netjes en ordelijk. Hij stond op. Liep naar een grote foto aan de wand.

'Die is van de winter genomen.'

Annies moeder kwam achter hem aan. Hij pakte de foto voorzichtig van de wand en bekeek hem. Was iedere keer weer even verwonderd als hij een gezicht zag dat hij eerder zonder leven en glans had gezien. Dezelfde persoon, en toch niet hetzelfde. Annie had een breed gezicht met een grote mond en grote, grijze ogen. Volle, donkere wenkbrauwen. Ze glimlachte gereserveerd. Aan de onderkant van de foto zag hij een kraagje van een blouse en een stukje van het medaillon van haar vriendje. Mooi, dacht hij.

'Deed ze aan sport?'

'Vroeger', zei de vader zacht.

'Ze speelde handbal,' zei de moeder triest, 'maar daar is ze mee opgehouden. Nu gaat ze vaak hardlopen. Tientallen kilometers per week.'

'Tientallen kilometers? Waarom is ze met handbal gestopt?'

'Ze kreeg zo veel huiswerk. Maar zo zijn kinderen, ze beginnen aan dingen en dan houden ze er weer mee op. Ze heeft ook nog een tijdje in het schoolorkest gespeeld, kornet. Maar daar is ze ook mee gestopt.'

'Was ze goed? In handbal?'

Hij hing de foto weer op zijn plaats.

'Heel erg goed', zei de vader zacht. 'Ze was keeper. Ze had niet moeten stoppen.'

'Ik geloof dat ze het saai vond om in het doel te staan', zei de moeder. 'Ik geloof dat dat het was.'

'Dat weten we niet zeker', antwoordde de man. 'Ze heeft het ons nooit uitgelegd.'

Sejer ging weer zitten.

'Dus u was verbaasd? Kon het niet... begrijpen?'

'Ja.'

'Hoe deed ze het op school?'

'Beter dan de meeste anderen. Dat is geen opschepperij, het is gewoon zo', voegde hij eraan toe.

'Dat werkstuk, waar de meisjes aan werkten, waar ging dat over?'

'Sigrid Undset. Ze moesten het voor de zomer inleveren.'

'Mag ik haar kamer zien?'

Ada Holland stond op en ging hem voor, haar passen waren kort en tastend. De man bleef op de armleuning zitten, roerloos.

Het kamertje was piepklein, maar het was haar eigen plekje geweest. Net genoeg ruimte voor een bed, een bureautje en een stoel. Hij wierp een blik uit het raam en keek rechtstreeks op de veranda van de overburen. Het oranje huis. Het restant van een graanschoof voor de vogels stond rechtop onder het raam. Hij zocht op de wanden naar idolen, maar vond er geen. Daarentegen was de kamer vol met wedstrijdbekers, diploma's en medailles, en een paar foto's van Annie zelf. Een foto in haar keepersoutfit, met de rest van het team, en eentje waar ze in fraaie stijl op een surfplank stond. Aan de muur boven het bed hingen een paar foto's van kleine kinderen, eentje waarop ze een kinderwagen duwde en een foto van een jonge jongen. Sejer wees.

'Haar vriendje?'

De moeder knikte.

'Heeft ze met kinderen gewerkt?'

Hij wees naar een foto van Annie met een blond knulletje op haar schoot. Op de foto zag ze er trots en vrolijk uit. Ze tilde het jongetje als het ware op naar de camera, als een trofee bijna.

'Ze paste op de kinderen in de straat.'

‘Dus ze hield van kinderen?’
Ze knikte weer.
‘Hield ze een dagboek bij, mevrouw Holland?’
‘Ik geloof het niet. Ik heb ernaar gezocht’, gaf ze toe. ‘Ik heb de hele nacht gezocht.’
‘U heeft niets gevonden?’
Ze schudde haar hoofd. Vanuit de kamer hoorden ze zacht gemompel.
‘We moeten namen hebben’, zei hij uiteindelijk. ‘Van mensen met wie we kunnen praten.’
Hij keek weer naar de foto’s aan de wand en bestudeerde Annies keepersoutfit, zwart, met een groen embleem op de borst.
‘Is dat een draak of zoiets?’
‘Het is een zeeslang’, verklaarde ze stilletjes.
‘Waarom een zeeslang?’
‘Ze zeggen dat er hier een zeeslang in de fjord zit. Het is maar een legende, een oud verhaal. Als je op de fjord roeit en je hoort iets achter de boot ruisen, dan is het de zeeslang die uit de diepte opstijgt. Je moet je niet omdraaien, maar gewoon rustig verder roeien. Als je doet alsof er niets aan de hand is en hem met rust laat, dan gebeurt er niets, maar als je je omdraait en hem aankijkt, dan trekt hij je omlaag de duisternis in. Volgens de legende heeft hij rode ogen.’
‘Laten we maar weer naar de woonkamer gaan.’
Skarre zat nog steeds te schrijven. De man zat nog steeds op de armleuning. Hij zag eruit alsof hij bijna uitvloeide.
‘En haar zus?’
‘Ze komt vanochtend met het vliegtuig naar huis. Ze is in Trondheim, mijn zus woont daar.’
Mevrouw Holland zeeg neer op de bank en leunde tegen haar man aan. Sejer liep naar het raam en keek naar buiten. Hij keek zo bij de buren in de keuken, recht in een gezicht.

'U woont hier dicht op elkaar', constateerde hij. 'Is het zo dat u elkaar goed kent?'

'Vrij goed. Iedereen praat met iedereen.'

'En iedereen kende Annie?'

Ze knikte zwijgend.

'We zullen bij alle huizen aankloppen. Laat dat u niet in verlegenheid brengen.'

'Wij hoeven ons nergens voor te schamen.'

'Kunt u ons een paar foto's geven?'

De vader stond op en liep naar de plank onder de televisie. 'We hebben een video,' zei hij, 'van vorige zomer. Toen we in ons vakantiehuisje in Kragerø waren.'

'Ze hoeven geen video', zei de moeder mat. 'Alleen een foto.'

'Ik wil hem graag zien.' Sejer pakte de video aan en bedankte.

'Tientallen kilometers per week?' vroeg hij toen. 'Liep ze alleen?'

'Niemand kon haar bijhouden', zei de vader eenvoudig.

'Dus ondanks al haar huiswerk nam ze de tijd om hard te lopen? Tientallen kilometers per week. Dan is ze misschien toch niet vanwege haar huiswerk met handbal gestopt?'

'Dat lopen kon ze doen wanneer ze maar wilde', zei de moeder. 'Soms liep ze al voor het ontbijt. Maar als er een handbalwedstrijd was, dan moest ze op tijd aantreden, dan kon ze haar tijd niet zelf indelen. Ik geloof dat ze het niet prettig vond om gebonden te zijn. Ze was erg zelfstandig, Annie.'

'Waar liep ze naartoe?'

'Overal. Weer of geen weer. Langs de hoofdweg, door het bos.'

'Ook naar het Slangenven?'

'Ja.'

'Was ze ongedurig?'

'Ze was stil en rustig', zei de moeder zacht.

Sejer liep weer naar het raam en zag een vrouw die zich over straat haastte. Op haar arm droeg ze een klein jongetje met een speen in zijn mond. 'Nog andere interesses? Afgezien van het hardlopen?'

'Film en muziek en boeken en zo. En kleine kinderen', zei de vader.

'Vooral toen ze jonger was.'

Hij vroeg hun een lijstje te maken van alle personen in Annies omgeving. Vrienden, buren, leraren, familie. Vriendjes, als er meer waren geweest. Toen de lijst klaar was, telde hij tweeënveertig namen, met min of meer volledige adressen erachter.

'Gaat u met iedereen op die lijst praten?' Het was de moeder die deze vraag stelde.

'Ja. En dat is nog maar het begin. We denken aan u', sloot hij af.

'We moeten bij Thorbjørn Haugen langs. Die gisteren naar Ragnhild heeft gezocht. Hij kan iets zeggen over het tijdstip.'

De auto reed langzaam langs de garages. Skarre las zijn aantekeningen door.

'Ik heb de vader gevraagd over dat handbalgedoe', zei hij. 'Terwijl jullie op haar kamer waren.'

'Ja?'

'Hij vertelde dat Annie een echt talent was. Het team had een geweldig seizoen gehad, ze waren naar Finland en zo geweest voor een toernooi. Hij kan maar niet begrijpen waarom ze ermee gestopt is. Hij vraagt zich af of er iets gebeurd is.'

'Misschien moeten we de trainer of trainster ook opsporen? Zou dat iets opleveren?'

'De trainer', antwoordde Skarre. 'Hij heeft weken achtereen gebeld om haar over te halen om weer terug te komen. Het team kwam zwaar in de problemen toen ze stopte. Niemand kon Annie vervangen.'

'Als we op het bureau zijn moeten we bellen om zijn naam te achterhalen.'

'Hij heet Knut Jensvoll en woont aan de Gneisweg nummer acht. Hier vlakbij.'

'Hartelijk dank', zei Sejer, met opgetrokken wenkbrauwen. 'Ik moet er ineens aan denken,' ging hij toen verder, 'dat Annie misschien vermoord is terwijl wij ons een paar minuten verderop aan de Granietweg zorgen zaten te maken over Ragnhild. Bel het laboratorium eens. Vraag naar Snorrason. Vraag of hij iets kan forceren, zodat we zo snel mogelijk over dat rapport kunnen beschikken.'

Skarre pakte de mobiele telefoon.

'Het nummer zit onder de vier.'

Hij toetste de vier in en wachtte, vroeg naar Snorrason, wachtte weer, toen begon hij te mompelen.

'Wat zei hij?'

'Dat alle koelcellen vol liggen. Dat ieder sterfgeval tragisch is, ongeacht de oorzaak, en dat er een heleboel mensen zitten te wachten om hun geliefden in de grond te krijgen, maar dat hij de ernst van de zaak inziet en dat je, als je wilt, over drie dagen langs kunt komen om een voorlopig mondeling rapport te krijgen. Op het schriftelijke moet je langer wachten.'

'Nou ja,' mompelde Sejer, 'helemaal niet slecht, voor Snorrasons doen.'

*

Raymond smeerde boter op een stuk *flatbrød*. Geconcentreerd probeerde hij ervoor te zorgen dat het flinterdunne krokante brood niet brak, zijn grote tong hing uit zijn mond. Hij had nu vier stukjes *flatbrød* op elkaar met boter en suiker ertussen, het record was zes.

De keuken was klein en best gezellig, maar nu was het er een rommeltje, na het geworstel met het eten. Er lag ook al een boterham klaar voor zijn vader, witbrood zonder korst met spekvet uit de koekenpan. Straks, als ze gegeten hadden, zou hij afwassen en dan veegde hij na afloop meestal nog de keukenvloer. Hij had zijn vaders pisfles al geleegd en de waterkan op zijn kamer gevuld. Vandaag liet de zon zich niet zien, alles was grauw en het landschap buiten was triest en vlak. Hij had de koffie drie keer laten opkoken, zoals het moest. Hij legde een vijfde stuk *flatbrød* bovenop de andere en was redelijk tevreden. Hij wilde net koffie in zijn vaders mok schenken, toen hij een auto het erf hoorde oprijden. Tot zijn grote schrik zag hij dat het een politieauto was. Hij verstijfde, trok zich terug van het raam en holde naar een hoek van de kamer. Misschien kwamen ze om hem in de gevangenis te stoppen. En wie moest er dan voor zijn vader zorgen!

Er werden autoportieren dichtgeslagen op het erf en hij hoorde stemmen, een gewichtig geprevel. Hij wist niet zeker of hij iets fout had gedaan, dat was nooit zo gemakkelijk te weten, vond hij. Voor de zekerheid bleef hij staan toen ze op de deur klopten. Ze waren niet van plan het zomaar op te geven, ze bleven maar kloppen en riepen zijn naam. Misschien kon zijn vader hen horen. Hij begon verschrikkelijk te hoesten om ze te overstemmen. Na een tijdje werd het stil. Hij stond nog steeds in de hoek van de kamer, naast de haard, toen hij een gezicht voor het raam zag. Een lange man met grijs haar, die zijn arm optilde en zwaaide. Maar dat was vast om hem naar buiten te lokken, dacht Raymond, en hij schudde heftig zijn hoofd. Hij hield de haard stevig vast en drukte zich nog verder in de hoek. De man buiten zag er aardig uit, maar dat wilde nog niet zeggen dat hij dat ook was. Daar was Raymond allang achter, hij was heus niet dom. Na een tijdje hield hij het niet langer vol zo te blijven staan, hij holde naar de keuken, maar daar was ook een gezicht! Dit hoofd had krulletjeshaar en droeg een donker uniform. Raymond voelde zich net een jong katje in een zak en nu spoelde het koude water over hem heen. Hij was vandaag niet met de auto weg geweest, die wilde nog steeds niet starten, dus daar kon het niet mee te maken hebben. Het moest iets zijn met dat geval boven bij het ven, dacht hij wanhopig. Hij deed een paar stappen achteruit. Na een tijdje liep hij naar de gang en bleef daar angstig staan kijken naar de sleutel die in het slot stak.

'Raymond!' riep de ene man. 'We willen alleen met je praten. Je hoeft niet bang te zijn.'

'Ik ben niet gemeen geweest tegen Ragnhild!' riep hij.

'Dat weten we. Daarvoor zijn we ook niet hier. We hebben alleen je hulp nodig.'

Hij aarzelde nog even, toen maakte hij uiteindelijk de deur open.

'Mogen we binnenkomen?' vroeg de langste man. 'We moeten je iets vragen.'

'Jawel. Ik wist alleen niet wat jullie wilden. Ik kan niet zomaar voor iedereen de deur opendoen.'

'Nee, natuurlijk niet', zei Sejer, terwijl hij hem nieuwsgierig aankeek. 'Maar voor de politie kun je rustig opendoen.'

'We moeten maar in de kamer gaan zitten.'

Hij ging hen voor en wees naar de bank, een merkwaardig stuk huisvlijt. Er lag een oude plaid op de zitting. Ze namen plaats en bekeken de kamer, een vrij klein vierkant kamertje met een bank, een tafel en twee stoelen. Aan de wanden hingen plaatjes van dieren en een foto van een oudere vrouw met een jongetje op schoot. Vermoedelijk zijn moeder. Het kind had duidelijke mongoloïde trekken en de leeftijd van de vrouw had hoogstwaarschijnlijk Raymonds lot bepaald. Ze zagen geen televisietoestel en vanaf hun plekje konden ze ook geen telefoon ontdekken. Sejer kon zich niet herinneren wanneer hij voor het laatst een kamer zonder televisie had gezien.

'Is je vader thuis?' begon hij, terwijl hij naar Raymonds T-shirt keek. Dat was wit en droeg de volgende tekst: IK BESLIS ZELF.

'Hij ligt in bed. Hij staat niet meer op, hij kan niet lopen.'

'Dus jij verzorgt hem?'

'Ik maak eten en regel alles, ja!'

'Wat een geluk voor je vader dat hij jou heeft.'

Raymond grijnsde breed, op de buitengewoon charmante manier die kenmerkend is voor iemand met het Down-syndroom. Een onbedorven kind in een reusachtig lichaam. Hij had grote, krachtige vuisten met ongewoon korte vingers en forse, brede schouders.

'Dat was aardig van je, gisteren, om Ragnhild naar huis te brengen', zei Sejer voorzichtig. 'Zodat ze niet alleen hoefde te gaan. Dat was heel aardig van je.'

'Ze is nog niet zo groot, weet je!' zei hij volwassen.

'Nee, dat klopt. Dus het was goed dat jij met haar bent meegelopen. En dat je met de poppenwagen hebt geholpen. Maar toen ze thuiskwam, toen heeft ze iets verteld, en daar wilden we je iets over vragen, Raymond. En dan bedoel ik wat jullie op het strandje bij het Slangenven hebben gezien.'

Raymond keek hem bezorgd aan en stak zijn onderlip naar voren.

'Jullie hebben daar een meisje gezien, nietwaar?'

'Ik heb het niet gedaan!' zei hij meteen.

'Dat denken we ook niet. Daarom zijn we niet gekomen. Laat me je iets anders vragen: ik zie dat je een horloge hebt?'

'Ja, ik heb een horloge.' Hij liet zijn polshorloge zien. 'Het oude van pappa.'

'Kijk je er vaak op?'
'Nee, bijna nooit.'
'Waarom niet?'
'Op mijn werk let de chef op de tijd. En hier thuis let pappa op de tijd.'
'Waarom ben je vandaag niet op je werk?'
'Ik heb steeds een week vrij en dan werk ik een week.'
'Aha. Kun je mij vertellen hoe laat het nu is?'
Hij keek op het horloge. 'Het is... een beetje meer dan tien minuten over elf.'
'Dat klopt. Maar je kijkt er dus niet zo vaak op?'
'Alleen als het moet.'
Sejer knikte en keek even naar Skarre, die ijverig zat te schrijven.
'Heb je erop gekeken toen je Ragnhild naar huis bracht? Of toen jullie bij het Slangenven stonden, bijvoorbeeld?'
'Nee.'
'Heb je enig idee hoe laat het toen was?'
'Ik vind dat je nu hele moeilijke dingen vraagt', zei Raymond. Hij was al moe van al het harde denken.
'Het is niet zo eenvoudig om je van alles te herinneren, daar heb je helemaal gelijk in. Ik ben bijna klaar. Heb je nog meer gezien, boven bij het ven, ik bedoel, heb je daarboven nog andere mensen gezien? Behalve dat meisje?'
'Nee. Is ze ziek?' vroeg hij achterdochtig.
'Ze is dood, Raymond.'
'Dat is ook vroeg, vind ik.'
'Dat vinden wij ook. Heb je misschien een auto of zoiets gezien, die gisteren langs jullie huis is gereden? Naar boven of naar beneden? Of mensen die langsliepen? Toen Ragnhild hier was, bijvoorbeeld?'
'Er komen hier altijd veel wandelaars. Maar gisteren niet. Alleen die hier wonen. De weg houdt op bij de Koll.'
'Heb je niemand gezien?'

Hij dacht lang na. 'Jawel, eentje. Toen we weggingen. Hij scheurde hier langs, het leek wel een raceauto.'
'Toen jullie hier weggingen?'
'Ja.'
'Reed hij naar boven of naar beneden?'
'Naar beneden.'
Scheurde hier langs, dacht Sejer. Wat betekent dat, voor iemand die altijd alleen maar in de tweede versnelling rijdt?
'Kende je die auto? Was het iemand die hier in de buurt woont?'
'Die rijden niet zo hard.'
Sejer rekende in zijn hoofd. 'Ragnhild was even voor tweeën thuis, dan was het misschien rond halftwee? Jullie hadden toch niet zo heel lang nodig om van hier naar het ven te lopen?'
'Nee.'
'Hij reed hard, zeg je?'
'Zo hard dat hij een grote stofwolk maakte. Maar het is ook heel erg droog.'
'Wat voor auto was het?'
Op dat moment hield hij zijn adem in. Een auto zou in ieder geval iets zijn om mee te beginnen. Een auto die in de buurt van de plaats van het misdrijf was gezien, met hoge snelheid, op een cruciaal tijdstip.
'Een gewone auto', zei Raymond tevreden.
'Een gewone auto?' vroeg Sejer geduldig. 'Wat bedoel je daarmee?'
'Geen vrachtwagen of een bestelwagen of zo. Een gewone auto.'
'Juist. Een gewone personenauto. Ben je goed in automerken?'
'Niet erg.'
'Wat voor auto heeft je vader?'
'Hiace', zei hij trots.

'Zie je die politieauto buiten staan? Kun je zien wat voor auto dat is?'

'Die? Dat zei je toch net zelf. Dat is een politieauto.' Hij schoof heen en weer op zijn stoel en zag er plotseling verveeld uit.

'Maar de kleur dan, Raymond. Heb je gezien wat voor kleur hij had?'

Hij spande zich weer in, maar schudde somber zijn hoofd. 'Er was zo veel stof. Je kon de kleur niet zien', mompelde hij.

'Maar misschien kun je zeggen of hij donker of licht was?'

Sejer gaf het niet op, Skarre schreef nog steeds. De vriendelijke toon van zijn chef verbaasde hem. Gewoonlijk was hij veel korter aangebonden.

'Misschien een beetje ertussenin. Bruin, of grijs of groen. Een smerige kleur. Er was heel veel stof. Jullie kunnen het aan Ragnhild vragen, zij heeft hem ook gezien.'

'Dat hebben we al gedaan. Zij zegt ook dat de auto grijs was, of misschien groen. Maar ze kon niet zeggen of het een mooie, nieuwe auto was, of dat hij oud en lelijk was.'

'Niet oud en lelijk', zei hij gedecideerd. 'Meer een beetje ertussenin.'

'Precies. Ik begrijp het.'

'Er lag iets op het dak', zei hij ineens.

'O? Wat dan?'

'Een lange kist. Plat en zwart.'

'Een skibox, misschien?' stelde Skarre voor.

Raymond aarzelde. 'Ja, misschien een skibox.'

Skarre maakte glimlachend een aantekening, volledig gecharmeerd van de ijverige Raymond.

'Goed gezien, Raymond. Heb je dat ook opgeschreven, Skarre? Dus je vader ligt in bed?'

'Hij wacht denk ik op zijn eten.'

'Het was niet onze bedoeling om je op te houden.

Kunnen we even naar binnen gaan en gedag zeggen voor we weggaan?'

'Ja hoor, ik wijs wel even de weg.'

Hij liep naar de gang, de twee mannen volgden hem. Achterin de gang bleef hij staan en maakte hij heel voorzichtig een deur open, bijna met vrome toewijding. In het bed lag een oude man te snurken. Zijn gebit lag in een glas op het nachtkastje.

'Laat hem maar', fluisterde Sejer, die zich weer terugtrok. Ze bedankten Raymond en wandelden het erf op. Hij liep achter hen aan.

'Misschien komen we nog een keer terug. Mooie konijnen heb je', zei Skarre.

'Dat zei Ragnhild ook. Je mag er wel eentje vasthouden, als je wilt.'

'Misschien een andere keer.'

Ze zwaaiden en reden hobbelend het slechte weggetje af. Sejer trommelde geïrriteerd op het stuur.

'Die auto is belangrijk. En het enige wat we hebben is *iets ertussenin.* Maar een skibox op het dak! Daar heeft Ragnhild niets over gezegd.'

'Jan en alleman heeft een skibox op het dak.'

'Ik niet. Stop eens bij die boerderij daar.'

Ze reden het erf op en parkeerden naast een rode Mazda. Een vrouw met een pet, een kniebroek en rubberlaarzen die bij de hooischuur stond kreeg hen in de gaten en kwam op hen af.

Sejer knikte naar de rode auto.

'Politie', zei hij beleefd. 'Heeft u nog meer auto's dan die daar?'

'We hebben er nog twee', zei ze verbaasd. 'Mijn man heeft een stationcar en onze zoon heeft een Golf. Hoezo?'

'Welke kleur hebben ze?' vroeg hij kort.

Ze keek hem verbaasd aan. 'De Mercedes is wit en de Golf is rood.'

‘En die boerderij daarginds, wat voor auto’s hebben ze daar?’

‘Een Blazer’, zei ze langzaam. ‘Een donkerblauwe Chevrolet Blazer. Is er iets gebeurd?’

‘Ja. Dat hoort u nog wel. Was u gisteren midden op de dag thuis? Om een uur of één, twee?’

‘Ik was op het land.’

‘U heeft geen auto met hoge snelheid van de Koll zien komen? Een grijze of een groene auto met een skibox op het dak?’

Ze haalde haar schouders op. ‘Niet dat ik me kan herinneren. Maar ik hoor niet veel als ik op de tractor zit.’

‘Heeft u sowieso mensen hier in de buurt gezien, op dat tijdstip?’

‘Wandelaars. Een groepje jongens met een hond’, herinnerde ze zich. ‘Verder niemand.’

Thorbjørn en zijn kornuiten, dacht hij.

‘Dank u voor de hulp. Zijn ze hiernaast thuis?’ Hij knikte naar de boerderij een stukje verderop en keek naar haar gezicht. Dat droeg duidelijk sporen van veel buitenlucht en was fris en mooi.

‘De eigenaar is op reis, er is alleen een vervanger. En die is vanmorgen weggegaan, ik heb hem niet terug zien komen.’

Ze schermde haar ogen met haar hand af en tuurde in de verte. ‘De auto is weg, zie ik.’

‘Kent u hem?’

‘Nee. Hij zegt niet veel.’

Hij bedankte en stapte weer in de auto.

‘Hij moet toch eerst naar boven zijn gereden’, zei Skarre.

‘Toen was hij nog geen moordenaar. Hij is misschien rustig langsgereden, waardoor niemand hem heeft opgemerkt.’

Ze reden in de tweede versnelling terug naar de hoofdweg. Even later zagen ze aan de linkerkant een kleine kruidenierswinkel. Ze parkeerden en gingen de winkel binnen. Er klingelde een belletje boven hun hoofd en uit een achterkamertje kwam een man in een lichtgroene, nylon jas. Hij bleef een paar seconden staan en staarde hen met een verschrikt gezicht aan. 'Gaat het over Annie?'

Sejer knikte.

'Anette vindt het zo erg', zei hij ontsteld. 'Ze wilde Annie vandaag opbellen. Ze hoorde alleen een schreeuw in de hoorn.'

Er verscheen een tienermeisje in de deuropening. Haar vader sloeg een arm om haar schouder.

'Ze is vandaag thuisgebleven.'

'Woont u hiernaast?'

Sejer liep naar hen toe en gaf hem een hand.

'Vijfhonderd meter verderop, aan de fjord. We kunnen het niet geloven.'

'Heeft u gisteren iemand in de buurt gezien, iemand die opviel?'

Hij dacht na. 'Er is een groepje jongens binnen geweest, ze kochten allemaal een blikje cola. En verder alleen Raymond. Die was hier midden op de dag om melk en *flatbrød* te kopen. Raymond Låke. Hij woont met zijn vader aan de voet van de Koll. We verkopen niet veel meer, we houden er binnenkort mee op.' Hij streelde zijn dochter over haar rug terwijl hij sprak.

'Hoe lang deed Låke over zijn boodschappen?'

'Och, wat zal ik zeggen, tien minuten misschien. Er is trouwens ook nog een motor gestopt. Ergens tussen half-een en een. Is een poosje blijven staan en toen doorgereden. Een enorme motor met grote zijtassen. Misschien een toerist. Verder niemand.'

'Een motor? Kunt u hem beschrijven?'

'Och, wat zal ik zeggen, donker, geloof ik. Mooi glimmend. Hij zat met zijn rug naar ons toe en had een helm op. Zat iets te lezen dat voor hem op de motor lag.'

'Heeft u het nummerbord gezien?'

'Nee, helaas.'

'U herinnert zich geen grijze of groene auto met een skibox op het dak?'

'Nee.'

'En jij, Anette', zei Sejer, zich tot de dochter wendend. 'Weet jij nog iets dat misschien belangrijk is?'

'Ik had moeten opbellen', mompelde ze.

'Je moet jezelf niets verwijten, je kunt hier niets aan doen. Ze is waarschijnlijk onderweg door iemand opgepikt.'

'Annie hield er niet van als mensen zich met haar bemoeiden. Ik was bang dat ze boos zou worden als we begonnen te zeuren.'

'Kende je Annie goed?'

'Gaat wel.'

'En je kunt niemand bedenken die ze kan zijn tegengekomen? Heeft ze wel eens verteld dat ze iemand had leren kennen?'

'Nee, nee. Ze had Halvor toch.'

'Goed. Wilt u ons alstublieft opbellen als u zich nog iets mocht herinneren? We komen later graag nog een keer terug.'

Ze bedankten en gingen weer naar buiten, kruidenier Horgen verdween weer in het kamertje. Sejer ving een glimp op van de gebogen figuur achter het raam naast de ingang.

'Als hij in zijn kantoortje zit, kan hij de hele weg overzien.'

'Een motor die buiten stopt en weer doorrijdt. Tussen halfeen en een. Die moeten we onthouden. Maar ja.'

Hij sloeg het portier dicht. 'Thorbjørn dacht dat ze rond kwart voor een langs het Slangenven waren gekomen, toen ze Ragnhild zochten. Toen lag ze er niet. We mogen aannemen dat Raymond en Ragnhild er om ongeveer halftwee langs zijn gelopen en toen lag ze er wel. Dat geeft ons een marge van drie kwartier. Dat is toch uniek te noemen. Vlak voordat ze vertrokken, is er een auto in een noodvaart voorbijgereden. Een gewone auto, eentje die tussen alles het midden houdt. Een smerige kleur, niet licht, niet donker, niet oud, niet nieuw.' Hij gaf een klap op het dashboard.

'Niet iedereen is een expert in auto's', glimlachte Skarre.

'We vragen hem zich te melden. Degene die gisteren tussen een en halftwee met hoge snelheid langs het huis van Raymond is gereden. Mogelijk met een skibox op het dak. En we doen ook een oproep voor de motor. Als niemand zich meldt, ga ik die kinderen verder ondervragen over de auto.'

'Hoe wou je dat doen?'

'Weet ik nog niet. Misschien kunnen ze tekenen. Kinderen tekenen meestal veel.'

Raymond droeg het eten naar zijn vader. Hij liep op zijn tenen, maar de vloerplanken kraakten en het bord kletterde tegen de marmeren dekplaat op het nachtkastje toen hij het neerzette. Zijn vader deed zijn ene oog open.

'Wat wilden ze?' vroeg hij.

*

Later aten ze een hapje in de kantine van het gerechtsgebouw.

'De omelet is droog', zei Skarre ontevreden. 'Heeft te lang in de pan gelegen.'

'O ja?'

'Het punt is namelijk dat het ei doorgaat met stijf worden als het al op je bord ligt. Je moet het uit de pan halen als het nog vloeibaar is.'

Sejer had daar niets tegenin te brengen, hij kon überhaupt niet koken.

'Bovendien zit er melk in. Dat verpest de kleur.'

'Heb je op de koksschool gezeten?'

'Alleen een cursus.'

'Goh, dat wist ik helemaal niet.' Hij wreef met zijn brood over zijn bord om de laatste kruimeltjes mee te pikken. Daarna veegde hij grondig zijn mond af met zijn servet. 'We beginnen met de Kristalweg. Ieder een kant van de straat, dat is tien huizen elk. We wachten tot na vijven, als de mensen thuis zijn van hun werk.'

'Waar moet ik naar zoeken?' vroeg Skarre, terwijl hij op zijn horloge keek. Na twee uur mocht je roken.

'Onregelmatigheden. Wat dan ook. Vraag ook hoe Annie een tijdje geleden was, of ze vinden dat ze veranderd was. Gooi al je charmes in de strijd en zorg ervoor dat ze openhartig zijn. Oftewel: krijg ze aan de praat.'

'We zouden Eddie Holland een keertje alleen moeten spreken.'

'Daar heb ik ook aan gedacht. Ik zal hem over een poosje eens vragen langs te komen. Maar vergeet niet dat zijn vrouw een shock heeft. Ze trekt wel weer bij.'

'Er zijn hun heel verschillende dingen opgevallen, wat Annie betreft, vind je niet?'

'Zo gaat dat. Heb jij geen kinderen, Skarre?'

'Nee.' Hij stak zijn sigaret aan en blies de rook rechts van zijn chef uit.

'Haar zus zal nu wel thuisgekomen zijn, uit Trondheim. Haar moeten we ook spreken.'

Na het eten gingen ze snel even bij de technische recherche langs, maar niemand had opzienbarend nieuws te melden over het blauwe windjack waar het lijk mee was toegedekt.

'Import, uit China. Wordt in alle goedkope winkelketens verkocht. De importeur dacht dat ze tweeduizend jacks hadden ingekocht. In de rechterzak een zakje karamelsnoepjes, een reflector en een paar blonde haren, mogelijk hondenharen. Vraag me niet naar het ras. Verder niets.'

'Maat?'

'Extra large. Maar de mouwen waren te lang, die waren omgeslagen.'

'Vroeger naaiden mensen hun naam in hun jas', herinnerde Sejer zich.

'Ja, dat was in de Middeleeuwen.'

'En dat tabletje?'

'Niet erg interessant, ben ik bang. Gewoon een mentholpastille, niet meer en niet minder, van het soort dat nu in de mode is. Heel klein en loeisterk.'

Sejer was eigenlijk een beetje teleurgesteld. Een mentholpastille vertelde in feite niets over iemand. Zoiets had iedereen in zijn zak, zelf had hij altijd een zakje Fisherman's Friend bij zich.

Ze vertrokken weer. Het was nu drukker aan de Kristalweg, het wemelde er van de kinderen met uiteenlopende voertuigen: driewielers, tractors, poppenwagens en een zelfgemaakte zeepkist met een rafelig vlaggetje dat in de wind wapperde. Toen de politieauto bij de brievenbussen stopte, bevroor het kleurrijke verkeersbeeld tot ijs. Skarre kon het niet laten de remmen van een paar voertuigen te controleren en hij was er vrij zeker van dat de eigenaar van een blauw met roze Massey Ferguson-tractor het van schrik in zijn luier deed, toen hij zei dat het achterlicht kapot was.

De meeste mensen hadden begrepen dat er iets was gebeurd, maar niet wat. Niemand had bij de familie Holland durven aanbellen om het te vragen.

Huis na huis deden ze hun boodschap uit de doeken,

ieder voor zich, elk aan een kant van de straat. Keer op keer moesten ze het ongeloof en de schok in de verbijsterde gezichten aanschouwen. Verscheidene vrouwen begonnen te huilen, de mannen werden bleek en stil. Ze wachtten beleefd op het juiste moment en stelden dan hun vragen. Iedereen kende Annie goed. Een aantal vrouwen had haar zien weggaan. Het gezin Holland woonde aan het einde van de straat, ze moest onderweg alle huizen passeren. Jarenlang had ze op hun kinderen gepast, behalve het laatste jaar, toen ze volwassen begon te worden. Bijna iedereen noemde haar handbalcarrière en hun verbazing toen ze stopte met keepen, want Annie was zo goed geweest dat het plaatselijke krantje doorlopend over haar had geschreven. Een ouder echtpaar kon zich herinneren dat ze vroeger veel vrolijker en extraverter was geweest, maar ze schreven de verandering toe aan het feit dat ze ouder was geworden. Ze was enorm gegroeid, zeiden ze. Vroeger was ze klein en tenger, plotseling was ze de lucht in geschoten.

Skarre bezocht de huizen niet in volgorde, hij was nu in het oranje huis. Dat bleek eigendom te zijn van een vrijgezel van tegen de vijftig. Midden in de kamer stond een echt bootje met volle zeilen, op de bodem lagen een matras en een stapel kussens, op het dolboord was een flessenhouder gemonteerd. Skarre keek er gefascineerd naar. De boot was knalrood, de zeilen waren wit. Zijn eigen flat en het ontbreken van een onorthodoxe inrichting spookte een beetje door zijn hoofd.

Fritzner kende Annie niet zo goed, aangezien hij geen kinderen had op wie zij kon passen. Maar ze was af en toe met hem meegereden naar het centrum. Als het slecht weer was ging ze meestal graag op zijn aanbod in, maar als het goed weer was wimpelde ze hem af. Hij mocht Annie wel. 'Steengoede handbalkeeper', zei hij ernstig.

Sejer werkte de huizen in volgorde af en was op nummer zes bij een Turkse familie aangekomen. De familie Irmak wilde net gaan eten toen hij aanbelde. Ze zaten al aan tafel en de damp steeg op uit een grote pan midden op de tafel. De heer des huizes, een lange man in een geborduurd overhemd, stak hem een bruine hand toe. Sejer vertelde hun dat Annie Holland dood was. Dat ze ervan uit moesten gaan dat ze vermoord was. 'Nee,' zeiden ze geschrokken, 'dat kan niet waar zijn. Dat mooie meisje van nummer twintig, de dochter van Eddie!' De enige familie die hen zo aardig had opgevangen toen ze hier waren komen wonen. Want ze hadden ook op andere plaatsen gewoond en ze waren niet overal even welkom geweest. Dat kon niet waar zijn! De man pakte hem bij zijn arm en trok hem mee naar de bank.

Sejer ging zitten. Irmak had niet de gedweeë, onderdanige aard die hij zo vaak bij immigranten had opgemerkt, maar straalde daarentegen waardigheid en zelfvertrouwen uit. Dat was bevrijdend.

De vrouw des huizes had Annie zien weggaan. Om ongeveer halfeen, dacht ze. Ze was rustig langs de huizen gelopen, met een rugzak op haar rug. Ze hadden Annie niet gekend toen ze jonger was, ze woonden hier nog maar vier maanden.

'Jongensmeisje', zei ze en schikte haar hoofddoek. 'Groot! Veel spieren.' Ze sloeg haar ogen neer.

'Heeft ze wel eens op uw kinderen gepast?' Sejer knikte naar de tafel, waar een klein meisje geduldig zat te wachten. Een buitengewoon mooi, stil meisje met volle wimpers. Haar blik was zo diep en zo zwart als een mijnschacht.

'We wilden het vragen,' zei de man snel, 'maar de buren zeiden dat ze het ontgroeid was. We wilden niet zeuren. En mijn vrouw is de hele dag thuis, dus we redden het wel. Alleen ik moet 's morgens weg. We hebben een Lada. De buurman zegt dat het geen echte auto is, maar voor ons is hij goed. Ik rijd er iedere dag mee heen en weer naar de Poppelsgate, daar heb ik een kruidenwinkel. Die uitslag op uw voorhoofd verdwijnt met kruiden. Niet de kruiden van de supermarkt. Echte kruiden, van Irmak.'

'O ja? Is dat mogelijk?'

'Ze reinigen het systeem. Drijven het zweet sneller af.'

Sejer knikte ernstig. 'Dus u heeft nooit contact met Annie gehad?'

'Niet echt. Soms, als ze langsrende, hield ik haar tegen en stak ik mijn vinger waarschuwend op. Ik zei, je rent weg van je eigen ziel, meisje. Dan moest ze lachen. Ik zei, ik zal je leren te mediteren, dat is beter. Over straat rennen is een moeizame manier om vrede te vinden. Dan moest ze nog meer lachen en rende ze verder, de bocht om.'

'Is ze wel eens bij u binnen geweest?'

'Ja. Toen we hier kwamen wonen bracht ze een plant in een pot van Eddie. Om ons welkom te heten. Nihmet moest huilen', zei hij en keek even naar zijn vrouw. Dat deed ze nu ook. Trok haar hoofddoek voor haar gezicht en keerde hun de rug toe.

Toen hij wegging bedankten ze hem voor zijn bezoek en zeiden dat hij altijd welkom was. Ze stonden in de kleine gang en keken hem aan. Het meisje hing aan haar moeders rok, ze deed hem aan Matteus denken, met die donkere ogen en die zwarte krullen. Op de stoep bleef hij een ogenblik staan. Keek naar de overkant waar Skarre net bij nummer negen naar buiten kwam. Ze knikten elkaar toe en gingen ieder weer hun eigen weg.

'Veel gesloten deuren?' vroeg Skarre.

'Twee maar. Johnas op nummer vier en Rud op nummer acht.'

'Ik heb van iedereen aantekeningen.'

'Wat is je eerste indruk?'

'Dat ze iedereen kende en jarenlang bij iedereen binnenwandelde. En ze stond duidelijk overal hoog aangeschreven.'

Ze belden aan bij de familie Holland. Een meisje deed open. Blijkbaar de zus van Annie, ze leken op elkaar, maar toch ook niet. Ze had net zulk blond haar als Annie, maar de scheiding was donkerder. Haar ogen waren afgezet met zwarte mascara. Binnen die omheining zaten haar ogen gevangen, erg flets en onzeker. Ze was niet zo groot en lang als Annie, niet zo sportief en goedgebouwd. Ze droeg een lila stretchbroek met ingenaaide vouw en een witte blouse waarvan een aantal knoopjes openstonden.

'Sølvi?' zei hij vragend.

Ze knikte en gaf hem een slap handje. Ging hen voor naar binnen en zocht ogenblikkelijk toevlucht bij haar moeder. Mevrouw Holland zat in dezelfde hoek van de bank als de vorige keer. Haar gezicht was in de loop van de weinige uren die verstreken waren een beetje veranderd, haar uitdrukking was niet langer schreeuwend wanhopig, maar bedroefd en gespannen en ze zag er veel ouder uit. Meneer Holland was er niet. Sejer probeerde Sølvi te observeren zonder haar aan te staren. Ze had een ander gezicht en een ander figuur dan haar zus, niet Annies brede jukbeenderen en vastbesloten kin, noch haar grote grijze ogen. Weker en een beetje pafferig, dacht hij. Na een gesprek van een halfuur bleek dat de twee zussen nooit erg aan elkaar gehecht waren geweest. Ze hadden ieder hun leven geleid, Sølvi werkte als hulpje in een kapsalon en was nooit in andermans kinderen geïnteresseerd geweest, had nooit aan sport gedaan. Sejer had het idee dat ze vooral met zichzelf bezig was geweest. Met haar uiterlijk. Zelfs nu, naast haar moeder op de bank, terwijl haar zus net was overleden, probeerde ze uit macht der gewoonte haar lichaam op een voordelige manier te schikken. Haar ene knie opgetrokken, haar hoofd een beetje scheef, haar handen om haar been gevouwen.

De vele glinsterende ringen aan haar vingers glommen. Haar nagels waren lang en rood. Een rond lichaam zonder hoeken, zonder karakter, alsof ze botten en spieren miste, en alleen huid was, over een klont boetseerklei gespannen, roze van kleur. Sølvi was een stuk ouder dan Annie, maar haar gezicht had een naïeve uitdrukking. Haar moeder had een beschermende houding aangenomen en streelde haar voortdurend over haar arm, alsof ze de hele tijd getroost moest worden, of misschien gestimuleerd om iets te zeggen, dat wist hij niet precies. De twee zussen waren opvallend verschillend geweest. Annies gezicht op de foto was rijper. Ze gluurde met een voorzichtige uitdrukking in de camera, alsof ze het niet prettig vond om gefotografeerd te worden, maar toch voor de overmacht had gebogen, misschien omdat ze welgemanierd was. Sølvi poseerde min of meer voortdurend. Zij leek qua uiterlijk op haar moeder, dacht hij, terwijl Annie op haar vader leek.

'Weet je of Annie de laatste tijd nog nieuwe contacten had opgedaan? Andere mensen had leren kennen? Had ze het daar wel eens over?'

'Ze hoefde niet zo nodig andere mensen te leren kennen.' Sølvi streek haar blouse glad.

'Weet je of ze een dagboek bijhield?'

'Nee hoor, Annie niet. Zo was ze niet. Ze was anders dan andere meisjes, bijna meer een jongen. Gebruikte zelfs geen make-up. Vond het vreselijk om zich op te tutten. Ze droeg het medaillon van Halvor, maar alleen omdat hij daar om zeurde. Eigenlijk zat het in de weg als ze ging hardlopen.'

Ze had een schattig, hoog stemmetje, alsof ze eigenlijk een klein meisje was en niet zes jaar ouder dan Annie. Wees lief voor me, vroeg dat stemmetje voorzichtig, je ziet dat ik klein en breekbaar ben.

'Ken je haar vrienden?'

'Ze zijn natuurlijk veel jonger dan ik. Maar ik weet wie ze zijn.'

Ze frunnikte aan haar ringen en aarzelde even, alsof ze de nieuwe situatie waar ze plotseling in terecht was gekomen probeerde te doorgronden.

'Wie van hen kende haar het beste, denk je?'

'Ze was vaak samen met Anette, maar alleen als ze iets moesten doen. Niet om gewoon te kletsen, bedoel ik.'

'Jullie wonen hier een beetje afgelegen', zei hij voorzichtig. 'Denk je dat ze wel eens liftte?'

'Nooit. Ik ook niet', zei ze snel. 'Maar we krijgen toch vaak een lift aangeboden, als we langs de weg lopen. We kennen bijna iedereen.'

Bijna, dacht hij. 'Heb je het idee dat ze ergens ongelukkig over was?'

'Niet ongelukkig. Maar ze was ook niet heel erg gelukkig. Er was niet veel dat haar interesseerde. Meisjes-dingen, bedoel ik. Alleen school en hardlopen.'

'En Halvor, misschien?'

'Dat weet ik nog zo niet. Ze deed over Halvor ook een beetje onverschillig. Alsof ze nooit een besluit kon nemen.'

Sejer zag een beeld voor zijn innerlijk oog, van een half afgewend meisje met een sceptische blik, die deed wat ze zelf wilde, die haar eigen weg ging en die iedereen op een afstandje hield. Waarom?

'Je moeder zegt dat ze vroeger levendiger was', zei hij hardop. 'Vind jij dat ook?'

'O ja, vroeger was ze spraakzamer.'

Skarre schraapte plotseling zijn keel. 'Die verandering,' zei hij, 'kwam die plotseling, volgens jullie? Of kwam die meer geleidelijk, over een langere periode?'

'Nee...' De twee keken elkaar aan. 'Ik weet het niet. Ze veranderde gewoon.'

'Kun jij iets zeggen over het tijdstip, Sølvi?'

Ze haalde haar schouders op. 'Vorig jaar een keer. Het raakte uit met Halvor en direct daarna stopte ze met handbal. En ze groeide zo verschrikkelijk. Ze groeide uit al haar kleren en werd veel stiller.'

'Bedoel je chagrijnig, of pruilerig?'

'Nee. Gewoon stil. Teleurgesteld, in zekere zin.'

Teleurgesteld.

Sejer knikte. Hij keek naar Sølvi. Haar stretchbroek was overweldigend, had de kleur van de seringen uit zijn jeugd.

'Weet jij of Annie en Halvor een seksuele relatie hadden?'

Ze werd vuurrood. 'Dat weet ik niet. Dat kunt u beter aan Halvor vragen.'

'Dat zal ik zeker doen.'

'Die zus', zei Sejer, toen ze in de auto zaten, 'is het type meisje dat vaak als slachtoffer eindigt. Ik bedoel, voor een man met kwade bedoelingen. Zo met zichzelf en haar uiterlijk bezig, dat ze de waarschuwingssignalen niet opmerkt. Sølvi. Niet Annie. Annie was terughoudend en sportief. Er niet op uit om indruk op anderen te maken. Ze liftte niet en stelde geen belang in nieuwe kennissen. Als ze in een auto is gestapt, dan was het bij iemand die ze kende.'

'Dat zeggen we de hele tijd al.' Skarre keek hem aan.

'Ik weet het.'

'Jij hebt ook een dochter,' zei hij nieuwsgierig, 'die de puberteit heeft doorgemaakt. Hoe was dat eigenlijk?'

'O', mompelde hij, uit het raam kijkend. 'Eigenlijk bemoeide Elise zich meer met zulke dingen. Maar ik kan het me natuurlijk nog wel herinneren. De puberteit, dat is een tamelijk oneffen terrein. Ze was een zonnestraaltje tot ze dertien werd, toen begon ze te grommen. Ze gromde tot ze veertien was, toen begon ze te blaffen. En daarna ging het over.'

Het ging over, en hij herinnerde zich dat ze vijftien werd en een kleine vrouw begon te worden en dat hij niet wist hoe hij tegen haar moest praten. Zo moest het voor Holland ook zijn geweest. Als je kind niet langer een kind is en je een nieuwe taal moet vinden. Moeilijk.

'Dus het duurde een jaar of twee? Voor het over was?'

'Ja,' zei hij peinzend, 'zoiets was het wel.'

'Vind jij die verandering van haar zo opmerkelijk?'

'Ja. Er kan iets gebeurd zijn. Ik moet uitzoeken wat dat was. Wie ze was, wie haar heeft vermoord, en waarom. Het wordt tijd om Halvor Muntz eens op te zoeken. Hij zit vast op ons te wachten. Hoe denk je dat het met hem gaat?'

'Geen flauw idee. Mag ik in de auto roken?'

'Nee. Je haar is trouwens ook een beetje lang, vind je niet?'

'Ja, als jij het zegt. Neem jij nog maar een keelpastille.'

Ze keken ieder aan hun kant naar buiten, grijnzend. Skarre viste een krul uit zijn nek en trok die tot haar volle lengte uit. Toen hij ze losliet, kringelde ze snel weer op, als een worm op een elektrische kookplaat.

*

Hij kwam haar bekend voor. Daarom trok ze haar stoel dichterbij en hield ze haar rimpelige gezicht vlak voor het televisiescherm. Het felle licht bescheen haar gezicht, daardoor zag hij de lange baardharen op haar kin die maar bleven groeien. Die zouden afgeschoren moeten worden, dacht hij, maar hij wist niet goed hoe hij haar dat duidelijk moest maken.

'Dat is Johann Olav!' schreeuwde ze. 'Hij drinkt melk.'

'Mm.'

'Mensenkinderen, wat is dat toch een knappe vent. Ik vraag me af of hij 't zelf doorheeft, hij is net een standbeeld, echt waar. Een levend standbeeld!'

Johann Olav Koss veegde zijn melksnor af en glimlachte met witte tanden.

'Heb je dat gebit van die jongen gezien? Spierwitte tanden! Dat is omdat hij melk drinkt. Dat zou jij ook moeten doen, meer melk drinken! En hij is natuurlijk naar de schooltandarts geweest, dat hadden wij niet.' Ze trok de plaid op haar schoot. 'Wij hadden geen geld om onze tanden en kiezen te verzorgen, moesten ze gewoon laten trekken als ze begonnen te rotten, terwijl jullie een schooltandarts hebben en melk en vitamines en gezonde voeding en tandpasta met fluor en weet ik wat nog meer.' Ze zuchtte hartgrondig. 'Ik zal je eens wat zeggen, ik zat te huilen in de klas. Niet omdat ik mijn huiswerk niet geleerd had, maar omdat ik zo'n honger had. Geen wonder dat jullie mooi zijn, jullie die nu jong zijn. Ik ben jaloers op jullie! Hoor je wat ik zeg, Halvor? Ik ben jaloers op jullie!'

'Ja, oma.'

Zijn vingers trilden terwijl hij foto's uit een gele Kodakenvelop trok. Een tengere jonge man met smalle schouders, hij leek niet erg op de schaatser uit het reclamespotje. Zijn mond was klein, leek op die van een meisje, zijn ene mondhoek trok een beetje en als hij een doodenkele keer glimlachte wilde die de beweging niet volgen. Van dichtbij kon je het litteken zien van de naad die van zijn rechtermondhoek naar de haargrens op zijn slaap liep. Hij had bruin haar, kortgeknipt en zacht, een bescheiden baardgroei. Op afstand werd hij vaak vijftien geschat en lange tijd moest hij bij de bioscoop zijn legitimatie laten zien. Hij maakte er geen punt van, hij was geen druktemaker.

Langzaam bekeek hij de foto's die hij al talloze keren had gezien. Maar nu hadden ze een nieuwe dimensie gekregen. Nu zocht hij naar signalen voor wat er later zou gebeuren, waar hij, toen hij de foto's nam, niets van had geweten. Annie met de tenthamer, terwijl ze met alle macht een haring in de grond sloeg. Annie op het uiterste puntje van de duikplank, rank als een den in haar zwarte badpak. Annie, slapend in de groene slaapzak. Annie op de fiets, haar gezicht verscholen achter haar blonde haar. Eentje van hemzelf, toen hij de primus aan de praat probeerde te krijgen. Een van hen samen, genomen door iemand in de tent naast hen. Hij had moeten zeuren om haar over te halen. Ze vond het afschuwelijk om voor een camera te poseren.

'Halvor!' schreeuwde zijn oma bij het raam. 'Er komt een politieauto aan!'

'Ja', zei hij zacht.

'Waarom komt die hierheen?'

Ze keek hem aan, plotseling bezorgd. 'Wat komen ze doen?'

'Dat is vanwege Annie.'

'Wat is er met Annie?'

'Ze is dood.'

'Wat zeg je nou?' Ze strompelde geschrokken terug naar haar stoel en zocht steun bij de armleuning.

'Ze is dood. Ze komen mij ondervragen. Ik wist dat ze zouden komen, ik zat op ze te wachten.'

'Waarom zeg je dat Annie dood is?'

'Omdat het zo is!' schreeuwde hij. 'Ze is gisteren doodgegaan! Haar vader heeft gebeld.'

'Ja maar, waarom?'

'Dat weet ík toch niet! Ik weet niet waarom, ik weet alleen dat ze dood is!'

Hij verborg zijn gezicht in zijn handen. Zijn oma zakte als een zoutzak in haar stoel en was nog bleker dan anders. Ze hadden het lange tijd zo goed gehad. Daar moest wel een keer een eind aan komen, dat kon niet anders.

Er werd hard op de deur geklopt. Halvor schrok, schoof de foto's onder het tafelkleed en liep naar de deur om open te doen. Ze waren met zijn tweeën. Ze bleven even in het portaal naar hem staan kijken. Het was niet moeilijk te zien wat ze dachten.

'Ben jij Halvor Muntz?'

'Ja.'

'We komen je een paar vragen stellen. Weet je waarom?'

'Haar vader heeft vannacht opgebeld.'

Halvor bleef met zijn hoofd knikken. Sejer merkte de oude vrouw in de stoel op en groette.

'Is zij familie van je?'

'Ja.'

'Kunnen we ergens apart zitten?'

'Alleen op mijn kamer.'

'Ja? Als het jou niet uitmaakt, dan...'

Halvor ging hen voor, een smalle keuken door, naar een klein kamertje. Het moest een oud huis zijn, dacht Sejer, tegenwoordig kwam je zo'n indeling niet meer tegen. De mannen namen plaats op een krakkemikkige slaapbank, Muntz ging op het bed zitten. Een ouderwets kamertje met groengeverfde houten muren en brede vensterbanken.

'Is dat je grootmoeder? In de kamer?'

'Mijn oma van vaders kant.'

'En je ouders?'

'Die zijn gescheiden.'

'Woon je daarom hier?'

'Ik mocht kiezen waar ik wilde wonen.'

De woorden vielen droog en kletterend, als kiezelsteentjes.

Sejer keek om zich heen, zocht naar foto's van Annie, vond een kleintje in een gouden lijstje op het nachtkastje. Naast een wekker en een beeldje van de Madonna met kind, vermoedelijk een souvenir uit Spanje of zo. Slechts één affiche aan de wand, waarschijnlijk een rockzanger, met het woord *Meat Loaf* schuin over de foto gedrukt. Een stereo-installatie en cd's. Een klerenkast, een paar sportschoenen, niet zo mooi als die van Annie waren geweest. Aan de knop van de kast hing een motorhelm. Het bed was niet opgemaakt. Tegenover het raam stond een smal bureautje met daarop een aardige computer met een kleine monitor. In een bakje ernaast lagen de diskettes. Sejer kon de bovenste zien: *Chess for beginners.* Het raam keek uit op de binnenplaats, hij kon de Volvo zien die ze voor de schuur hadden geparkeerd, naast een leeg hondenhok en een met plastic afgedekte motor.

'Je rijdt motor?' vroeg hij bij wijze van inleiding.

'Als hij het doet. Hij wil niet altijd starten. Ik moet hem laten nakijken, maar daar heb ik momenteel geen geld voor.' Hij frunnikte een beetje aan de kraag van zijn overhemd.

'Heb je werk?'

'In de ijsfabriek. Al twee jaar.'

De ijsfabriek, dacht Sejer. Twee jaar. Hij was dus na de middelbare school meteen gaan werken. Misschien zo dom nog niet, zo deed hij ondanks alles werkervaring op. Erg sportief leek hij niet, een beetje te mager, een beetje te bleek. Vergeleken met hem was Annie bijna atletisch te noemen, zij trainde intensief en werkte hard op school, terwijl deze jongeman ijsjes inpakte en bij zijn oma woonde. Hij kon het niet rijmen. Dat was trouwens een arrogante gedachte, hij verdrong ze.

'Ik moet je een aantal dingen vragen. Begrijp je dat?'

'Ja.'

'Om te beginnen: wanneer heb je Annie voor het laatst gezien?'

'Vrijdag. We zijn naar de bioscoop geweest, de film van zeven uur.'

'Welke film?'

'*Philadelphia.* Annie moest huilen', zei hij peinzend.

'Waarom?'
'Het was een treurige film.'
'O ja, juist. En daarna?'
'Toen hebben we in het Filmcafé wat gegeten en zijn we met de bus naar haar huis gegaan. Hebben op haar kamer plaatjes gedraaid. Ik ben met de bus van elf uur teruggegaan. Ze is meegelopen naar de halte bij de melkfabriek.'
'En daarna heb je haar niet meer gezien?'
Hij schudde zijn hoofd. De strakke mond gaf zijn gezicht een norse uitdrukking. Dat was eigenlijk onrechtvaardig, dacht Sejer, hij had verder best een aardig gezicht, met groene ogen en regelmatige gelaatstrekken. Door zijn strakke mond leek het alsof hij voortdurend probeerde om lelijke tanden of zo te verbergen. Later zou hij ontdekken dat ze meer dan perfect waren. Vier boven en twee beneden waren van porselein.
'Ook niet meer met haar getelefoneerd of zo?'
'Jawel', zei hij snel. 'Ze belde de volgende avond op.'
'Wat wilde ze?'
'Niks.'
'Maar ze was een vrij stil meisje, nietwaar?'
'Ja, maar door de telefoon praatte ze graag.'
'Dus er was niets, maar ze belde toch. Waar hebben jullie het over gehad?'
'Als u het absoluut wilt weten, dan... we hadden het zomaar over van alles en nog wat.'
Sejer glimlachte. Halvor staarde de hele tijd uit het raam, alsof hij oogcontact wilde vermijden. Misschien voelde hij zich schuldig, of misschien was hij gewoon verlegen. Ze voelden een meewarige sympathie voor hem. Zijn vriendinnetje was dood en hij had niemand om mee te praten, afgezien van zijn oma die in de kamer zat te wachten. En misschien, dacht Sejer, is hij een moordenaar.
'En gisteren was je gewoon op je werk? In de ijsfabriek?'

Hij aarzelde even. 'Nee, ik was thuis.'
'Je was thuis? Waarom?'
'Ik voelde me niet zo lekker.'
'Komt het wel vaker voor dat je niet op je werk bent?'
'Nee, dat komt niet vaak voor!'
Hij verhief zijn stem. Voor het eerst vermoedden ze iets van woede.
'Je grootmoeder kan dat natuurlijk bevestigen?'
'Ja.'
'En je bent helemaal niet naar buiten geweest, in de loop van de dag?'
'Heel even maar.'
'Ook al was je ziek?'
'We moeten toch eten hebben! Oma kan niet zo makkelijk naar de winkel. Ze kan alleen lopen als ze een goeie dag heeft en die heeft ze niet vaak. Ze heeft gewrichtsreuma', lichtte hij toe.
'Oké, ik begrijp het. Kun je zeggen wat je scheelde?'
'Alleen als het echt moet.'
'Dat hoeft nu niet, maar misschien moet het later wel.'
'Goed dan. Ik kan 's nachts soms niet slapen.'
'O? En dan blijf je thuis?'
'Ik kan niet op de machines letten als ik er met mijn hoofd niet bij ben.'
'Dat klinkt aannemelijk. Hoe komt het dat je af en toe slapeloze nachten hebt?'
'Tja, dat is een nasleep uit mijn jeugd. Noemen ze dat niet zo?' Er brak plotseling een bittere glimlach door, bijna onverwacht volwassen in zijn jonge gezicht.
'Hoe laat ben je weggegaan?'
'Om een uur of elf, misschien.'
'Te voet?'
'Met de motor.'
'En naar welke winkel?'
'De Kiwi-supermarkt in het centrum.'

'Dus gisteren deed hij het wel?'

'Uiteindelijk doet hij het altijd wel, als ik maar lang genoeg volhoud.'

'Hoe lang ben je weg geweest?'

'Dat weet ik niet. Ik kon niet weten dat iemand een verklaring zou komen opnemen.'

Sejer knikte. Skarre zat als een gek te pennen om alles bij te houden.

'Maar zo ongeveer?'

'Een uur misschien.'

'En dat kan je oma bevestigen?'

'Waarschijnlijk niet. Ze volgt het allemaal niet meer zo goed.'

'Heb je ook een autorijbewijs?'

'Nee.'

'Hoe lang hadden jullie al verkering, Annie en jij?'

'Al vrij lang. Een paar jaar.' Hij haalde zijn hand onder zijn neus langs en staarde nog steeds uit het raam.

'Hadden jullie een goede relatie, vind je?'

'Het is een paar keer uit geweest.'

'Maakte zij het uit?'

'Ja.'

'Zei ze waarom?'

'Eigenlijk niet. Maar ze vond het niet zo belangrijk. Wilde het vriendschappelijk houden.'

'En dat wilde jij niet?'

Hij bloosde en keek naar zijn handen.

'Hadden jullie een seksuele relatie?'

Nu bloosde hij nog meer en keek weer naar buiten. 'Eigenlijk niet.'

'Eigenlijk niet?'

'Zoals ik al zei. Ze vond het niet zo belangrijk.'

'Maar jullie hebben het wel geprobeerd, bedoel je dat?'

'Ja, zo'n beetje. Een paar keer.'

'Maar dat was misschien niet zo geslaagd?' Sejers stem was nu bijzonder vriendelijk.

'Ik weet niet wat je geslaagd moet noemen.' Zijn gezicht was nu zo strak dat alle mimiek verdwenen was.

'Weet je of ze met iemand anders naar bed is geweest?'

'Daar weet ik niks van. Maar dat kan ik me nauwelijks voorstellen.'

'Dus je had al meer dan twee jaar verkering met Annie, vanaf haar dertiende dus. Ze heeft het een paar keer uitgemaakt, ze had niet zo'n zin om met je naar bed te gaan... en toch ging je door met de relatie? Je bent geen kind meer, Halvor. Ben je zo'n geduldig type?'

'Blijkbaar.' Zijn stem was zacht en constaterend, alsof hij aldoor zijn best deed zijn gevoelens te verbergen.

'Vind je dat je haar goed kende?'

'Beter dan veel anderen.'

'Heb je het idee dat ze ongelukkig was?'

'Niet precies ongelukkig. Maar... nee, ik weet het niet. Zwaar op de hand, misschien.'

'Is dat iets anders? Zwaar op de hand?'

'Ja', zei hij, opkijkend. 'Als je ongelukkig bent, hoop je nog steeds dat het weer beter wordt. Maar als je het hebt opgegeven, dan word je zwaar op de hand.'

Sejer luisterde een beetje verbaasd naar deze redenering.

'Toen ik Annie twee jaar geleden ontmoette, was ze anders', zei Halvor plotseling. 'Maakte geintjes met iedereen, lachte veel. Het tegenovergestelde van mij', bedacht hij.

'En toen veranderde ze?'

'Ze werd ineens zo lang. En ze werd steeds stiller. Was niet zo vrolijk meer. Ik wachtte, ik dacht dat het misschien zou overgaan. Dat ze weer de oude zou worden. Nu hoef ik nergens meer op te wachten.' Hij vlocht zijn handen in elkaar en staarde naar de vloer, toen verzamelde hij al zijn moed en beantwoordde Sejers blik. Zijn ogen glommen als natte stenen. 'Ik weet niet wat jullie denken. Maar ik heb Annie niets gedaan.'

'Wij denken niets. Maar wij praten met iedereen. Nietwaar?'

'Ja.'

'Gebruikte Annie drugs of alcohol?'

Skarre schudde met zijn pen om de inkt naar de punt te krijgen.

'Bent u gek? U zit er helemaal naast.'

'Ja', zei Sejer eenvoudig. 'Ik heb haar niet gekend.'

'Sorry hoor, maar het klonk zo belachelijk.'

'En jijzelf?'

'Geen haar op mijn hoofd die daaraan denkt.'

Hoe is het mogelijk, dacht Sejer. Een nuchtere, hardwerkende jongeman met een vaste baan. Dit zag er echt veelbelovend uit.

'Ken je Annies vriendinnen? Anette Horgen, bijvoorbeeld?'

'Een beetje. Maar we waren meestal alleen. Annie wilde ons niet mengen.'

'Waarom niet?'

'Dat weet ik niet. Maar zij bepaalde altijd alles.'

'En jij deed wat zij wilde?'

'Dat was niet zo moeilijk. Ik hou ook niet van grote groepen mensen.'

Sejer knikte begrijpend. Misschien pasten ze toch wel bij elkaar. 'Weet je of Annie een dagboek had?'

Halvor aarzelde even, bedwong op het laatste moment een impuls en schudde zijn hoofd. 'U bedoelt zo'n roze, hartvormig boek met een hangslotje?'

'Dat hoeft niet. Het kan er ook anders uitzien.'

'Ik geloof het niet', mompelde hij.

'Maar je weet het niet zeker?'

'Vrij zeker. Ze heeft er nooit iets over gezegd.' Zijn stem was nu nauwelijks hoorbaar.

'Heb je iemand om mee te praten?'

'Ik heb oma.'

'Dus je bent aan haar gehecht?'
'Ze is een lief mens. En het is hier lekker rustig.'
'Heb jij een blauw windjack, Halvor?'
'Nee.'
'Wat draag je buiten?'
'Een spijkerjasje. Of als het koud is een ski-jack.'
'Wil je mij opbellen als je nog iets op je hart hebt?'
'Waarom zou ik dat hebben?' Hij keek verbaasd op.
'Laat ik het anders zeggen. Wil je het politiebureau bellen als je nog iets te binnen schiet, het maakt niet uit wat, dat volgens jou kan verklaren waarom Annie gestorven is?'
'Ja.'
Sejer keek het kamertje nog eens rond om het goed in zijn geheugen te prenten. Zijn blik bleef bij de madonna hangen. In tweede instantie vond hij het mooier dan op het eerste gezicht.
'Dat is een mooi beeldje. Heb je dat op vakantie gekocht?'
'Ik heb het gekregen. Van pater Martin. Ik ben katholiek', voegde hij eraan toe.
Hierdoor keek Sejer hem nog eens goed aan. De jongen was gesloten en gespannen, alsof hij iets verborg wat ze niet mochten zien. Misschien moesten ze hem dwingen zich te openen, hem als een mossel in kokend water leggen. Die gedachte fascineerde hem.
'Dus je bent katholiek?'
'Ja.'
'Vergeef me mijn nieuwsgierigheid... maar wat fascineert je zo aan dat geloof?'
'Dat lijkt me duidelijk. De vergiffenis voor onze zonden. De vergeving.'
Sejer knikte en stond glimlachend op. 'Maar je bent nog zo jong? Je hebt toch nog nauwelijks kunnen zondigen?'

De vraag bleef een seconde in de lucht hangen.
'Ik heb wel eens een slechte gedachte gehad.'
Sejer liep snel even zijn eigen gedachtewereld door. 'Alles wat je ons verteld hebt, wordt vanzelfsprekend gecheckt. Dat doen we met iedereen. Je hoort nog van ons.'
Hij gaf hem een stevige hand. Probeerde hem een positieve gedachte te geven. Daarna liepen ze terug door de keuken, die vaag naar gekookte groente rook. In de kamer zat de oude vrouw in een schommelstoel, zorgvuldig in een plaid gewikkeld. Ze keek hen angstig na toen ze vertrokken. Buiten stond de motor onder het plastic dekzeil. Een zwarte Suzuki.
'Denk jij hetzelfde als ik?' vroeg Skarre toen ze wegreden.
'Vermoedelijk. Hij stelde geen vragen. Geen enkele. Iemand heeft zijn vriendinnetje om zeep geholpen, maar hij lijkt niet erg nieuwsgierig. Dat hoeft niet per se iets te betekenen.'
'Maar vreemd is het wel.'
'Misschien dringt dat nu tot hem door, nu we wegrijden.'
'Of misschien weet hij wat er met haar is gebeurd. Daardoor dacht hij er niet aan.'
'Het windjack dat we gevonden hebben, dat is te groot voor Halvor, denk je ook niet?'
'De mouwen waren omgeslagen.'
Het was laat in de middag en ze waren aan een pauze toe. Ze reden terug en lieten het kleine dorpje achter zich, lieten de inwoners achter met de schok en hun gedachten. Aan de Kristalweg staken de mensen in beide richtingen de straat over, deuren werden open en dicht gegooid, telefoons rinkelden. Mensen doken in laden om oude foto's te zoeken. Annie lag op ieders lippen. In het schijnsel van kaarsen werden de eerste tere geruchten geboren, die zich vervolgens als onkruid tussen de huizen

verspreidden. Hier en daar kwam een borrel op tafel. In het korte straatje heerste de noodtoestand en successievelijk werden allerlei regels gebroken.

Raymond had echter andere dingen aan zijn hoofd. Hij zat aan de keukentafel en plakte stripplaatjes in een boek, van Casper en Hobbes, en van Tweety en Sylvester. De lamp aan het plafond was aan, zijn vader deed een middagdutje, de radio speelde verzoekplaten. Deze felicitatie is voor Glenn Kåre, met de groeten van oma. Raymond luisterde en snoof aan de lijmstift, rook de heerlijke geur van amandelessence. Hij zag de man, die aandachtig door het raam naar binnen keek, niet staan.

*

Halvor deed de deur naar de keuken dicht en zette zijn computer aan. Hij opende de harde schijf en keek nadenkend naar de rij documenten. Die bevatten spelletjes, zijn belastingaangifte, budgetten, adressenbestanden, een overzicht van zijn cd-verzameling en andere triviale dingen. Maar er was ook iets anders. Een map waarvan hij de inhoud niet kende. Er stond 'Annie' op. Hij bleef er peinzend naar zitten kijken. Door twee keer met de muis te klikken zouden de mappen om beurten opengaan en direct daarop zou de inhoud op het scherm verschijnen. Maar er waren uitzonderingen. Zelf had hij een map die 'Privé' heette. Om die te openen moest hij een geheim wachtwoord intoetsen. Datzelfde gold voor Annies map. Hij had haar geleerd hoe ze hem moest beveiligen, een heel eenvoudige procedure. Hij had geen flauw benul welke code ze had gekozen en ook niet wat erin stond. Ze had erop gestaan om haar wachtwoord geheim te houden en een beetje gelachen toen ze zijn teleurstelling zag. Dus had hij haar laten zien hoe het moest en was daarna in de kamer gaan zitten, terwijl zij haar code aanmaakte. Voor de grap klikte hij twee keer en ogenblikkelijk verscheen de volgende boodschap: *Access denied. Password required.*

Nu wilde hij de map openmaken. Dit was het enige wat hij nog van haar had. Stel dat er iets over hem in stond, iets dat gevaarlijk voor hem kon zijn? Misschien was het een soort dagboek. Het was natuurlijk een onmogelijke opgave, dacht hij, terwijl hij beteuterd naar het toetsenbord keek, waar tien cijfers, de vele letters en nog een hele reeks tekens een onvoorstelbaar aantal combinatiemogelijkheden vormden. Hij probeerde te ontspannen en bedacht ineens dat hij zelf een naam had gekozen. De naam van een bekende vrouw, die op de brandstapel was beland en vervolgens heilig was verklaard. Dat paste perfect en zelfs Annie zou daar niet op zijn gekomen. Maar misschien had zij een datum gekozen. Het was heel gewoon om een datum te kiezen, de geboortedatum van iemand die je na stond bijvoorbeeld. Hij zat een tijdje naar de map te kijken, een onnozel grijs vierkantje met haar naam erop. Het was natuurlijk ook niet de bedoeling dat hij die map zou openen, ze had hem immers beveiligd om de inhoud geheim te houden. Maar nu was ze er niet meer en dan golden niet langer dezelfde regels. Misschien stond er iets in dat kon verklaren waarom ze was zoals ze was. Zo verrekte ontoegankelijk.

De bezwaren vielen tot stof uiteen en losten op in de hoeken. Hij was nu alleen, had eindeloos de tijd en niets om die mee te vullen. Nu hij in zijn schemerige kamertje zat en naar het oplichtende scherm staarde, voelde hij zich heel dicht bij Annie. Hij besloot om het eerst met getallen te proberen, zoals geboortedata en persoonsnummers. Hij kende er een paar uit zijn hoofd, die van Annie, van hemzelf, die van oma. Andere kon hij opzoeken. Hij kon hoe dan ook met een aantal dingen beginnen. Ze kon natuurlijk ook een woord hebben gekozen. Of meerdere woorden, misschien een gezegde, of een bekend citaat, of misschien een naam. Het zou een langdurig karwei worden. Hij wist niet of hij er ooit achter zou komen, maar hij had zeeën van tijd en veel geduld. Bovendien waren er nog andere manieren.

Hij begon met haar geboortedatum, die ze natuurlijk niet had gekozen, drie maart negentien tachtig, nul drie nul drie acht nul. Daarna dezelfde getallen achterstevoren.

Access denied, flikkerde het op het scherm. Plotseling stond zijn oma in de deuropening.

'Wat zeiden ze?' vroeg ze, steun zoekend bij de deurpost.

Geschrokken rechtte hij zijn rug. 'Niet veel. Ze stelden alleen wat vragen.'

'Ja maar, dit is toch verschrikkelijk, Halvor! Waarom is ze dood?'

Hij staarde haar zwijgend aan. 'Eddie vertelde dat ze in het bos is gevonden. Bij het Slangenven.'

'Ja maar, hoe is ze dan doodgegaan?'

'Dat hebben ze niet gezegd', fluisterde hij. 'Ik ben het vergeten te vragen.'

Sejer en Skarre waren in het leslokaal in het noodgebouw achter het gerechtsgebouw neergestreken. Ze trokken de gordijnen dicht en doofden de meeste lampen. De band was helemaal teruggespoeld. Skarre zat klaar met de afstandsbediening.

De geluidsisolatie in het noodgebouw was niet om over naar huis te schrijven. Ze hoorden telefoons rinkelen en deuren dichtslaan, stemmen, gelach, en auto's die op straat langsronkten. Een dronkelap lalde buiten op de binnenplaats. Toch waren de geluiden gedempt, kenmerkend voor het einde van de dag.

'Wat is dit in hemelsnaam?' Skarre boog naar voren.

'Iemand die hardloopt. Het lijkt Grete Waitz wel. Ziet eruit als de marathon van New York.'

'Zou hij ons de verkeerde cassette hebben meegegeven?'

'Vast niet. Stop, ik zag wat rotsen en eilandjes.'

Het beeld schokte, sprong een tijdje op en neer en kwam uiteindelijk tot rust, inzoomend op twee vrouwen die in bikini op de rotsen lagen.

'Sølvi en haar moeder', zei Sejer.

Sølvi lag op haar rug, met een knie opgetrokken. Ze had haar zonnebril omhooggeschoven, misschien om te voorkomen dat ze witte randen om haar ogen kreeg. Haar moeder ging gedeeltelijk schuil achter een krant, naar het formaat te oordelen de *Aftenposten.* Naast hen lagen tijdschriften en zonnebrandcrème en thermosflessen, een aantal grote badhanddoeken en een draagbare radio.

De camera was lang genoeg op de twee zonaanbidsters gericht geweest. Het beeld verschoof naar een strandje verderop, waar een lang, blond meisje van rechts het beeld binnenliep. Ze droeg een surfplank boven haar hoofd en liep half van de camera afgewend het water in. Haar manier van lopen was op geen enkele manier uitdagend, ze liep gewoon om vooruit te komen en zelfs toen het water tot boven haar knieën reikte ging ze niet langzamer lopen. Ze hoorden het ruisen van de golven, die vrij krachtig waren, en plotseling de stem van de vader, scherp: 'Lach eens, Annie!'

Ze liep rustig door, verder en verder het water in, zijn verzoek negerend. Toen draaide ze zich toch om, een beetje moeizaam onder het gewicht van de surfplank. Een paar seconden lang keek ze Sejer en Skarre recht aan. Haar blonde haar werd door de wind gegrepen en wapperde rond haar oren, een snelle glimlach vloog over haar gezicht. Skarre keek in haar grijze ogen en voelde hoe hij kippenvel op zijn armen kreeg, terwijl hij het langbenige meisje volgde dat door de golven waadde. Ze droeg een zwart badpak met een kruis hoog op haar rug, zoals wedstrijdzwemmers gebruiken, en een blauw zwemvest.

'Dat is geen plank voor beginners', mompelde hij.

Sejer gaf geen antwoord. Annie liep steeds verder het water in. Toen stopte ze, ze klom op de plank, greep met sterke handen naar het zeil, vond haar evenwicht. De plank maakte een bocht van honderd negentig graden en schoot vooruit. De mannen zwegen terwijl Annie steeds verder weg zeilde. Ze joeg als een snelle zeilboot door de golven. Haar vader volgde haar met de camera. Zij waren nu haar vaders ogen, zagen zijn dochter zoals hij haar door de lens zag. Hij deed zijn best om het beeld stil te houden, moest niet te veel trillen, maar de surfer zo veel mogelijk tot haar recht laten komen. Via de beelden voelden ze hoe trots hij op haar geweest moest zijn. Hier was ze in haar element. Ze was niet bang om eraf te vallen en kopje onder te gaan.

Plotseling was ze verdwenen. In plaats daarvan keken ze nu naar een gebloemd tafelkleed, borden en glazen, glimmend gepoetst bestek, veldbloemen in een vaas. Karbonades, worstjes en bacon op een plank. Ernaast gloeide de barbecue. De zon weerkaatste in flesjes cola en mineraalwater. Sølvi weer, in een minirok en het bovenstukje van een bikini, opnieuw opgemaakt, mevrouw Holland in een flatteuze zomerjurk. En ten slotte Annie, met haar rug naar de camera, in een donkerblauwe bermuda. Plotseling draaide ze zich om naar de camera, weer op verzoek van haar vader. Dezelfde glimlach, iets breder nu, ze zagen haar lachkuiltjes en vaag de dunne, blauwe aders op haar hals. Sølvi en haar moeder zaten op de achtergrond te kletsen, ijsklontjes tinkelden, Annie schonk cola in. Ze draaide zich nogmaals langzaam om, met een flesje in haar hand en vroeg aan de camera: *'Cola, pappa?'* Haar stem was verrassend laag.

Het volgende moment waren ze in het vakantiehuisje. Mevrouw Holland stond bij het aanrecht een cake te snijden.

Cola, pappa. De stem was kortaf en toch vriendelijk. Annie had van haar vader gehouden, dat hoorden ze in die twee woordjes, ze hoorden de warmte en het respect. Fonkelend, zoals je het verschil kunt zien tussen een glas limonade en een glas rode wijn. Haar stem had diepte en glans. Annie was een vaderskindje.

De rest van de film flitste voorbij. Annie en haar moeder die badminton speelden, buiten adem in de veel te harde wind, uitstekend om te surfen, genadeloos voor de shuttle. Het gezin binnen rond de eettafel, Triviant spelend. Een close-up van het bord liet duidelijk zien wie er won, maar Annie leek niet triomfantelijk. Ze zei überhaupt niet veel, Sølvi en haar moeder waren degenen die de hele tijd praatten, Sølvi met een schattig, hoog stemmetje, de moeder dieper en heser. Skarre blies de rook tussen zijn knieën omlaag en voelde zich ouder dan ooit. Het beeld flikkerde even, toen verscheen er een blozend gezicht met een wijdopen mond. Een indrukwekkende tenor vulde de ruimte.

'*Nessun dorma*', zei Konrad Sejer, en stond moeizaam op.

'Wat zei je?'

'Luciano Pavarotti. Hij zingt Puccini. Zorg dat die band in het archief komt', ging hij verder.

'Ze kon goed surfen', zei Skarre vol eerbied.

Sejer kreeg geen tijd om te antwoorden. Ze werden onderbroken door de telefoon, Skarre nam op en trok meteen een schrijfblok en een potlood naar zich toe. Dat ging automatisch. Hij geloofde in drie dingen hier op aarde: grondigheid, gedrevenheid en een goed humeur. Sejer las mee wat hij opschreef: Henning Johnas, Kristal-weg 4. Kwart voor een. Horgen Handel. Motor.

'Kunt u naar het bureau komen?' vroeg Skarre gespannen. 'Niet? Dan komen wij naar u toe. Dit is heel belangrijke informatie. Dank u wel, afgesproken.' Hij legde neer.

'Een van de buren. Henning Johnas, hij woont op nummer vier. Is net thuisgekomen en hoorde wat er met Annie was gebeurd. Hij heeft haar gisteren bij de rotonde opgepikt en bij Horgen Handel afgezet. Hij zegt dat er een motor stond. Die op haar wachtte.'

Sejer schoof zijn achterwerk op de tafel. 'Diezelfde motor die Horgen heeft gezien. Halvor heeft een motor', zei hij peinzend. 'Waarom kon hij niet naar hier komen?'

'Zijn hond moet jongen.' Skarre stak het briefje in zijn zak. 'Halvor krijgt het nog moeilijk als hij wil bewijzen hoe lang hij met de motor is weg geweest. Ik hoop dat hij het niet gedaan heeft. Ik vond hem wel aardig.'

'Een moordenaar is een moordenaar', zei Sejer laconiek. 'Soms zijn ze aardig.'

'Ja', antwoordde Skarre. 'Maar het is makkelijker om iemand op te sluiten wiens gezicht je niet aanstaat.'

Johnas stak een hand onder de buik van de hond en voelde voorzichtig. Ze ademde snel, haar tong hing uit haar bek, een vochtige, roze tong. Ze lag heel stil en liet hem zijn gang gaan. Het zou niet lang meer duren. Hij keek uit het raam, hoopte dat het snel achter de rug zou zijn.

'Brave hond, Hera', zei hij, het dier aaiend.

De hond keek langs hem heen, reageerde niet op de lovende woorden, dus liet hij zich een eindje van haar vandaan op de vloer zakken. Bleef naar haar zitten kijken. Hij was volkomen idolaat van het rustige, geduldige dier. Hera was nooit lastig, ze gehoorzaamde altijd en was zo zachtaardig als een engel. Week nooit van zijn zijde als ze een stuk gingen lopen, at het eten dat ze kreeg en ging rustig in een hoek liggen als hij 's avonds naar boven ging om te slapen. Eigenlijk zou hij het liefst zo blijven zitten, tot het allemaal voorbij was, dichtbij haar, naar haar adem luisterend. Misschien gebeurde er pas morgenochtend iets. Hij was niet moe. Toen werd er aangebeld, een kort, scherp geluid. Hij stond op en deed open.

Sejer gaf hem een harde, droge handdruk. De man straalde autoriteit uit. De jongere agent was anders, een smal jongenshandje met dunne vingers. Een open gezicht, niet zo koel en beschouwend als de oudere. Hij vroeg hun binnen te komen.

'Hoe gaat het met de hond?' vroeg Sejer. Een mooie dobermann lag heel stil op een zwart met roze Perzisch tapijt. Maar dat was misschien niet echt, je legde een barende teef toch niet op een echt Perzisch tapijt, dacht hij. De hond ademde snel, verder lag ze volkomen roerloos en merkte niet dat er twee vreemden de kamer waren binnengekomen.

'Het is haar eerste keer. Het zijn er drie, geloof ik, ik heb geprobeerd ze te tellen. Maar het zal wel goed komen. Hera is nooit lastig.' Hij keek hen aan en schudde zijn hoofd. 'Ik ben zo aangeslagen van wat er gebeurd is dat ik me nergens meer op kan concentreren.'

Terwijl hij sprak keek Johnas even naar de hond en haalde een stevige knuist over zijn kale kruin. Verder werd zijn schedel omkranst door bruin, krullend haar en zijn ogen waren uitzonderlijk donker. Een man van gemiddelde omvang, lichamelijk, maar met een krachtig bovenlichaam en een paar overtollige kilo's rond zijn middel, eind dertig misschien. In zijn jonge jaren had hij misschien op Skarre geleken, alleen iets donkerder. Hij had fijne trekken en een lekker kleurtje op zijn huid, alsof hij net op vakantie naar de zon was geweest.

'Willen jullie geen welpje kopen?' Hij zond hun een smekende blik.

'Ik heb een Leonberger,' lichtte Sejer hem in, 'en ik denk niet dat hij het mij vergeeft als ik met een welp kom aanzetten. Hij is nogal verwend.'

Johnas knikte naar de bank, trok de salontafel naar voren, zodat de twee mannen zich erachter konden wurmen. 'Ik kwam Fritzner vanavond tegen bij de garage, ik kwam van een beurs in Oslo. Hij heeft het me verteld. Het dringt geloof ik nog niet helemaal tot me door. Ik had haar niet moeten laten uitstappen, dat had ik niet mogen doen.' Hij wreef in zijn ogen en keek weer even naar de hond. 'Annie kwam hier vroeger vaak. Was onze oppas. Ik ken Sølvi ook. Als zij het was geweest,' zei hij zacht, 'dan zou ik het beter hebben begrepen. Sølvi is meer het type dat zomaar met iemand meegaat, als iemand dat aanbiedt, ook al kent ze de man niet. Denkt alleen maar aan jongens. Maar Annie...' Hij keek hen aan. 'Annie interesseerde zich daar niet zo voor. En was vreselijk voorzichtig. Bovendien had ze een vriendje, geloof ik.'

'Dat klopt. Kent u hem?'

'Nee, nee, absoluut niet. Maar ik heb ze hier wel op straat gezien, op een afstandje. Ze waren een beetje verlegen, liepen niet eens hand in hand.' Hij glimlachte weemoedig bij de gedachte.

'Waar ging u heen toen u Annie oppikte?'

'Ik ging naar mijn werk. Het zag er even naar uit dat Hera al zou gaan werpen, maar dat ebde weer weg.'

'Hoe laat gaat u open?'

'Om elf uur.'

'Is dat niet laat?'

'Ja, maar weet u, melk en brood hebben de mensen 's morgens vroeg al nodig, oosterse tapijten komen later, als de meer primitieve levensbehoeften zijn vervuld.' Hij glimlachte ironisch om zijn eigen commentaar. 'Ik heb een tapijthandel', legde hij uit. 'Een galerie in het centrum, aan de Cappelensgate.'

Sejer knikte. 'Annie was op weg naar Anette Horgen om aan een werkstuk voor school te werken. Heeft ze u daar iets over verteld?'

'Een werkstuk?' vroeg hij verbaasd. 'Nee, daar heeft ze niets van gezegd.'

'Maar ze had een schooltas bij zich?'

'Ja, ze had haar rugzak bij zich. Misschien was dat een smoes om te spijbelen, weet ik veel. Ze moest naar Horgen Handel, dat is het enige dat ik weet.'

'Vertelt u eens wat u zag.'

Johnas knikte. 'Annie kwam de steile helling bij de rotonde afgehold. Ik zette de auto in de berm, bij de bushalte. Vroeg of ze wilde meerijden. Ze moest dus naar Horgen en dat is een aardig eindje lopen. Niet dat ze lui was of zo, Annie was sportief. Ging vaak hardlopen. Had vast een fantastische conditie. Maar ze stapte toch in en vroeg of ik haar bij de winkel wilde afzetten. Ik dacht dat ze iets moest kopen, of misschien met iemand had afgesproken. Ik heb haar afgezet en ben verder gereden. Maar ik zag die motor staan. Hij stond naast de winkel geparkeerd en het laatste wat ik zag, was dat ze daarnaartoe liep. Ik bedoel, ik weet niet zeker of hij op haar stond te wachten en ik heb niet gezien wie het was. Ik zag alleen dat ze nogal resoluut naar die motor toe liep, ze draaide zich niet meer om.'

'Wat voor motor?' vroeg Sejer.

Johnas haalde zijn schouders op. 'Ik snap dat u mij dat moet vragen, maar ik heb geen verstand van motoren. Ik zit in een ander vak, om het zo te zeggen. Voor mij is het niet meer dan chroom en staal.'

'En de kleur?'

'Zijn motoren niet meestal zwart?'

'Absoluut niet', zei Sejer kortaf.

'Hij was in elk geval niet knalrood, dat zou ik wel onthouden hebben.'

'Was het een grote, zware motor, of een kleinere?' wilde Skarre weten.

'Ik geloof dat hij groot was.'

'En de berijder?'

'Daar was niet veel van te zien. Hij had een helm op. Er zat iets roods op de helm, dat herinner ik me. En het leek me geen volwassen man. Het was eerder een jongere vent.'

Sejer knikte en boog zich naar voren. 'U heeft haar vriendje gezien. Hij heeft een motor. Kan hij het geweest zijn?'

Johnas fronste zijn voorhoofd, alsof hij op zijn hoede was. 'Ik heb hem hier op straat langs zien lopen, op een afstandje. Maar deze man stond een eind weg en hij had een helm op. Ik kan absoluut niet zeggen of hij het was. Ik heb niet eens zin om iets in die richting te zeggen.'

'Niet of hij het wás.' Sejer kneep zijn ogen toe. 'Alleen of hij het geweest kán zijn. U zegt dat hij jong was. Was hij tenger?'

'Dat is niet zo makkelijk te zien als ze een leren pak aan hebben', zei hij hulpeloos.

'Maar waarom neemt u aan dat hij jong was?'

'Tja,' zei hij verward, 'wat zal ik zeggen? Ik nam het aan, omdat Annie jong is. Of misschien was het iets met zijn houding.' Hij zag er verlegen uit. 'Je weet op zo'n moment toch niet dat het van belang zal blijken te zijn.'

Hij stond weer op en knielde bij de hond. 'U moet proberen te begrijpen hoe het is om in dit dorp te wonen', zei hij slecht op zijn gemak. 'Er wordt veel geroddeld. Bovendien kan ik niet geloven dat haar vriendje zoiets zou doen. Het is nog maar een jonge jongen en ze hadden al zo lang verkering.'

'Die beoordeling moet u maar aan ons overlaten', zei Sejer beslist. 'Die motor is belangrijk, hij is ook door een andere getuige gezien. Als hij onschuldig blijkt te zijn, wordt hij ook niet veroordeeld.'

'O nee?' zei hij twijfelend. 'Nee, nee, maar het is al erg genoeg om verdacht te zijn, zou ik denken. Als ik zeg dat hij op haar vriendje leek, dan breekt de hel voor hem los. En de waarheid is, dat ik geen idee heb wie het was.' Hij schudde heftig zijn hoofd. 'Ik heb alleen iemand met een motorpak en een helm gezien. Het kan iedereen geweest zijn. Ik heb een zoon van zeventien, die zou het ook geweest kunnen zijn. Ik zou hem niet herkend hebben in die uitrusting. Begrijpt u?'

'Ja, ik begrijp het', zei Sejer kort. 'U heeft mijn vraag uiteindelijk toch beantwoord. Hij kan het geweest zijn. En wat die hel betreft, daar zit hij al midden in.'

Johnas slikte, een klokkend geluidje in zijn keel.

'Waar heeft u met Annie over gepraat, in de auto?'

'Ze zei niet veel. Ik vulde de tijd door over Hera te praten en over de welpjes waar ik op zit te wachten.'

'Leek ze bang of nerveus?'

'Absoluut niet. Ze gedroeg zich niet anders dan anders.'

Sejer keek om zich heen en merkte op dat de kamer spaarzaam was gemeubileerd, alsof hij nog niet klaar was met de inrichting. Maar tapijten waren er in overvloed, op de vloeren en aan de wanden, grote oosterse tapijten die er duur uitzagen. Aan de muur hingen twee foto's, eentje van een blond jongetje van een jaar of twee, de andere van een tiener.

'Zijn dat uw zoons?' Sejer wees en wilde blijkbaar converseren.

'Ja', zei hij. 'Maar het zijn oude foto's.' Hij aaide de hond weer over de grote zijdezachte oren en de vochtige snuit. 'Ik woon nu alleen', voegde hij eraan toe. ''k Heb eindelijk een flatje in de stad gevonden, in de Oscarsgate. Dit is te groot voor mij. De laatste tijd heb ik Annie niet zo vaak gezien. Ik denk dat ze zich een beetje opgelaten voelde toen mijn vrouw vertrok. Toen waren er immers geen kinderen meer om op te passen.'

'En u doet in Perzische tapijten?'

'Ik doe het meest zaken met Turkije en Pakistan. Af en toe met Iran, maar daar hebben ze de neiging om de prijzen op te drijven. Een paar keer per jaar ga ik een aantal weken die kant op. Neem de tijd. Begin er bekend te raken', zei hij tevreden. 'Heb goeie contacten opgebouwd. Want dat is het belangrijkste, een vertrouwensrelatie opbouwen. Ze hebben nogal wisselende ervaringen met het westen.'

Skarre schoof achter de tafel vandaan en liep naar de achterwand van het huis, die bijna helemaal, van het plafond tot aan de vloer, in beslag werd genomen door een groot tapijt.

'Dat is een Turkse Smyrna', zei Johnas. 'Een van de allermooiste die ik heb. Ik kan hem me eigenlijk niet veroorloven. Twee-en-een-half miljoen knopen. Bijna niet te vatten, hè?'

Skarre bekeek het kleed. 'Is het waar dat ze door kinderen worden gemaakt?' vroeg hij.

'Vaak wel ja, maar die van mij niet. Dat is niet goed voor de naam van de zaak. Je kunt het gruwelijk vinden, maar het is een feit dat kinderen de mooiste tapijten maken. Volwassenen hebben te dikke vingers.'

Ze keken een tijdje naar het tapijt, naar alle geometrische figuren die naar het midden toe steeds kleiner werden, in een haast oneindig aantal verschillende kleurschakeringen.

'Is het waar dat de kinderen aan de weefgetouwen worden vastgeketend?' vroeg Sejer sceptisch.

Johnas schudde lijdzaam zijn hoofd. 'Het klinkt zo verschrikkelijk als je het zo zegt. Wie werk krijgt als wever, behoort tot de gelukkigen. Een goede wever is verzekerd van eten en kleren en warmte. Hij heeft een leven. Als hij inderdaad aan het getouw wordt vastgeketend, dan is dat op verzoek van de ouders. Vaak onderhoudt zo'n klein wevertje een heel gezin van vijf, zes personen. Op die manier kan hij zijn moeder en zusters van de prostitutie redden en hoeven zijn vader en broers geen bedelaars of dieven te worden.'

'Ik heb gehoord dat het alleen maar uitstel is', zei Sejer. 'Als ze volwassen worden en te dikke vingers krijgen, zijn ze vaak blind of slechtziend door de inspanningen aan de weefstoel. Dan kunnen ze helemaal niet meer werken. En dan eindigen ze alsnog als bedelaars.'

'U heeft te veel naar de televisie gekeken', glimlachte hij. 'Ga er liever zelf eens heen, dan kunt u het met eigen ogen zien. De wevers zijn tevreden mensjes en ze staan in hoog aanzien bij het volk. Zo simpel is het. Maar we moeten de rijken helpen de moraal hoog te houden, niemand is zo gevoelig als zij, als het om dit soort dingen gaat. Daarom houd ik mij verre van kinderarbeid. Als u een keer een tapijt wilt hebben, moet u eens naar de Cappelensgate komen', zei hij enthousiast. 'Ik zal ervoor zorgen dat u waar voor uw geld krijgt.'

'Ik geloof dat dit niet helemaal mijn prijsklasse is.'

'Waarom is het zo vlekkerig?' wilde Skarre weten.

Johnas moest glimlachen om deze onwetendheid, tegelijkertijd leefde hij op, alsof het praten over zijn grote passie een ademstoot op bijna uitgedoofde kooltjes was. Hij vlamde op. 'Het is een nomadentapijt.'

Daar werd Skarre niet veel wijzer van.

'Nomaden verhuizen voortdurend, nietwaar? Het kost ze misschien een jaar om zo'n groot tapijt te maken. En de wol verven ze met planten. Die ze dus in verschillende jaargetijden, op wisselend terrein, onder voor de afzonderlijke planten verschillende omstandigheden plukken. Dit blauw hier,' hij wees naar het tapijt, 'komt van de indigoplant. En dat rood is van de meekrap. Maar het rood in het midden van de zeshoek is anders, dat is afkomstig van geplette insecten. Dit oranjeachtige is henna, dat geel is wilde saffraan.'

Hij streek met zijn hand over het kleed. 'Dit is een Turks tapijt, geknoopt met ghiordes-knopen. Iedere vierkante centimeter bevat ongeveer honderd knopen.'

'En de patronen? Wie maakt die?'

'De patronen zijn vele honderden jaren oud en veel ervan zijn niet eens opgetekend. De oude wevers lopen door de werkplaats en zingen de patronen voor hen.'

De oude, blinde wevers, dacht Sejer.

'Wij hier in het Westen', ging Johnas verder, 'hebben er lang over gedaan om dit handwerk te ontdekken. Traditioneel gezien geven wij de voorkeur aan figuratieve patronen, die een verhaal vertellen. Daarom werd in onze contreien de aandacht altijd eerst getrokken door tapijten met jachttaferelen en tuinen, omdat ze bloemen bevatten en dierenmotieven. Persoonlijk geef ik de voorkeur aan dit type. Eerst de brede rand aan de buitenkant, die alles op zijn plaats houdt, en dan wordt je blik steeds verder naar binnen getrokken om ten slotte uit te komen bij de schat, als het ware. Zoals hier', hij wees naar het tapijt. 'Bij het medaillon in het midden.'

'Neem me niet kwalijk', zei hij ineens. 'Ik sta hier maar over mezelf te kletsen.' Hij leek zich te schamen.

'Die helm,' vroeg Skarre, zich uit het gesprek losrukkend, 'was dat een halve helm, of een integraalhelm?'

'Bestaan er halve helmen?' zei hij verbaasd.

'Een integraalhelm heeft ook een kaak- en een kinbescherming. Een gewone helm bedekt alleen de schedel.'

'Dat is me niet opgevallen.'

'En zijn pak? Was dat zwart?'

'In elk geval donker. Het is niet bij me opgekomen om hem beter te bekijken. Er is toch niets vreemds aan, als je een mooi meisje de straat ziet oversteken in de richting van een jongen op een motor. Zo hoort het toch eigenlijk, nietwaar?'

Ze bedankten hem en bleven een ogenblik bij de deur staan. 'We komen nog een keer terug, ik hoop dat u daar begrip voor hebt.'

'Natuurlijk. Als de welpjes vannacht komen, blijf ik een paar dagen thuis.'

'Kunt u de winkel sluiten?'

'De klanten bellen naar mijn huis als ze iets willen.'

Hera slaakte plotseling een diepe zucht en piepte smartelijk op haar echte oosterse tapijt. Skarre wierp haar een lange blik toe en volgde zijn chef schoorvoetend.

'Misschien mogen we ze zien als we terugkomen?' glimlachte hij hoopvol. 'De welpjes, bedoel ik.'

'Natuurlijk', zei Johnas.

'Niet doen', glimlachte Sejer. Hij dacht aan Kollberg.

'Weet jij nog hoe die helm van Halvor eruitzag? Die in zijn kamer hing?'

Ze zaten weer in de auto.

'Een zwarte integraalhelm met een rode streep', zei Sejer peinzend. 'Laten we maar naar huis gaan. Ik moet de hond uitlaten.'

'Hoe zit dat, Konrad? Heb jij een net zo hartstochtelijke band met je werk als Johnas?'

Sejer keek hem aan. 'Natuurlijk. Had je soms een andere indruk?' Hij maakte zijn veiligheidsgordel vast en startte. 'Het ergert me trouwens als mensen zichzelf een muilkorf omdoen, vanwege misplaatste sympathie met een knaap die ze niet eens kennen, omdat ze ervan overtuigd zijn dat het een eerzame burger is.' Hij dacht aan Halvor en voelde een vage triestheid. 'Totdat iemand voor het eerst een moord pleegt, is hij geen moordenaar. Dan zijn het gewone mensen. En later, als de buren erachter komen dat iemand een moord heeft gepleegd, dan is die persoon ineens voor de rest van zijn leven een moordenaar en kan hij vanaf dat moment meedogenloos andere mensen afmaken, als een soort ongecontroleerde moordmachine. Dan houdt iedereen zijn kinderen krampachtig binnen en is niets of niemand meer veilig.'

Skarre keek hem onderzoekend aan. 'Dus nu staat Halvor in de schijnwerper?'

'Natuurlijk. Hij was haar vriendje. Maar ik vraag me af waarom Johnas zo krampachtig probeert iemand te beschermen die hij alleen in de verte heeft gezien.'

*

Ragnhild Album boog zich over het papier en begon te tekenen. Het schetsblok was nieuw en ze had met bijna vrome toewijding het eerste onaangeroerde blad opgeslagen. In zekere zin was een auto in een stofwolk het niet waard om het blok zijn spierwitte maagdelijkheid te moeten ontnemen. Het doosje bevatte zes kleuren. Sejer had ze gekocht, een set voor Ragnhild en een set voor Raymond. Vandaag had ze twee pluimpjes bovenop haar hoofd, ze wezen recht omhoog, als antennes.

'Wat zit je haar mooi vandaag', zei hij opbeurend.

'Hiermee', zei haar moeder, aan een van de pluimpjes trekkend, 'ontvangt ze Operatie Witte Wolf in Narvik en met de andere ontvangt ze oma, die op Spitsbergen zit.'

Hij grinnikte een beetje besmuikt.

'Ze heeft toch gezegd dat het alleen maar een stofwolk was', ging ze bezorgd verder.

'Ze zegt dat het een auto was', zei Sejer. 'Het is het proberen waard.'

Hij legde een hand op de schouder van het kind. 'Doe je ogen dicht,' zei hij, 'en probeer hem weer voor je te zien. Daarna teken je hem zo goed je kunt. Je moet dus niet zomaar een auto tekenen. Je moet de auto tekenen die jij en Raymond hebben gezien.'

'Jaha', zei ze ongeduldig.

Hij duwde mevrouw Album de keuken uit, naar de woonkamer, zodat Ragnhild niet werd gestoord. Mevrouw Album ging bij het raam staan en keek naar de blauwe bergen in de verte. Het was een nevelige dag, het landschap had iets weg van een oud romantisch schilderij.

'Annie heeft vaak op Ragnhild gepast', zei ze stilletjes. 'En als ze oppaste, dan deed ze dat goed. Het is nu alweer een paar jaar geleden. Ze namen de bus naar de stad en bleven soms de hele dag weg. Reden met het treintje over het plein en gingen met de roltrap en de lift in het warenhuis op en neer, dingen die Ragnhild leuk vond. Ze was een natuurtalent als het om kinderen ging. Anders. Zorgzaam.'

Sejer hoorde het meisje in de keuken in het doosje met potloden graaien. 'Kent u haar zus ook? Sølvi?'

'Ik weet wie het is. Het is haar halfzus.'

'O?'

'Wist u dat niet?'

'Nee', zei hij langzaam.

'Iedereen weet het', zei ze eenvoudig. 'Het is geen geheim of zo. Ze zijn heel verschillend. Ze hebben een tijdje moeilijkheden gehad met haar vader. De vader van Sølvi dus. Het omgangsrecht is hem ontzegd en daar komt hij blijkbaar niet overheen.'

'Waarom?'

'De gewone dingen. Drankmisbruik en geweld. Maar dat zijn natuurlijk de woorden van haar moeder. En Ada Holland is vrij streng, dus ik weet het nog zo niet.'

Mm, dacht hij. 'Maar Sølvi is nu toch meerderjarig? Ze kan toch doen wat ze wil?'

'Het zal wel te laat zijn. Hun verstandhouding zal nu wel onherstelbaar verziekt zijn. Ik denk veel aan Ada', voegde ze eraan toe. 'Zij heeft haar dochter niet teruggekregen, zoals ik.'

'Klaar!' werd er uit de keuken geschreeuwd.

Ze stonden op en gingen kijken. Ragnhild hield haar hoofd scheef en zag er niet erg tevreden uit. Het grootste deel van het papier werd gevuld door een grijze stofwolk, en uit dat stof stak de neus van een auto, met lampen en een bumper. Een lange motorkap, zoals bij een grote

Amerikaan, de bumper was zwart. Het leek alsof de auto grijnsde, zonder tanden. De lampen stonden schuin. Als Chinese ogen, dacht Sejer.

'Maakte hij veel lawaai? Toen hij langsreed?'

Sejer hing over de keukentafel en rook de zoete geur van haar kauwgum.

'Hij maakte hartstikke veel lawaai.'

Hij staarde naar de tekening. 'Kun je er nog eentje voor me maken? Als ik je vraag de lampen van de auto te tekenen. Alleen de lampen?'

'Maar ze waren zoals je ze daar ziet!' Ze wees naar de tekening. 'Ze stonden scheef.'

Hij knikte. 'En de kleur, Ragnhild?'

'Nee, eigenlijk was hij niet grijs. Maar ik heb niet zoveel kleuren om te kiezen.' Ze schudde wijsneuzig met het doosje kleurpotloden. 'Het was eigenlijk zo'n kleur die niet bestaat.'

'Wat bedoel je daarmee?'

'Nou, ik bedoel, zo'n kleur waar geen naam voor is.'

Er dwarrelde een rijtje namen door zijn hoofd: sienna, petrol, sepia, antraciet.

'Ragnhild,' zei hij toen, 'weet je nog of de auto iets op het dak had?'

'Antennes?'

'Nee, groter. Raymond dacht dat er iets zwarts op het dak van de auto lag.'

Ze keek hem aan en dacht na. 'Ja!' zei ze plotseling. 'Een klein bootje.'

'Een bootje?'

'Een klein, zwart bootje.'

'Ik weet niet wat ik zonder jou had moeten beginnen', glimlachte Sejer en hij tikte met zijn vingers tegen haar antennes.

'Elise,' zei hij toen, 'je hebt een mooie naam.'

'Niemand wil me zo noemen. Iedereen zegt Ragnhild.'

'Ik kan je Elise noemen.'

Ze bloosde verlegen en deed het deksel op het doosje, vouwde het schetsblok dicht en schoof het naar hem toe.

'Nee, die zijn natuurlijk voor jou.'

Meteen maakte ze het doosje weer open en begon weer te tekenen.

*

'Een van de konijnen is op zijn zij gaan liggen!'

Raymond stond in de deur van zijn vaders slaapkamer onrustig heen en weer te wiegen.

'Welke?'

'Caesar. De Vlaamse reus.'

'Dan moet je hem doodmaken.'

Raymond schrok zo erg dat hij een wind liet. Voor de lucht in het bedompte kamertje maakte het kleine beetje uitlaatgas erbij niet uit.

'Maar hij ademt nog hartstikke!'

'We gaan geen konijnen voeren die doodgaan, Raymond. Leg hem op het hakblok. De bijl staat achter de deur in de garage. En pas op voor je handen!' voegde hij eraan toe.

Raymond ging weer naar buiten en waggelde mistroostig over het erf naar het konijnenhok. Hij bekeek Caesar een tijdje door het gaas. Hij lag net als een baby, dacht hij, opgerold tot een zacht balletje. Zijn oogjes waren gesloten. Het dier bewoog niet toen hij het hok openmaakte en voorzichtig een hand naar binnen stak. Hij aaide hem voorzichtig over zijn rug. Hij was net zo warm als anders. Hij pakte hem stevig bij zijn nekvel en tilde hem eruit. Hij spartelde een beetje en leek zwak.

Later zat hij over de keukentafel gebogen. Voor hem lag een album met foto's van het nationale elftal en van vogels en andere dieren. Toen hij de deur voor Sejer opendeed, zag hij er verslagen uit. Hij droeg alleen een joggingbroek en pantoffels. Zijn haar stond recht overeind, zijn buik was wit en zacht. Zijn rode ogen stonden verongelijkt en hij had een pruilmondje, alsof hij ergens hard op zoog, misschien op een snoepje.

'Hallo, Raymond.'

Sejer maakte een diepe buiging om hem mild te stemmen. 'Vind je me erg lastig?'

'Ja, want ik was net met mijn verzameling bezig, en nou word ik weer gestoord.'

'Dat is vervelend. Ik kan me niets ergers voorstellen. Maar ik zou niet gekomen zijn als het niet nodig was geweest, ik hoop dat je dat snapt.'

'Ja ja.' Hij werd een beetje inschikkelijker en liep naar binnen. Sejer volgde hem en legde de tekenspullen op de tafel.

'Je moet iets voor me tekenen', zei hij voorzichtig.

'O nee! Mooi niet!'

Hij keek zo bezorgd dat Sejer een hand op zijn schouder moest leggen.

'Ik kan niet tekenen', piepte hij.

'Iedereen kan tekenen', zei Sejer rustig.

'Geen mensen in elk geval.'

'Nee, je hoeft geen mensen te tekenen. Alleen een auto.'

'Een auto?' Hij keek uitermate sceptisch. Zijn ogen werden smaller en leken gewone ogen.

'De auto die jij en Ragnhild hebben gezien. Die zo snel reed.'

'Wat zaniken jullie toch over die auto.'

'Ja, het is belangrijk. We hebben hem geprobeerd op te sporen, maar niemand heeft zich gemeld. Misschien is het een schurk, Raymond, en dan moeten we hem te pakken zien te krijgen.'

'Ik zei toch dat hij veel te snel reed.'

'Maar je moet toch iets gezien hebben', zei Sejer, met iets meer gewicht. 'Je hebt toch gezien dat het een auto was, nietwaar? Niet een boot of een fiets. Of bijvoorbeeld een kudde kamelen.'

'Kamelen?' Hij moest zo lachen dat zijn witte buik trilde. 'Dat zou leuk zijn geweest, als er hier een kudde kamelen op de weg had gelopen! Het waren geen kamelen. Het was een auto. Met een skibox op het dak.'

'Teken hem', zei Sejer uitnodigend.

Raymond gaf zich gewonnen. Hij liet zich op de stoel bij de tafel zakken en stak zijn tong als een roer uit zijn mond. Een paar minuten later kon Sejer constateren dat hij absoluut de waarheid had gesproken. Het resultaat leek op een vloerbrood op wielen.

'Kun je hem ook kleuren?'

Hij maakte het doosje open, bekeek alle kleurpotloden aandachtig en koos ten slotte het rode. Vervolgens deed hij zijn uiterste best om niet buiten de lijnen te kleuren.

'Rood, Raymond?'

'Ja', zei hij kort en tekende verder.

'Dus de auto was rood? Weet je dat zeker? Ik dacht dat je zei dat hij grijs was?'

'Ik zei dat hij rood was.'

Sejer woog zijn woorden zorgvuldig en trok een krukje onder de tafel vandaan. 'Je zei dat je de kleur niet meer wist. Maar net als Ragnhild zei je dat hij misschien grijs was.'

Hij krabde beledigd over zijn buik. 'Ik kan het me steeds beter herinneren, weet je. Dat heb ik gisteren ook tegen die man gezegd die hier was, dat hij rood was.'

'Wie?'

'Gewoon een man die een wandeling maakte en die hier even op het erf bleef staan. Hij wilde de konijnen zien. Ik heb met hem gepraat.'

Sejer voelde een rilling langs zijn rug gaan. 'Kende je die man?'

'Nee.'

'Kun je me vertellen hoe hij eruitzag?'

Hij legde het rode potlood weg en stak zijn onderlip naar voren. 'Nee', zei hij.

'Wil je het niet?'

'Het was gewoon een man. Jij bent ook nooit tevreden.'

'Alsjeblieft. Ik zal je helpen. Was hij dik of dun?'

'Dat gaat wel.'

'Donker of licht haar?'

'Dat weet ik niet. Hij had een pet op.'

'O ja? Een jonge man?'

'Weet ik niet.'

'Ouder dan ik?'

Raymond keek even op. 'O nee, niet zo oud als jij. Jij bent al helemaal grijs.'

Dank je wel, dacht Sejer.

'Ik wil hem niet tekenen.'

'Dat hoeft niet. Reed hij in een auto?'

'Nee, hij kwam lopend.'

'Toen hij wegging, ging hij toen naar het dorp, of omhoog naar de Koll?'

'Weet ik niet. Ik ben naar pappa gegaan. Hij was heel aardig', zei hij ineens.

'Dat geloof ik graag. Wat zei hij tegen je, Raymond?'

'Dat de konijnen mooi waren. Of ik er eentje wilde verkopen als ze een keer jonkies kregen.'

'Ga door.'

'En we hebben over het weer gepraat. Over hoe droog het was. Hij vroeg of ik het al wist van het meisje bij het ven, en of ik haar kende.'

'Wat heb je tegen hem gezegd?'

'Dat ik haar had gevonden. Hij vond het zielig dat ze dood was. En ik heb over jullie verteld, dat jullie hier geweest waren en over de auto hadden gevraagd. Die auto, zei hij, die altijd zo'n lawaai maakt en altijd zo snel over de wegen rijdt? Ja, zei ik. Die had ik gezien. Hij wist wie het was. Zei dat het een rode Mercedes was. Ik heb me zeker vergist, toen jullie het vroegen, want nu weet ik het weer. De auto was rood.'

'Heeft hij je bedreigd?'

'Nee, nee, ik laat me niet bedreigen. Een volwassen man laat zich niet bedreigen. Dat zei ik tegen hem.'

'En zijn kleren, Raymond? Wat had hij aan?'

'Heel gewone kleren.'

'Bruine kleren? Of blauwe? Weet je dat nog?'

Raymond keek hem ontstemd aan en verborg zijn hoofd tussen zijn handen. 'Je moet niet zo verschrikkelijk zeuren!'

Sejer wachtte even en keek naar hem. Liet hem even tot rust komen. Toen zei hij zacht: 'Maar de auto was eigenlijk grijs of groen, nietwaar?'

'Nee, hij was rood. Ik zei het precies zoals het was, dat het geen zin had om te dreigen. Want die auto was rood, en toen was hij tevreden.'

Hij boog zich weer over het vel en kladde wat op de tekening. Zijn mond was een weerbarstige streep.

'Verknoei hem nou niet. Ik wil hem graag hebben.' Sejer pakte de tekening op. 'Hoe is het met je vader?' vroeg hij peinzend.

'Hij kan niet lopen.'

'Dat weet ik. Laten we even naar hem toe gaan.'

Hij stond op en volgde Raymond door de gang. Ze deden open zonder te kloppen. Het was schemerig in de kamer, maar licht genoeg voor Sejer om te zien dat de oude man bij het nachtkastje stond, in een oud hemd en een veel te grote onderbroek. Zijn knieën trilden vervaarlijk. Hij was net zo mager als zijn zoon rond en mollig was.

'Pappa!' schreeuwde Raymond. 'Wat doe je nou?'

'Niks, niks.' Hij tastte naar zijn kunstgebit.

'Ga zitten. Je breekt je benen nog.'

Hij droeg elastieken kousen om zijn kuiten, waar zijn knieën als twee bleke broodpuddingen met op rozijnen lijkende levervlekken boven uitstaken.

Raymond hielp hem in zijn bed en gaf hem zijn gebit aan. De man vermeed Sejers blik en staarde naar het plafond. Zijn ogen waren vaal, met heel kleine pupillen en daarboven lange, borstelige wenkbrauwen. Het gebit werd op zijn plaats geschoven. Sejer liep naar hem toe en ging voor hem staan. Keek naar het raam dat op het erf en de weg uitkeek. De gordijnen waren dichtgetrokken en lieten minimaal licht door.

'Volgt u wat er hier op de weg gebeurt?' vroeg hij.

'Bent u van de politie?'

'Ja. U heeft hier een goed uitzicht, als u het gordijn opentrekt.'

'Dat doe ik nooit. Alleen als het somber weer is.'

'Heeft u hier de laatste tijd nog vreemde auto's gezien, of motoren?'

'Dat komt wel eens voor. Politieauto's bijvoorbeeld. En die kabouterslee waar u in rijdt.'

'En voetgangers?'

'Wandelaars. Ze moeten zo nodig de Koll beklimmen om wat kiezelstenen bij elkaar te zoeken. Of ze komen naar dat verrotte ven kijken. Dat trouwens vol schapenkadavers ligt. Ieder zijn meug.'

'Kende u Annie Holland?'

'Ik ken haar vader. Nog van de garage. Hij bracht zijn auto als er wat mee was.'

'Was die garage van u?'

Hij trok de dekens op en knikte. 'Hij had twee dochters. Met blond haar, mooie meiden.'

'Annie Holland is dood.'

'Ik weet het. Ik lees kranten, net als andere mensen.'

Hij knikte naar de vloer, waar een dikke stapel onder het nachtkastje was geschoven, samen met iets kleurigers op glanzend papier.

'Er is hier gisteravond een man op het erf geweest die met Raymond heeft staan praten. Heeft u hem gezien?'

'Ik heb ze alleen buiten horen mompelen. Raymond is misschien niet erg snel,' zei hij scherp, 'maar hij heeft geen enkele notie van goed en kwaad. Begrijpt u? Hij is zo volgzaam dat je hem met een wollen draad kunt leiden. En hij doet wat hem gezegd wordt.'

Raymond knikte ijverig en krabde op zijn buik.

Sejer ving de lichte ogen. 'Ik weet het', zei hij zacht. 'Dus u heeft hen horen mompelen? U bent niet voor de verleiding gevallen om het gordijn even een stukje opzij te trekken?'

'Nee.'

'U bent niet erg nieuwsgierig, Låke?'

'Dat klopt, ik ben niet nieuwsgierig. Wij letten op onszelf, niet op anderen.'

'En als ik u nu vertel, dat er een kans bestaat dat die man op het erf betrokken was bij de moord op het meisje Holland... dringt de ernst van de zaak dan tot u door?'

'Dan helemaal. Maar ik heb niet naar buiten gekeken, ik was met de krant bezig.'

Sejer keek het kamertje rond en huiverde. Het rook er niet erg prettig, waarschijnlijk functioneerden zijn nieren niet goed. De kamer zou schoongemaakt moeten worden, het raam zou open moeten en het oudje kon wel eens een flink warm bad gebruiken. Hij knikte en zocht de frisse lucht weer op, haalde een paar keer diep adem. Raymond drentelde achter hem aan en bleef met zijn armen over elkaar staan toen Sejer achter het stuur kroop.

'Is de auto weer gemaakt, Raymond?'

'Ik moet een nieuwe accu hebben, zegt pappa. Maar die kan ik nu niet betalen. Kost meer dan vierhonderd kronen. Ik rijd niet op de weg', zei hij snel. 'Bijna nooit.'

'Dat is goed. Ga maar snel weer naar binnen, je staat te rillen.'

'Ja', huiverde hij. 'En ik heb mijn jas weggegeven.'
'Dat was niet zo slim', zei Sejer.
'Ik vond dat het moest', zei hij verdrietig. 'Want ze had helemaal niks aan.'
'Wat zeg je?' Sejer staarde hem verbaasd aan. De jas die over het lichaam had gelegen, was Raymonds jack!
'Heb jij haar toegedekt?' vroeg hij snel.
'Ze had helemaal geen kleren aan', antwoordde hij, met zijn pantoffel wat aarde wegschoppend.
Hij had meteen gedacht dat ze het wel koud zou hebben en dat iemand haar zou moeten toedekken. De lichte haren waren misschien konijnenharen. En hij snoepte. Sejer keek hem in de ogen, de ogen van een kind, helder als bronwater. Maar spieren had hij, groot als kersthammen. Onwillekeurig schudde hij zijn hoofd.
'Dat was aardig van je', zei hij, hem onderzoekend aankijkend. 'Heb je met haar gepraat?'
Raymond keek hem verwonderd aan en zijn engelenblik week een fractie, alsof hij misschien een val vermoedde. 'Jij zei toch dat ze dood was!'
Later, toen Sejer weg was, sloop Raymond naar buiten. Hij nam een kijkje in de garage. Caesar lag achterin in de hoek onder een oud gebreid vest, hij ademde nog steeds.

Skarre werkte protocollen en rapporten weg, hij had een balpen onder het schouderbandje van zijn overhemd gestoken. Hij glimlachte tevreden en neuriede een paar strofes van 'Jesus on the line'. Het leven was zo slecht nog niet, en een moordzaak was veel spannender dan een gewapende overval. Nog even en dan was het zomer. En daar stond zijn chef met een Cornetto te zwaaien. Hij schoof de papieren opzij en pakte het ijsje aan.
'Het windjack,' zei Sejer, 'dat over het lijk lag. Dat is van Raymond.'
Skarre was zo verrast dat hij zijn ijsje liet vallen.

'Maar ik geloof hem, als hij zegt dat hij het over haar heen heeft gelegd toen hij weer naar huis ging, nadat hij Ragnhild had thuisgebracht. Hij heeft haar netjes toegedekt, omdat ze naakt was. Ik heb Irene Album gebeld en Ragnhild weet zeker dat het er niet lag toen ze langs het ven liepen. Maar... het ís zijn jack. We moeten hem maar even in de gaten houden. Ik heb hem uitgelegd dat hij het helaas nog niet terug kan krijgen en toen was hij zo sneu dat ik hem een oud jack van mijzelf heb beloofd. Dat ik toch nooit gebruik. Nog iets spannends gevonden?' sloot hij af.

Skarre scheurde de wikkel van het ijsje. 'Ik heb alle buren van Annie nagetrokken. Het zijn bijna allemaal eerzame burgers, maar er zijn veel bekeuringen voor te hard rijden in die straat.'

Sejer likte aardbei van zijn bovenlip.

'Van de eenentwintig huishoudens hebben er acht een of meer snelheidsovertredingen op hun naam staan. Dat gaat alle statistieken te boven.'

'Ze moeten allemaal een flinke afstand afleggen naar hun werk', redeneerde Sejer. 'Ze werken in de stad, of op Fornebu. In Lundeby is geen werk, weet je.'

'Inderdaad. Maar toch. Een stelletje snelheidsmaniakken is het wel. Maar ik heb nog iets anders gevonden. Moet je hier eens kijken.' Hij bladerde de uitdraaien door en wees.

'Knut Jensvoll, Gneisweg acht. Annies handbaltrainer. Hij heeft gezeten voor verkrachting. Achttien maanden in Ullersmo.'

Sejer boog zich over het bureau en las wat er stond. 'Dat heeft hij hoogstwaarschijnlijk geheim weten te houden in het dorp. Pas op je woorden, als we er weer zijn.'

Skarre knikte en likte aan zijn ijsje. 'Misschien moeten we het hele handbalteam oproepen. Misschien heeft hij wel eens iets geprobeerd bij een van die meisjes. Hoe is het jou vergaan? Heb je die verdachte auto in detail bij je?'

Sejer kreunde en trok de tekeningen uit zijn binnenzak. 'Ragnhild zegt dat de skibox een boot was. En die van Raymond is wel grappig', zei hij zacht. 'Maar wat veel interessanter is: gisteravond is er een wandelaar bij hem op het erf geweest en die is er duidelijk in geslaagd om Raymond ervan te overtuigen dat de auto rood was.'

Hij legde de tekening voor hem op de tafel.

Skarre sperde zijn ogen wijdopen. 'Wat? Kon hij vertellen...'

'Iets ertussenin', zei Sejer laconiek. 'Met een pet op. Ik durfde hem niet erg onder druk te zetten, want dan raakt hij volkomen overstuur.'

'Dat noem ik nog eens slagvaardig.'

'Dat noem ik vooral brutaal', zei Sejer. 'Maar we hebben het hier in feite dus over een persoon die weet wie Raymond is. Die weet dat ze hem gezien hebben en die blijkbaar zeker wilde weten wát ze gezien hadden. Dat betekent dat we ons op die auto moeten concentreren. Hij moet verdomme vlak in de buurt zijn.'

'Maar om zelf bij het huis van Raymond te verschijnen, dat is behoorlijk gewaagd. Kan iemand anders hem hebben gezien?'

'Ik heb navraag gedaan bij de buren. Niemand heeft hem gezien. Maar als hij via de Koll is gekomen, dan is dat van Låke het eerste huis dat je tegenkomt, en vanaf de boerderij die een eindje verderop ligt, kun je niet op hun erf kijken.'

'Hoe zit het met die ouwe?'

'Hij heeft alleen wat gemompel gehoord en is geen moment voor de verleiding gevallen om even het gordijn op te tillen.'

Ze likten zwijgend aan hun ijsje.

'Moeten we Halvor vergeten? En die motor?'

'Absoluut niet.'

'Wanneer gaan we hem halen?'

'Vanavond.'
'Waarom wil je wachten?'
'Omdat het hier 's avonds rustiger is. Trouwens, terwijl Ragnhild deze kristalheldere bewijzen op haar schetsblok krabbelde, heb ik met haar moeder gepraat. Sølvi is niet Hollands dochter. En de biologische vader is het omgangsrecht ontzegd. Waarschijnlijk op grond van drank en geweld.'
'Sølvi is toch eenentwintig?'
'Nu wel, ja. Maar het schijnt dat ze een paar jaar terug nogal wat pijnlijke conflicten hebben gehad.'
'Waar doel je op?'
'Hij is in zekere zin zijn kind kwijtgeraakt. Nu krijgt zijn ex-vrouw, met wie hij niet op erg goede voet staat, hetzelfde te verduren. Misschien wil hij zich wreken. Het was maar een gedachte.'
Skarre floot zachtjes. 'Hoe heet die man?'
'Dat mag jij uitzoeken, als je je ijs op hebt. En daarna kom je naar mijn kantoor. Zodra je hem getraceerd hebt, gaan we erheen.'
Sejer verliet de kamer. Skarre draaide het nummer van Holland. Hij likte aan zijn ijsje terwijl hij wachtte.
'Ik wil niet over Axel praten', zei mevrouw Holland. 'Hij heeft geprobeerd ons kapot te maken en het heeft jaren geduurd voor we hem eindelijk kwijt waren. Als ik de weg van het recht niet had gevolgd, zou hij Sølvi volledig de vernieling in hebben geholpen.'
'Ik vraag alleen een naam en een adres. Dit is slechts routine, mevrouw Holland, er zijn duizend-en-een van dit soort dingen die we moeten checken.'
'Hij heeft nooit iets met Annie te maken gehad. God zij dank!'
'Zijn naam, mevrouw Holland.'
Uiteindelijk gaf ze toe. 'Axel Bjørk.'
'Heeft u nog meer gegevens?'

'Alles. Ik kan u ook zijn persoonsnummer en zijn adres geven. Als hij tenminste niet is verhuisd. Ik wou maar dat hij verhuisd was. Hij woont veel te dichtbij, het is maar een uur met de auto.' Ze wond zich steeds meer op.

Skarre maakte een notitie, knikte en bedankte. Toen zette hij zijn computer weer aan en zocht *Bjørk, Axel* op. Het drong tot hem door hoe flinterdun het recht op privacy was geworden, slechts een dunne, doorzichtige doek, waar je je onmogelijk achter kon verschuilen. Zonder al te veel problemen vond hij de gegevens van de man en begon te lezen.

'Godverdomme!' viel hij uit, met een snelle verontschuldigende blik naar het plafond.

Daarna klikte hij op *Afdrukken* en leunde achterover in zijn stoel. Hij pakte de bladzijde op, las de tekst nog eens door en stak de gang over naar Sejers kantoor. De inspecteur stond met de mouw van zijn overhemd opgerold voor de spiegel. Hij krabde aan zijn elleboog en trok een pijnlijk gezicht.

'Ik ben mijn zalf vergeten', mompelde hij.

'Hier is hij. Hij heeft vanzelfsprekend een strafblad.'

Skarre ging zitten en legde het blad op het bureau.

'Goed, eens even kijken. Bjørk, Axel, geboren in achtenveertig...'

'Politieman', zei Skarre zacht.

Sejer reageerde niet. Hij las verder en knikte langzaam. 'Geweest. Goed, jij blijft misschien liever hier?'

'Natuurlijk niet. Maar het is wel een beetje apart.'

'Wij zijn heus niet beter dan anderen, toch, Skarre? Laten we de versie van de man zelf maar eens gaan horen. Ga er maar van uit dat die anders is dan die van mevrouw Holland. Dus, op naar Oslo. Zo te zien werkt hij in ploegendienst, dat betekent dat er een mogelijkheid is dat we hem thuis aantreffen.'

'Sognsvei 4, dat is in Adamstuen. Dat grote, rode flatgebouw bij de tramhalte.'

'Ben je daar bekend?' vroeg Sejer verbaasd.
'Ik heb twee jaar als taxichauffeur in Oslo gewerkt.'
'Is er ook iets wat je niet hebt gedaan?'
'Ik heb nog nooit parachute gesprongen', gruwelde hij.

Skarre demonstreerde zijn kennis uit zijn taxicarrière door Sejer de kortste weg te wijzen, Skøyen in, linksaf de Halvdan Svartesgate in, langs het Vigelandpark, dan de Kirkevei en vervolgens de Ullevålsvei. Ze parkeerden clandestien voor een kapsalon en vonden de naam Bjørk op de tweede verdieping. Ze belden aan en wachtten. Geen antwoord. Een verdieping lager kwam een vrouw uit een deur, rammelend met emmer en bezem.

'Hij is naar de winkel', zei ze. 'Hij ging tenminste weg met een plastic tas vol lege flessen. Hij doet zijn boodschappen in Rundingen, hier vlak naast.'

Ze bedankten en gingen weer naar buiten. Stapten weer in de auto, wachtten. Rundingen was een kleine kruidenierswinkel met gele en roze borden voor de ramen, zodat je moeilijk naar binnen kon kijken. Mensen liepen in en uit, vooral vrouwen. Pas nadat Skarre, met het raampje open en zijn arm naar buiten hangend, een sigaret had gerookt, kwam er een man alleen naar buiten. Hij droeg een dik, geruit houthakkershemd en sportschoenen. Door het open raampje hoorden ze het gerammel in zijn tasje. Een lange, krachtig gebouwde man, wiens lengte grotendeels verloren ging doordat hij met gebogen hoofd liep, zijn grimmige blik op de stoep gericht. Hij zag de auto niet staan.

'Zou absoluut een vroegere collega kunnen zijn. Wacht even tot hij de hoek om is, dan stap je uit en kijk je of hij de flat binnengaat.'

Skarre wachtte, opende het portier en schoot de hoek om. Een paar minuten later stapten ze het flatgebouw weer binnen.

Het gezicht van Bjørk in de halfopen deur was een studie van spieren en zenuwen, die in de loop van enkele seconden verschillende uitdrukkingen op het donkere gezicht lieten verschijnen. Eerst de open, neutrale blik die niemand verwachtte, vermengd met nieuwsgierigheid. Toen zag hij Skarres uniform en moest even in zijn geheugen zoeken om de geüniformeerde figuur bij zijn deur te verklaren. Het krantenartikel over het lijk bij het vennetje – en uiteindelijk begreep hij het, zijn eigen verleden, het verband, en hoe ze waarschijnlijk gedacht hadden. De laatste uitdrukking, die uiteindelijk bleef hangen, was een bittere glimlach.

‘Nou’, zei hij, terwijl hij de deur helemaal opentrok. ‘Als jullie hier niet verschenen waren, zou ik geen hoge pet op hebben gehad van de moderne opsporingsmethodes. Kom binnen. Is dit de meester met zijn leerling?’

Ze negeerden de opmerking en liepen achter hem aan het gangetje in. De geur van alcohol was onmiskenbaar.

Bjørk had een leuk appartementje, met een ruime kamer, een slaapalkoof en een klein keukenhoekje met uitzicht op de straat. De meubels pasten niet erg bij elkaar, alsof ze uit verschillende kamers bij elkaar waren geraapt. Aan de wand boven een oud bureautje hing een foto van een klein meisje. Ze zou een jaar of acht kunnen zijn. Haar haren waren donkerder, maar de trekken waren in de loop van de jaren niet erg veranderd. Het was Sølvi. Er was een rood strikje in een van de hoeken van het lijstje gestoken.

Plotseling zagen ze een herdershond liggen, die heel stil in een hoek naar hen lag te staren, met een waakzame blik. Hij had niet bewogen of geblaft toen ze de kamer binnenkwamen.

‘Wat hebt u met die hond gedaan?’ vroeg Sejer. ‘Zo ver heb ik de mijne nog nooit gekregen. Die loopt bezoekers omver, zodra ze een voet binnen de deur zetten. En hij maakt zo'n kabaal dat het beneden op de begane grond te horen is. En ik woon op de twaalfde verdieping', voegde hij eraan toe.

'Dan heb je je te veel aan hem gehecht', zei hij kort. 'Je moet een hond niet behandelen alsof hij het enige is wat je op de wereld hebt. Maar misschien is dat wel zo?'

Hij glimlachte ironisch, monsterde Sejer met een smalle blik en rekende er niet op dat de rest van het gesprek op dezelfde aangename toon zou verlopen. Zijn haar was kortgeknipt, maar ongewassen en vet, en hij had een zware baardgroei. Een donkere schaduw bedekte het onderste deel van zijn gezicht.

'Goed', zei hij na een pauze. 'En nu wilt u weten of ik Annie kende?' Hij peuterde de zin tussen zijn lippen vandaan alsof het een visgraatje was. 'Ze is hier een paar keer geweest, met Sølvi. Geen reden om dat te ontkennen. Tot Ada er lucht van kreeg en verdere bezoekjes verbood. Sølvi kwam hier in feite graag. Ik weet niet wat Ada met haar gedaan heeft, maar het lijkt volgens mij op een soort hersenspoeling. Ze is niet langer in me geïnteresseerd. Ze heeft zich naar Holland geschikt.'

Hij raspte over zijn kaak en aangezien de twee politiemannen zwegen, sprak hij verder: 'U dacht misschien dat ik Annie uit wraak heb vermoord? God sta me bij, dat heb ik niet gedaan. Ik heb niets tegen Eddie Holland en ik wens zelfs mijn rivaal niet toe een kind te verliezen. Want dat is mij overkomen. Tegenwoordig ben ik kinderloos. Ik heb geen fut meer om te vechten. Maar ik moet toegeven dat de gedachte bij me is opgekomen dat ze nu weet hoe het is, dat preutse, ouwe wijf, om een kind te verliezen. Nu weet ze verdomme hoe dat is. En mijn kansen om met Sølvi in contact te komen zijn nu kleiner dan ooit. Van nu af aan zal Ada zo ongeveer boven op haar gaan zitten. En die situatie zou ik nooit over mezelf afroepen.'

Sejer zat heel stil te luisteren. Bjørks stem was wrang en bitter als looizuur.

'En waar bevond ik mij op het betreffende tijdstip? Ze is maandag gevonden, nietwaar? Ergens midden op de dag, als ik me het goed herinner uit de krant. Dan is dit mijn antwoord: hier in de flat, zonder alibi. Waarschijnlijk was ik dronken, dat ben ik meestal als ik niet aan het werk ben. Of ik gewelddadig ben? Absoluut niet. Het klopt dat ik Ada heb geslagen, maar zij was degene die de klap uitlokte. Dat was namelijk wat ze wilde. Ze wist dat als ze mij zover kreeg dat ik over de schreef ging, ze iets had om mee naar de rechter te gaan. Ik heb haar één keer geslagen, met mijn vuist. Het was een opwelling. De enige keer in mijn leven dat ik iemand heb geslagen. Ik had enorme pech, ik raakte haar zo hard dat ze haar kaak brak en een aantal tanden verloor, en Sølvi zat op de vloer toe te kijken. Ada had alles gearrangeerd. Ze had Sølvi's speelgoed over de vloer van de kamer uitgestrooid, zodat zij daar naar ons zou zitten kijken, en ze had de koelkast tot de nok gevuld met bier. Toen begon ze ruzie te maken. Dat kon ze heel goed. En ze ging net zolang door tot ik doordraaide. Ik liep regelrecht in de val.'

Onder de verbittering lag een soort opluchting, misschien omdat er eindelijk iemand naar hem luisterde.

'Hoe oud was Sølvi toen u scheidde?'

'Ze was vijf. Ada had al een verhouding met Holland en ze wilde Sølvi voor zichzelf hebben.'

'Dat is erg lang geleden. Kunt u dit niet achter u laten?'

'Je laat je kinderen niet achter je.'

Sejer beet op zijn lip. 'Werd u geschorst?'

'Ik greep naar de fles. Verloor mijn vrouw en mijn kind, mijn baan en mijn huis en het respect van de meeste mensen. Als je het zo bekijkt,' zei hij met een cynische glimlach, 'zou het eigenlijk niet zo veel uitmaken als ik ook nog een moordenaar werd. Eigenlijk niet.' Zijn glimlach werd plotseling sardonisch. 'Maar dan zou ik het meteen gedaan hebben, niet jarenlang hebben gewacht. En om eerlijk te zijn,' ging hij verder, 'dan zou ik liever Ada van kant hebben gemaakt.'

'Wat was de aanleiding van de ruzie?' vroeg Skarre nieuwsgierig.

'We hadden ruzie over Sølvi.' Hij sloeg zijn armen over elkaar en keek door het raam naar buiten, alsof de herinneringen in een stoet door de straat trokken. 'Want Sølvi is een beetje speciaal, dat is ze altijd geweest. Jullie zullen haar wel ontmoet hebben en dan zul je ook wel gezien hebben wat er van haar is geworden. Ada heeft haar altijd willen beschermen. Ze is niet erg zelfstandig, misschien zelfs ronduit een beetje simpel. Met een ziekelijke belangstelling voor jongens. Dat is precies wat Ada wil, dat ze zo snel mogelijk een man vindt die op haar kan passen. Ik heb nog nooit van mijn leven iemand een meisje zo de ellende in zien sturen. Ik heb geprobeerd uit te leggen dat ze net het tegenovergestelde nodig heeft. Ze moet zelfvertrouwen krijgen. Ik wilde haar mee uit vissen nemen en zo, haar leren houthakken, voetballen en buiten in een tent slapen. Ze heeft lichamelijke uitdagingen nodig, moet kunnen verdragen dat haar kapsel in de war raakt zonder meteen in paniek te raken. Nu hangt ze in een kapsalon rond en kijkt de hele dag in de spiegel. Ada beschuldigde mij ervan een of ander complex te hebben. Dat ik eigenlijk een zoon wilde hebben en nooit had geaccepteerd dat we een dochter hadden gekregen. We maakten altijd ruzie,' zuchtte hij, 'gedurende ons hele huwelijk. En sindsdien zijn we daarmee doorgegaan.'

'Waar leeft u tegenwoordig van?'

Bjørk staarde Sejer somber aan. 'Dat weet u vast al. Ik werk bij een particulier beveiligingsbedrijf. Ben 's nachts op pad, met mijn hond en een zaklantaarn. Prima hoor. Niet zo veel actie natuurlijk, maar ik zal mijn deel wel gehad hebben.'

'Wanneer zijn de meisjes hier voor het laatst geweest?'

Hij wreef over zijn voorhoofd, alsof hij de datum uit zijn gedachten wilde opdiepen. 'Vorig jaar in de herfst een keer. Het vriendje van Annie was er ook bij.'

'En sindsdien heeft u de meisjes niet meer gezien?'

'Nee.'

'Bent u bij hen aan de deur geweest om naar haar te vragen?'

'Meer dan eens. En elke keer belde Ada de politie. Beweerde dat ik hen lastigviel. Dat ik hen bedreigde. Ik krijg problemen op mijn werk als er nog meer heibel komt, ik ben gedwongen het erbij te laten zitten.'

'En Holland?'

'Holland is oké. Eigenlijk denk ik dat hij het ook allemaal vreselijk vindt. Maar hij is wel een doetje. Ada heeft hem volkomen onder de duim. Hij doet precies wat hem wordt opgedragen, daarom hebben ze nooit ruzie. U heeft hen gesproken, u zult het beeld wel gezien hebben.' Plotseling stond hij op, ging met zijn rug naar hen toe bij het raam staan en richtte zich in zijn volle lengte op. 'Ik weet niet wat er met Annie is gebeurd', zei hij zacht. 'Maar ik zou het beter begrepen hebben als Sølvi iets was overkomen. Zij laat zich zo ontiegelijk makkelijk iets wijsmaken.'

Sejer keek hem nieuwsgierig aan en vroeg zich af waarom iedereen dat zei. Dat het beter te begrijpen zou zijn geweest als het Sølvi was overkomen. Alsof het allemaal één grote vergissing was en Annie per ongeluk was vermoord.

'Beschikt u over een motor, Bjørk?'

'Nee?' zei hij verbaasd. 'Ik had er eentje toen ik jonger was. Die is bij een bekende in de garage blijven staan en ten slotte heb ik hem verkocht. Een Honda zeven-vijftig. Ik heb alleen de helm nog.'

'Wat voor helm?'

'Hij hangt in de gang.'

Skarre ging in de gang kijken en zag de helm, een volkomen zwarte integraalhelm met een donker vizier.

'Een eigen auto?'

'Ik rijd alleen in de Peugeot van het bedrijf. Ik heb iets bijzonders meegemaakt', zei hij plotseling, hen aankijkend. 'Ik heb het moeder-en-kindsyndroom van dichtbij meegemaakt. Een soort heilig pact dat niemand kan verbreken. Het is moeilijker om Ada en Sølvi te scheiden, dan om met je handen een Siamese tweeling uit elkaar te halen.'

Bij die beeldspraak moest Sejer even met zijn ogen knipperen.

'Ik zal eerlijk tegen jullie zijn', ging hij verder. 'Ik haat Ada en ik heb geen zin om dat onder stoelen of banken te steken. En ik weet wat het allerergste is wat haar ooit zou kunnen overkomen. Namelijk dat Sølvi ooit volwassen genoeg wordt om echt te begrijpen wat er is gebeurd. Dat ze Ada vroeg of laat durft te trotseren en hiernaartoe komt, zodat wij een vader-dochterrelatie kunnen krijgen, zoals altijd al in de bedoeling lag, waar we allebei recht op hebben. Een echte band. Dat zou haar de das omdoen.'

Hij zag er plotseling moe uit. Buiten denderde de tram ratelend en bellend langs en Sejer keek weer naar de foto van Sølvi. Hij probeerde zich voor te stellen wat er gebeurd zou zijn als zijn eigen leven een andere wending had genomen. Als Elise hem was gaan haten, verhuisd was en Ingrid had meegenomen, en de rechtbank bovendien had bepaald dat ze elkaar nooit meer zouden zien. Hij werd er duizelig van. Hij had een groot inlevingsvermogen.

'Met andere woorden,' zei hij zacht, 'u had graag gezien dat Sølvi net zo'n meisje was als Annie Holland?'

'Ja, in zekere zin wel. Zij is zelfstandig en sterk. Was', zei hij plotseling, zich omdraaiend. 'Het is toch verschrikkelijk. Ik hoop voor Eddie dat jullie de dader vinden, dat hoop ik echt.'

'Voor Eddie? Niet voor Ada?'

'Nee', zei hij uit de grond van zijn hart. 'Niet voor Ada.'

'Echt een welbespraakt man, nietwaar?' Sejer startte de auto.

'Geloof je hem?' vroeg Skarre, terwijl hij gebaarde dat ze bij Rundingen rechtsaf moesten.

'Ik weet het niet. Maar er lag veel wanhoop achter zijn barse masker en die wanhoop leek oprecht. Er zijn ongetwijfeld slechte, berekenende vrouwen op deze wereld. En vrouwen hebben nu eenmaal een soort eerste recht op de kinderen. Het zal wel wrang zijn om door zoiets getroffen te worden, door denkbeelden die je toch niet kunt bestrijden. Misschien is het echt zo', zei hij peinzend, terwijl hij de tramrails probeerde te ontwijken. 'Misschien is het een biologisch verschijnsel om kinderen te beschermen. Een hechte, onverbrekelijke band met de moeder.'

'Goh!' Skarre luisterde hoofdschuddend. 'Jij hebt toch ook kinderen, geloof je zelf wat je nu zegt?'

'Nee, ik denk alleen hardop. Hoe zit het met jou?'

'Ik heb geen kinderen!'

'Maar je hebt ouders, nietwaar?'

'Ja, ik heb ouders. En ik ben bang dat ik een ongeneeslijk moederskindje ben.'

'Dat ben ik ook', zei Sejer nadenkend.

*

Eddie Holland verliet het administratiekantoor, gaf een korte boodschap door aan de secretaresse en vertrok. Na een rit van twintig minuten reed zijn groene Toyota een groot parkeerterrein op. Hij zette de motor uit en zakte onderuit. Na een tijdje sloot hij zijn ogen en bleef nog steeds heel stil zitten, wachtend tot er iets gebeurde waardoor hij zou omkeren en onverrichter zake zou terugrijden. Er gebeurde niets.

Uiteindelijk deed hij zijn ogen open en keek hij om zich heen. Natuurlijk was het een fraaie plek. Het gebouw was groot, het rustte als een grote, platte steen in het terrein, omringd door glanzende, groene gazons. Hij keek naar de smalle paadjes, met de symmetrische rijen graven. Weelderige bomen met hangende kruinen. Troost. Stilte. Geen mens, geen geluid. Hij stapte weifelend uit de auto, sloot het portier met een harde knal, vaag hopend dat iemand het zou horen en de deur van het crematorium uit zou komen om te vragen wat hij kwam doen. Het hem gemakkelijk zou maken. Er kwam niemand.

Hij slenterde over de paadjes. Las wat namen, maar lette vooral op de jaartallen, alsof hij iemand zocht die niet oud was geworden, die misschien nog maar vijftien was geweest, net als Annie, en hij vond er een aantal. Hij begreep uiteindelijk dat veel mensen dit vóór hem hadden meegemaakt, ze waren alleen een stukje verder gekomen. Ze hadden een reeks beslissingen genomen, bijvoorbeeld dat hun zoon of dochter gecremeerd zou worden, wat voor soort steen er boven de urn geplaatst moest worden en wat ze zouden planten. Ze hadden bloemen en muziek voor de bijzetting uitgezocht en de dominee verteld wat voor soort kind hun kind was geweest, zodat de preek een zo persoonlijk mogelijk karakter zou krijgen. Zijn handen trilden en hij stopte ze in zijn zakken. Het was een oude jas met een rafelige voering. In de rechterzak voelde hij een knoop en op hetzelfde moment drong het tot hem door dat die daar al jaren zat. De begraafplaats was vrij groot en helemaal aan de rand, bij de weg, zag hij een man in een donkerblauwe nylon jas die tussen de graven scharrelde. Dat was misschien iemand die hier werkte. Onopvallend veranderde hij van richting en wandelde naar de man toe, hopend dat het een spraakzaam type was. Zelf was hij niet iemand die zo maar het initiatief nam, maar misschien bleef de man staan om iets over het weer te zeggen. Ze konden het immers altijd nog over het weer hebben, dacht Eddie. Hij blikte omhoog naar de hemel en zag dat het lichtbewolkt was, met een zachte lucht en een bescheiden briesje.

'Een goedendag!'

De donkerblauwe jas bleef inderdaad staan.

Holland schraapte zijn keel. 'Werkt u hier?'

'Ja.' Hij knikte naar het crematorium. 'Ik ben wat we hier de voorman noemen.'

De man glimlachte sympathiek, alsof hij voor niets in de wereld bang was en alles had gezien wat er aan menselijke ontoereikendheid te zien was.

'Ik werk hier nu twintig jaar. Het is een mooie plek om de dagen door te brengen. Vind je niet?'

Hij zei je. Dat was informeel en prima. Holland knikte.

'Zeker. En ik loop hier te piekeren,' stamelde hij, 'over de toekomst en zo.' Hij lachte een nerveus lachje. 'Vroeg of laat beland je tenslotte onder de zoden. Daar is geen ontkomen aan.' Zijn handen balden zich in zijn zakken. Hij voelde de knoop.

'Inderdaad. Ligt hier familie van je?'

'Nee, niet hier. Ze zijn bij ons thuis op het kerkhof begraven. Bij ons wordt niet gecremeerd. Ik weet eigenlijk niet zo goed wat het is,' zei hij, 'om gecremeerd te worden, bedoel ik. Maar het verschil is misschien niet zo groot, als puntje bij paaltje komt. Of je begraven wordt of gecremeerd. Maar je moet er natuurlijk wel over nadenken. Niet dat ik nou zo oud ben, maar ik heb het in mijn hoofd gehaald dat ik binnenkort een beslissing moet nemen. Of ik begraven wil worden of gecremeerd.'

De ander glimlachte niet meer. Hij keek oplettend naar de corpulente man in de grijze jas en bedacht wat hij had moeten overwinnen om zijn boodschap voor te leggen. Mensen hadden de meest uiteenlopende motieven om langs de graven te slenteren. Hij nam nooit het risico een blunder te begaan.

'Dat is een belangrijke beslissing, vind ik. Iets waar je de tijd voor moet nemen. De meeste mensen zouden meer aan hun eigen dood moeten denken.'

'Ja, vind je ook niet?' Holland zag er opgelucht uit. Hij haalde zijn handen uit zijn zakken om ze een beetje te luchten. 'Maar je durft er niet goed over te beginnen.' Hij verbaasde zich een beetje over zijn eigen woorden. 'Je bent als het ware bang om als zonderling bestempeld te worden. Of als niet helemaal toerekeningsvatbaar misschien. Als je dus graag iets over het crematieproces wilt weten en hoe dat in zijn werk gaat.'

'Mensen hebben er recht op dat te weten', antwoordde de voorman eenvoudig, terwijl hij eindelijk een paar stappen deed. 'Maar niemand durft het te vragen. Of ze willen het niet weten. Maar ik snap heel goed dat sommige mensen het wél willen weten. We kunnen wel even naar binnen gaan, zodat ik je het een en ander kan uitleggen?'

Holland knikte dankbaar. Hij voelde zich wel prettig in het gezelschap van deze vriendelijke man. Een man van zijn eigen leeftijd, mager en kalend. Ze wandelden samen over de paadjes, het grind knarste zacht onder hun voeten en het milde briesje streek als een troostende hand over Hollands kruin.

'Het is allemaal eigenlijk heel simpel', zei de voorman. 'Maar voor de goede orde moet ik je eerst vertellen dat natuurlijk de hele kist met de dode erin in de oven wordt geplaatst. We hebben speciale kisten voor crematies. Alles is van hout, handvaten en alles. Dat je niet denkt dat we de dode eruit halen en zonder kist in de oven leggen. Maar dat dacht je misschien ook niet. De meeste mensen hebben wel eens Amerikaanse films gezien', glimlachte hij.

Holland knikte en balde zijn handen weer.

'De oven is vrij groot. Wij hebben er hier twee. Ze hebben een elektrische ontsteking en als het gas wordt opengedraaid ontstaat er een krachtige steekvlam. De temperatuur loopt op tot een paar duizend graden, zowat.'

Hij glimlachte naar de lucht, alsof hij een paar zwakke zonnestralen wilde opvangen.

'Alles wat de dode in de kist aanheeft, gaat dus mee de oven in. Ook dingen of sieraden die in principe niet branden, maar die stoppen we naderhand in de urn. Pacemakers en bouten of plaatjes die er bij operaties zijn ingezet, halen we weg. Misschien heb je wel eens geruchten gehoord dat er met edele metalen iets anders gebeurt, maar dat moet je niet denken', zei hij beslist. 'Dat moet je echt niet doen.'

Ze naderden de deur van het crematorium.

'Botten en tanden worden in een molen vermalen tot een fijn, bijna zandachtig, grijswit stof.'

Toen hij dat over die molen zei, moest Eddie aan haar vingers denken. De mooie, slanke vingers met de kleine zilveren ring. Hij kromde zijn eigen vingers verschrikt onderin zijn zakken.

'Wij houden het proces in de gaten, om te zien hoe ver het is gevorderd. De oven heeft glazen deurtjes. Na ongeveer twee uur wordt alles uit de oven geveegd en dat levert dan een klein hoopje fijne as op, minder dan je je misschien voorstelt.'

Het proces in de gaten houden? Door de glazen deurtjes? Konden ze zien wat zich daarbinnen afspeelde – naar Annie kijken terwijl ze brandde?

'Ik kan je de ovens wel laten zien als je wilt.'

'Nee, nee!'

Hij drukte zijn armen tegen zijn lichaam en probeerde ze wanhopig stil te houden.

'Die as is heel schoon, bijna het schoonste wat er bestaat. Doet denken aan heel fijn zand. Vroeger gebruikte men as voor medicinale doeleinden, wist je dat? Kon onder andere op eczeem worden gesmeerd, met goede resultaten, of je kon het opeten. Het bevat zouten en mineralen. Maar wij zeven het dus in een urn. Ik zal je er een laten zien, dan weet je hoe die eruitzien. Je kunt zelf een urn uitkiezen, want die zijn er in verschillende soorten. Maar wij werken graag met een standaard-urn, die de meeste mensen kiezen. Die wordt afgesloten en verzegeld en dan door een smalle schacht in het graf neergelaten. Die plechtigheid noemen we de bijzetting.'

Hij hield de deur voor Holland open, die als eerste het halfdonkere gebouw binnenging.

'Het is in feite een versnelling van het proces. Schoner, eigenlijk. We keren allemaal terug tot stof, maar bij een gewone begrafenis is het een zeer langdurig proces. Dat duurt wel twintig jaar. Soms wel dertig of veertig, afhankelijk van de grondsoort. Hier in het district hebben we veel zand en klei en dan duurt het langer.'

'Dat spreekt me wel aan', zei Holland zacht. 'Terug tot stof.'

'Ja, vind je ook niet? Sommigen willen liever uitgestrooid worden. Maar dat is in Noorwegen helaas niet toegestaan, we hebben zeer strenge regels op dat gebied. Volgens de wet moet iedereen in gewijde aarde worden begraven.'

'Dat lijkt me niet verkeerd', zei Holland, zijn keel schrapend. 'Maar er is iets met de beelden die opduiken. Als je je probeert voor te stellen hoe dat is. Als je in de aarde ligt, moet je rotten. Dat klinkt niet zo prettig. Maar dat branden...'

Rotten of branden, dacht hij. Wat moet ik voor Annie kiezen?

Hij bleef even staan, voelde dat zijn knieën het bijna begaven, maar liep toen weer verder, aangemoedigd door het geduld van de ander.

'Dat branden doet me denken aan... ja, weet je... de hel. En als ik het meisje dan voor me zie...'

Hij zweeg plotseling en werd langzaam rood. De ander bleef lang stilstaan, maar gaf hem uiteindelijk een klopje op zijn schouder en ging zacht verder: 'Je moet de beslissing voor... je dochter nemen, misschien?'

Holland boog zijn hoofd.

'Ik vind dat je dat serieus moet doen. Dat is als het ware een dubbele verantwoordelijkheid. Dat is niet makkelijk, nee, dat is niet makkelijk.' Hij wiegde met zijn lange hoofd. 'Daar moet je de tijd voor nemen. Maar als je een crematie wilt, dan moet je ondertekenen dat zij nooit heeft gezegd dat ze dat niet wil. Tenzij ze jonger dan achttien is, dan kun je de beslissing voor haar nemen.'

'Ze is vijftien', zei hij stilletjes.

De voorman sloot zijn ogen een paar seconden. Toen liep hij verder. 'Kom mee naar de kapel', fluisterde hij. 'Dan zal ik je een urn laten zien.'

Hij leidde Holland de trap af. Er was een onzichtbare hand over hen neergedaald, die de rest van de wereld buitensloot. Ze bogen een beetje naar elkaar toe, de voorman om wat intimiteit te bieden, Holland om wat warmte te krijgen. De wanden beneden waren grof en oneffen, en witgekalkt. Aan de voet van de trap stond een rood met wit bloemstuk en vanaf de wand staarde een gekruisigde Christus op hen neer. Eddie vermande zich weer. Hij voelde dat zijn wangen hun normale kleur terugkregen. Hij voelde zich veilig.

De urnen stonden op schappen langs de wanden. De voorman tilde er een op en reikte hem die aan. 'Hier, dan kun je hem even voelen. Mooi, hè?'

Hij voelde aan de urn en probeerde zich voor te stellen dat het Annie was, die hier nu in zijn armen lag. Het leek op metaal, maar hij wist dat het afbreekbaar materiaal was, dat bovendien warm aanvoelde in zijn handen.

'Nu heb ik je verteld hoe het in zijn werk gaat. Precies zo gaat het, ik heb niets weggelaten.'

Eddie Holland streelde met zijn vingers over de goudkleurige urn. Het ding lag lekker in zijn handen en had een prettig gewicht.

'De urn is poreus, zodat de lucht uit de aarde naar binnen kan dringen om het proces te versnellen. Want deze urn verteert ook. Het heeft wel iets mysterieus en groots, dat alles verteerd wordt, vind je niet?' Hij glimlachte plechtig. 'Wij ook. Dit huis ook, en de geasfalteerde weg hier buiten. Maar dan,' zei hij, terwijl hij Eddie even een kneepje in zijn arm gaf, 'dan denk ik graag dat ons nog meer te wachten staat. Iets anders en boeiends. Waarom zou dat niet zo zijn?'

Holland keek hem aan, bijna verbaasd.

'Aan de buitenkant plakken we een sticker met haar naam erop', zei hij ten slotte.

Holland knikte. Merkte dat hij nog steeds rechtop stond. De tijd, de minuten zouden gewoon blijven verstrijken. Hij had nu iets van de pijn gevoeld, een heel klein stukje van de weg afgelegd, samen met Annie. Zich de vlammen voorgesteld, het gedreun van de oven.

'Daar moet Annie op komen te staan', zei hij geëmotioneerd. 'Annie Sofie Holland.'

Toen hij thuiskwam, stond Ada Holland een beetje verloren zanderige, rode aardappelen te wassen, gebogen over de gootsteen. Zes aardappelen. Ieder twee. Niet acht, zoals ze gewend was. Het leek zo weinig. Haar gezicht was nog steeds stijf, het was verstijfd op het moment dat ze zich in het Rijkshospitaal over de brancard had gebogen en de arts het laken wegtrok. Sindsdien was haar gezicht net een masker dat ze niet kon bewegen.

'Waar ben je geweest?' vroeg ze toonloos.

'Ik heb erover nagedacht', zei Holland voorzichtig. 'Ik vind dat we Annie moeten laten cremeren.'

Ze liet de aardappel vallen en keek hem aan. 'Cremeren?'

'Ik heb erover nagedacht', zei hij stilletjes. 'Omdat iemand haar... heeft aangeraakt. En als het ware een stempel op haar heeft gedrukt. Dat moet weg!'

Hij leunde zwaar tegen het aanrecht en keek haar smekend aan. Het gebeurde niet vaak dat hij ergens om vroeg.

'Wat voor stempel?' vroeg ze vlak, terwijl ze de aardappel weer opraapte. 'We kunnen Annie niet laten cremeren.'

'Je hebt tijd nodig om aan de gedachte te wennen', zei hij, iets luider nu. 'Het is een mooi gebruik.'

'We kunnen Annie niet laten cremeren', herhaalde ze, verder schrobbend. 'De officier van justitie heeft gebeld. Ze zeiden dat we haar niet mogen laten cremeren.'

'Maar... waarom!' schreeuwde hij, handenwringend.

'Voor het geval ze weer moet worden opgegraven. Als ze de man vinden die het gedaan heeft.'

*

Bardy Snorrason stak zijn hand onder het stalen handvat en trok Annie uit de muur. De lade gleed bijna geluidloos over de goed gesmeerde rails. Hij bracht het lichaam van het jonge meisje niet in verband met zijn eigen leven of zijn eigen sterfelijkheid, of met die van zijn dochters. Die tijd had hij gehad. Het eten smaakte hem goed en hij sliep 's nachts prima. En omdat hij andermans dood en ongeluk met het grootste respect behandelde, rekende hij erop dat zijn erfgenamen hetzelfde met zijn lichaam zouden doen, als het zover was. In de dertig jaar dat hij nu als patholoog-anatoom werkte, had hij geen enkele aanleiding gehad om hieraan te twijfelen.

Hij had twee uur nodig om alles door te nemen. Naarmate hij vorderde, herkende hij het beeld weer. De longen waren gespikkeld als vogeleieren en uit de snijvlakken kon hij oranje schuim persen. De hersenen bevatten veel bloed en de streperige bloedingen in de hals- en de borstspieren toonden aan dat ze verwoed naar lucht had gehapt. Hij sprak zijn aantekeningen in op een dictafoon, korte, nauwelijks verstaanbare frasen die alleen door ingewijden geduid konden worden, en zelfs dat ternauwernood. De assistent zou ze later in meer correcte terminologie vertalen voor het schriftelijke rapport. Toen hij alles had doorgenomen, zette hij de bovenkant van de schedel weer op zijn plaats, trok de hoofdhuid eroverheen, spoelde het lichaam goed uit en vulde de lege borstkas met proppen krantenpapier. Vervolgens naaide hij het lichaam dicht. Hij had honger als een paard. Hij voelde dat hij iets moest eten voordat hij met het volgende lichaam kon beginnen en in de koffiekamer lagen vier dikke boterhammen met salami en een thermosfles met koffie op hem te wachten. Door het geribbelde glas in de deur zag hij plotseling iemand aankomen. Die stopte en bleef een ogenblik roerloos staan, alsof hij liever rechtsomkeert maakte. Snorrason wrong glimlachend zijn handschoenen uit. Hij kende niet veel mensen die zo lang waren.

Sejer moest een beetje bukken toen hij naar binnen stapte. Hij wierp een ongeïnteresseerde blik op de baar, waar Annie nu in een laken was gehuld. Over zijn schoenen had hij de verplichte plastic beschermhoesjes getrokken, opbollende, pastelkleurige omhulsels die er grappig uitzagen.

'Ik ben net klaar', zei Snorrason met een knikje. 'Daar ligt ze.'

Sejer bekeek de mummie op de baar nu met meer interesse.

'Dan heb ik mazzel.'

'Dat is maar de vraag.'

De arts begon zijn handen te wassen, vanaf zijn elleboog naar beneden, minutenlang schrobde hij de huid en zijn nagels met een harde borstel en spoelde ze vervolgens net zo lang af. Daarna droogde hij zijn handen af met papier uit een houder aan de wand, trok een stoel bij die hij naar de inspecteur toe schoof.

'Er was niet veel te vinden.'

'Je hoeft me niet meteen te ontmoedigen. Er moet toch iets zijn?'

Snorrason verdrong zijn hongergevoel en ging zitten. 'Het is niet aan mij om te beoordelen wat mijn bevindingen waard zijn. Maar gewoonlijk vinden we wel iets. Het lijkt of ze nauwelijks is aangeraakt.'

'Vermoedelijk was hij sterk en heeft hij snel gehandeld. Volkomen onverwacht. En haar kleren heeft hij later verwijderd.'

'Vermoedelijk. Maar ze is niet misbruikt. Ze is geen maagd meer, maar ze is niet seksueel misbruikt en ook niet op een andere manier mishandeld. Ze is gewoon verdronken. Daarna van haar kleren ontdaan, netjes en voorzichtig, alle knopen zitten nog aan de blouse, de naden zijn allemaal heel. Misschien was hij wel iets van plan, maar is hij ergens van geschrokken. Of misschien is de moed hem in de schoenen gezonken, of liet zijn potentie hem in de steek, of wat dan ook.'

'Of misschien wilde hij ons alleen maar doen geloven dat hij een verkrachter is.'

'Waarom zou hij dat willen?'

'Om zijn echte motief te camoufleren. En dat kan betekenen dat er iets achter steekt wat op te sporen is. Dat het geen impulsieve handeling van een of andere gek was. Bovendien moet ze vrijwillig met hem zijn meegegaan. Ze moet hem dus gekend hebben, of hij moet indruk op haar hebben gemaakt. Maar voor zover ik heb begrepen, was Annie Holland niet iemand die zich makkelijk liet imponeren.' Hij maakte een knoop van zijn jasje los en leunde over de bank. 'Komaan. Vertel maar wat je gevonden hebt.'

'Een meisje van vijftien jaar', zei Snorrason, psalmodiërend als een dominee. 'Lengte een meter vierenzeventig, gewicht vijfenzestig kilo, weinig vet, want het vet is grotendeels omgezet in spieren als gevolg van harde training. Misschien te hard voor een meisje van vijftien. Ze zouden het op die leeftijd iets rustiger aan moeten doen, maar dat is misschien niet zo makkelijk als je eenmaal begonnen bent. Dus... veel spieren, meer dan veel jongens van haar leeftijd. Haar longcapaciteit was zeer goed, hetgeen zou betekenen dat het lang geduurd heeft voor ze het bewustzijn verloor.'

Sejer keek omlaag naar de sleetse linoleumvloer en ontdekte dat het patroon leek op wat hij thuis in de badkamer had.

'Hoe lang duurt dat eigenlijk?' vroeg hij zacht. 'Hoe lang duurt het eigenlijk voor een volwassen mens verdrinkt?'

'Tussen de twee en de tien minuten, afhankelijk van de fysieke conditie. Als die zo goed was als ik denk, heeft het hier waarschijnlijk tegen de tien minuten geduurd.'

Tien minuten, dacht Sejer. Vermenigvuldigd met zestig is dat zeshonderd seconden. Wat je allemaal niet in tien minuten kon doen. Een douche nemen. Een maaltijd eten.

'Ze heeft vergrote longen. Als ze gereageerd heeft zoals de meeste mensen reageren, heeft ze eerst een paar keer diep ademgehaald toen ze onderging. Wij noemen dat *"respiration de surprise"*. Daarna heeft ze haar mond dichtgeknepen tot ze het bewustzijn verloor en zo de hoeveelheid water die in haar longen is doorgedrongen beperkt. In haar hersenen en beenmerg heb ik sporen van diatomeeën aangetroffen, een soort kiezelwier, weliswaar niet veel, maar dit ven was niet erg verontreinigd. De doodsoorzaak is dus verdrinking. Ze had geen littekens van operaties, geen misvormingen, moedervlekken of tatoeages, überhaupt geen huidveranderingen. Dit was haar eigen haarkleur, haar nagels waren kort en ongelakt, geen sporen van belang, behalve van modder. Zeer fraai gebit.

Slechts één kunststof vulling in een onderkies. Geen sporen van alcohol of andere chemicaliën in het bloed. Geen tekenen van injecties. Ze had die dag goed gegeten, brood en melk. Geen onregelmatigheden in de hersenen. Ze is nooit zwanger geweest. En...' hij zuchtte plotseling en keek Sejer recht in de ogen, 'dat zou ze ook nooit geworden zijn.'

'Wat? Waarom niet?'

'Ze heeft een grote tumor in haar linkereierstok, met uitzaaiingen naar de lever. Kwaadaardig.'

Sejer staarde hem aan. 'Bedoel je dat ze ernstig ziek was?'

'Ja. Bedoel *jij* dat je dat niet wist?'

'Haar ouders wisten het ook niet.' Hij schudde ongelovig zijn hoofd. 'Anders zouden ze het wel gezegd hebben. Kan het zijn dat ze het nog niet gemerkt had?'

'Je moet natuurlijk uitzoeken of ze een arts heeft en of het bekend was. Maar ze zou pijn in haar onderlichaam gevoeld moeten hebben, in ieder geval tijdens de menstruatie. Ze trainde hard. Misschien was er zo veel endorfine in omloop dat ze het niet gevoeld heeft. Maar het feit is, dat het eigenlijk al met haar gebeurd was. Ik betwijfel of ze nog te redden was. Leverkanker is gecompliceerd.'

Hij knikte naar de baar, waar Annies hoofd en voeten zich duidelijk onder het laken aftekenden. 'Over een paar maanden zou ze sowieso gestorven zijn.'

Door deze informatie vergat Sejer even volkomen waar hij voor gekomen was. Hij nam een minuut de tijd om zijn gedachten te ordenen. 'Moet ik het hun vertellen? Haar ouders?'

'Dat moet je zelf beoordelen. Maar ze zullen je vragen wat ik gevonden heb.'

'Het zal zijn alsof ze haar voor de tweede keer verliezen.'

'Ja.'

'Ze zullen het zichzelf aanrekenen dat ze het niet gemerkt hebben.'
'Waarschijnlijk.'
'Hoe zit het met haar kleren?'
'Doorweekt met modderwater, afgezien van het windjack dat ik jullie heb toegestuurd. Maar ze had een riem met een messing gesp.'
'Ja?'
'Een grote gesp in de vorm van een halve maan met een oog en een mond. Het laboratorium heeft er vingerafdrukken op gevonden. Twee verschillende. Een ervan was van Annie.'
Sejer kneep zijn ogen samen. 'En de andere?'
'Die is helaas niet volledig, niet om over naar huis te schrijven.'
'Alsof de duvel ermee speelt', mompelde Sejer.
'Ja, die heeft hier duidelijk een vinger in de pap. Maar de afdruk is denk ik goed genoeg om mensen uit te sluiten. Dat is toch iets?'
'En die plek in haar nek? Kun je zien of hij rechtshandig is?'
'Nee, dat kan ik niet. Maar aangezien Annie in zo'n goede conditie was, kan hij in ieder geval geen slappeling geweest zijn. Het moet een flinke worsteling zijn geweest. Vreemd dat ze zo ongeschonden is.'
Sejer stond op en zuchtte. 'Nu niet meer.'
'Maar zeker wel! Je mag haar zien als je wilt. Dit is echt vakwerk. Ik lever geen broddelwerk af.'
'Wanneer kan ik dit schriftelijk krijgen?'
'Je krijgt wel een seintje, dan kun je die jongen met die krullen sturen. En jij? Heb je al een spoor gevonden?'
'Nee', zei hij somber. 'Niets. Ik kan geen enkele reden bedenken waarom iemand Annie Holland zou vermoorden.'

Misschien had Annie een songtitel gekozen. En daar een codewoord van gemaakt. Bijvoorbeeld dat fluitliedje dat ze zo mooi vond, 'Annie's song'.

Halvor zat voor het scherm te piekeren en met het toetsenbord te spelen. De deur naar de kamer stond op een kier, voor het geval oma hem riep. Haar stem was zwak en uit de leunstoel opstaan was een omslachtig project, als ze last had van haar reuma. Hij steunde met zijn kin op zijn handen en staarde naar het scherm. *Access denied. Password required.* Eigenlijk had hij honger. Maar zoals veel andere dingen kwam dat momenteel op de tweede plaats.

Op het politiebureau zat Sejer te lezen. Een dikke stapel dichtbeschreven vellen, in de hoek vastgeniet. De letters BKT kwamen regelmatig terug en stonden voor Bjerkeli Kindertehuis. Halvors jeugd was een triest verhaal. Zijn moeder had het grootste deel van de tijd in bed gelegen, jammerend en broos, met zwakke zenuwen en een gestaag groeiende batterij kalmerende tabletten binnen handbereik. Ze kon geen fel licht of harde geluiden verdragen. De kinderen mochten niet schreeuwen en gillen. Halvor had waarachtig al een paar ronden in de ring achter de rug, dacht Sejer. Knap hoor, om nu een vaste baan te hebben en bovendien nog zijn grootmoeder te verzorgen.

Halvor tikte de titels van een aantal liedjes in het zwarte veld, al naar gelang hij ze zich herinnerde. De woorden *Access denied* verschenen steeds weer, ongeveer als een vlieg die je dacht doodgeslagen te hebben, maar die keer op keer weer opfladdert. Hij had alle cijfercodes die hij had kunnen bedenken al gehad. Alle geboortedata die hij wist, zelfs het framenummer van haar fiets, dat hij op het reservefietssleuteltje had gevonden dat hij voor haar in een pot bewaarde. Ze had een DBS Intruder en had erop aangedrongen dat het ene sleuteltje bij hem moest liggen. Dat moest hij trouwens naar Eddie terugbrengen, bedacht hij, en schreef tegelijkertijd 'Intruder' op het scherm.

Het gezin werd al die jaren gekenmerkt door het alcoholprobleem van zijn vader en de zwakke zenuwen van zijn moeder. Halvor en zijn broertje scharrelden door het huis en pakten zelf wat te eten en te drinken, als er iets in huis was. Zijn vader zat in de regel ergens in de stad te drinken, in het begin van zijn loon, later van zijn uitkering. Een paar aardige buren hielpen zo goed ze konden, stiekem, achter de rug van zijn vader om. In de loop van de jaren was de man steeds gewelddadiger geworden. Het begon met af en toe een oorvijg, later uitgroeiend tot vuistslagen. De jongens zochten troost bij elkaar en kwamen niet meer buiten. Werden almaar magerder en stiller.

Hij dacht niet dat Annie een cijfercode had gebruikt. Ze was een meisje en zou dus wel iets romantischers hebben verzonnen. Een combinatie van woorden lag het meest voor de hand, hij dacht aan twee of drie woorden, mogelijk woorden met een diepere symbolische betekenis. Of een naam natuurlijk, maar hij had inmiddels de meeste namen al geprobeerd, zelfs de naam van haar moeder, hoewel hij wist dat ze die nooit gekozen zou hebben. Ook de naam van Sølvi's vader had hij ingetoetst. Axel Bjørk. En van zijn hond Achilles. *Access denied.*

Hij had smalle handen met dunne vingers. Niet veel om onder de kin te duwen van een woedende, onbeheerste, dronken man op de rand van de afgrond. Het gevecht met zijn vader moest een oneerlijke strijd zijn geweest. De twee broertjes waren met regelmatige tussenpozen bij de Eerste Hulp verschenen, met blauwe ogen en kneuzingen, en de beroemde reeënblik die zei: Ik ben lief. Je moet me niet slaan. Meestal hadden ze met de jongens op straat gevochten, waren ze van de trap gevallen of hadden ze een ongeluk met de fiets gehad, ze hielden hun vader de hand boven het hoofd. Het leven thuis was slopend, maar ze wisten in ieder geval wat ze hadden. Het alternatief was een kindertehuis of pleegouders, en de mogelijkheid daarbij van elkaar gescheiden te worden. Halvor was op school een paar keer flauwgevallen. De oorzaak was ondervoeding en slaaptekort. Hij was de oudste, de jongste kreeg het meeste eten.

Halvor ging over op boeken die ze gelezen had en waar ze het vaak over had gehad. Titels, personages, citaten. Tijd genoeg. Hij voelde zich dicht bij Annie als hij hiermee bezig was. Als hij het wachtwoord vond, zou het zijn alsof hij Annie terugvond. Hij had zich in zijn hoofd gehaald dat ze zijn zoektocht kon zien en dat ze hem misschien een teken zou geven als hij maar lang genoeg volhield. De mededeling zou in de vorm van een herinnering komen, dacht hij. Iets wat ze een keer had gezegd, iets wat in zijn eigen hersenen was opgeslagen en zich zou openbaren wanneer hij maar diep genoeg groef. Hij herinnerde zich steeds meer dingen. Het was alsof hij flinterdun spinrag opzijtrok, laag na laag, en achter iedere laag weer iets vond: een kampeertochtje, een fietstocht of een van de vele keren dat ze samen naar de bioscoop waren geweest. En Annies lach. Een diepe, bijna mannelijke lach. Haar sterke vuist als ze hem in zijn rug stompte en zei: 'Toe nou, Halvor!' Op een heel speciale manier. Liefdevol en vermanend tegelijkertijd. Andere vormen van liefkozingen waren zeldzaam.

Iedere keer als de kinderbescherming aankondigde langs te komen, slikte zijn vader een portie antabus, maakte hij het huis aan kant en nam hij de jongste op schoot. Hij was erg sterk en kon een door en door betrouwbaar gezicht opzetten, waardoor de verschrikte typetjes van de kinderbescherming acuut in hun schulp kropen. De moeder glimlachte zwak van onder de dekens. Ze moesten begrijpen dat die arme Torkel het zwaar had zo lang zij ziek was, en de kinderen waren in een lastige leeftijd. Dan krabbelden ze terug en vertrokken onverrichter zake. Iedereen verdiende nog een kans. Halvor besteedde het grootste deel van zijn tijd aan zijn moeder en aan zijn jongere broertje. Hij kreeg zijn huiswerk nooit af, maar haalde toch goede cijfers. Dus hij was slim genoeg. Na verloop van tijd verloor zijn vader de greep op de werkelijkheid. Op een nacht viel hij de slaapkamer van de jongens binnen. Die nacht lag de jongste zoals zo vaak bij Halvor in bed. Zijn vader had een mes. Halvor zag het blinken in zijn hand. Ze konden hun moeder beneden bang horen jammeren. Plotseling voelde hij de scherpe pijn van het mes dat zijn slaap raakte, hij wierp zich opzij en het mes sneed verder door zijn wang die in tweeën werd gehakt, omlaag naar zijn mondhoek, waar het op zijn kiezen ketste. Zijn vaders ogen konden ineens weer zien, zagen de werkelijkheid, het bloed op het kussen en de jongste die krijste. Hij stortte de trap af, het erf op. Verborg zich in de houtschuur. De deur sloeg dicht.

Halvor krabde met een scherpe nagel aan zijn mondhoek en herinnerde zich plotseling weer hoe enthousiast Annie was geweest over het boek *De wereld van Sofie.* En aangezien zij Annie Sofie heette, toetste hij de titel in. Dat zou een heel geraffineerde code zijn geweest, dacht hij. Maar zo had zij blijkbaar niet gedacht, want er gebeurde niets. Hij ging weer verder zoals tevoren. Zijn maag knorde en een beginnende hoofdpijn klopte achter zijn slaap.

Sejer en Skarre sloten het kantoor af en liepen de gang door. In Bjerkeli hadden de jongens het naar hun zin gehad. Halvor had zich gehecht aan de katholieke priester die het tehuis zo nu en dan bezocht. Hij zat in die tijd in de negende klas en deed examen. De jongste ging naar een pleeggezin en toen was Halvor helemaal alleen. Uiteindelijk koos hij ervoor om bij zijn oma te gaan wonen. Hij was gewend om voor iemand te zorgen. Zonder die zorg voelde hij zich overbodig.

'Gek, dat ze ondanks alles op hun pootjes terechtkomen', zei Skarre, terwijl hij zijn hoofd schudde.

'We weten misschien nog niet precies wat er van Halvor is geworden', zei Sejer nuchter. 'Dat moeten we nog ontdekken.'

Skarre knikte verlegen en speelde met de autosleutels.

Halvor voelde dat zijn hoofdpijn erger werd. Het was eindelijk avond geworden. Oma had lang alleen gezeten en hij had brandende ogen van het staren naar het flakkerende scherm. Hij ging nog even door, maar had eigenlijk geen idee hoe groot de kans was dat hij Annies code zou vinden, of wat hij zou aantreffen als de map plotseling openging. Misschien had ze een geheim. Hij moest en zou de code vinden en hij had nu toch tijd genoeg. Uiteindelijk stond hij met enige tegenzin op om wat te eten. Hij liet de computer aanstaan en liep naar de keuken. Oma keek naar de Amerikaanse burgeroorlog op de televisie. Ze moedigde de blauwe uniformen aan, omdat ze die het mooiste vond. Bovendien hadden die lui met die grijze uniformen een lelijk dialect, vond ze.

Skarre reed rustig en soepeltjes, hij wist dat zijn chef hoge snelheden verafschuwde en de weg was onvoorstelbaar slecht. Beschadigd door opdooi, smal en bochtig het land in. Het was nog steeds koel, alsof iemand de zomer ergens had aangeklampt en aan de praat had gehouden. Reeds teruggekeerde vogels zaten onder de struiken spijt te hebben. De mensen strooiden geen zaadjes meer, want er lag tenslotte geen sneeuw meer. Een droge, harde korst waarin niemand sporen achterliet.

Halvor deed cornflakes in een schaaltje en strooide er ruim suiker op. Hij droeg alles naar de kamer en rolde de geweven loper op de eettafel op om er niet op te morsen. Zijn lepel trilde in zijn hand. Zijn bloedsuiker was tot een nulpunt gedaald en zijn oren suisden.

'Er is een neger in de Coöp komen werken', zei oma plotseling. 'Heb je hem gezien, Halvor?'

'In de Kiwi. De Coöp bestaat niet meer. Ja, hij heet Philip.'

'Hij spreekt Bergens', zei ze weifelend. 'Ik hou er niet van dat een jongen er zo uitziet en dan zo'n dialect spreekt.'

'Maar hij komt uit Bergen', zei Halvor, melk met suiker van zijn lepel slurpend. 'Hij is daar geboren en getogen. Zijn ouders komen uit Tanzania.'

'Het zou logischer zijn als hij zijn eigen taal sprak.'

'Bergens is zijn eigen taal. Bovendien zou je er geen woord van begrijpen als hij Swahili sprak.'

'Maar ik schrik steeds zo als hij zijn mond opendoet.'

'Daar wen je wel aan.'

Zo praatten ze altijd met elkaar. Meestal werden ze het wel eens. Oma gooide haar laatste gedachten eruit, die moeiteloos door Halvor werden opgevangen, alsof het om een mislukt papieren vliegtuigje ging dat opnieuw gevouwen moest worden.

De auto naderde de oprit. Van een afstand zag het er weinig gastvrij uit. Een luchtfoto zou onthuld hebben hoe eenzaam het huis in feite lag, alsof het zich voor de rest van het dorp wilde verstoppen, een eindje van de weg af, gedeeltelijk verscholen achter struikgewas en bomen. Kleine ramen hoog in de muren. Verbleekte, grijze houten panelen. Het erf gedeeltelijk overwoekerd door onkruid.

Halvor zag een zwak lichtschijnsel door het raam van de woonkamer. Hij hoorde de auto en morste wat melk op zijn kin. De koplampen verlichtten de schemerige kamer. Even later stonden ze in de deuropening en keken hem aan.

'We moeten even praten', zei Sejer vriendelijk. 'Je moet met ons meekomen, maar je mag eerst wel even afeten.'

Hij had geen trek meer. Bovendien had hij ook niet gedacht dat hij er zo gemakkelijk af zou komen, dus liep hij rustig naar de keuken en spoelde het schaaltje zorgvuldig onder de kraan af. Daarna ging hij snel even zijn kamertje binnen om de computer uit te zetten. Mompelde een boodschap in het oor van zijn oma en volgde hen naar buiten. Hij moest alleen achterin de auto zitten, wat hij niet prettig vond. Het deed hem ergens aan denken.

'Ik probeer me een beeld van Annie te vormen', zei Sejer inleidend. 'Wie ze was en hoe ze leefde. Nu wil ik dat jij me precies vertelt wat voor meisje ze was. Wat ze deed en zei als jullie samen waren, al jouw gedachten en ideeën over waarom ze zich uit haar omgeving terugtrok en over wat er boven bij het Slangenven is gebeurd. Alles, Halvor.'

'Ik heb geen flauw idee.'

'Je zult toch iets gedacht hebben.'

'Ik heb van alles gedacht, maar ik kom geen stap verder.'

Stilte. Halvor bestudeerde Sejers bureauonderlegger, een wereldkaart, en vond bij benadering het punt waar hij zelf woonde.

'Jij was een belangrijk onderdeel van Annies landschap', ging Sejer verder. 'Dat is waar ik nu mee bezig ben. Ik probeer het gebied waarin zij zich bewoog in kaart te brengen.'

'Dus daar bent u mee bezig', zei Halvor droog. 'Landkaarten tekenen.'

'Misschien heb jij een beter voorstel?'

'Nee', zei hij snel.

'Je vader is dood', zei Sejer plotseling. Hij bestudeerde het jonge gezicht voor hem en Halvor voelde zijn nadrukkelijke aanwezigheid als een spanning in de kamer. Het zoog alle kracht uit hem weg. Vooral als ze oogcontact hadden. Daarom hield hij zijn hoofd gebogen.

'Hij heeft zelfmoord gepleegd. Maar jij hebt gezegd dat ze gescheiden waren. Heb je daar moeite mee?'

''t Was beter zo.'

'Heb je daarom de waarheid verzwegen?'

'Het is niet iets om trots op te zijn.'

'Dat begrijp ik. Kun je me zeggen wat je van Annie wilde,' zei hij plotseling, 'aangezien je haar op de dag dat ze vermoord is bij Horgen Handel opwachtte?'

Hij zag er oprecht verrast uit. 'Sorry hoor, maar nu heeft u het mis!'

'Er is op een cruciaal tijdstip een motor in de buurt gesignaleerd. Jij bent een stukje wezen rijden. Jij zou het geweest kunnen zijn.'

'Laat zo snel mogelijk de ogen van die vent nakijken!'

'Is dat alles wat je te zeggen hebt?'

'Ja.'

'Dat zal ik doen. Wil je iets drinken?'

'Nee.'

Weer stilte. Halvor luisterde. Een eindje verderop werd gelachen, het leek onwerkelijk. Annie was dood en de mensen lachten en gedroegen zich alsof er niets was gebeurd.

'Had jij de indruk dat Annie misschien niet helemaal gezond was?'

'Hè?'

'Heb je haar bijvoorbeeld wel eens over pijn horen klagen?'

'Niemand was zo fit als Annie. Was ze ziek?'

'Bepaalde inlichtingen kunnen we je helaas nog niet geven, ook al was je haar vriend. Heeft ze daar nooit iets over gezegd?'

'Nee.'

Sejers stem was niet onvriendelijk, maar hij praatte overdreven langzaam en duidelijk, wat de grijze verschijning behoorlijk veel autoriteit verleende. 'Vertel eens wat over je werk. Wat doe je in de fabriek?'

'We hebben wisselende diensten. We pakken een week

in, we moeten een week op de machines letten en we werken een week in de expeditie.'

'Heb je het er naar je zin?'

'Je hoeft er niet bij na te denken', zei hij zacht.

'Je hoeft er niet bij na te denken?'

'Bij het werk. Het gaat vanzelf, dus je kunt je gedachten voor andere dingen gebruiken.'

'Zoals wat, bijvoorbeeld?'

'Allerlei dingen', zei hij nors.

Zijn stem klonk afwijzend. Misschien deed hij het niet bewust, maar was het een gewoonte uit zijn jeugd, toen jarenlang gescheld en gevloek hem gedwongen hadden om ieder woord op een goudschaaltje te wegen.

'Wat doe je overdag zoal? De tijd die je gewoonlijk samen met Annie doorbracht?'

'Ik probeer te achterhalen wat er gebeurd is', liet hij zich ontvallen.

'Heb je een paar tips?'

'Ik zoek in mijn geheugen.'

'Ik ben er niet zeker van dat je me alles vertelt wat je weet.'

'Ik heb Annie niets gedaan. U denkt dat ik het gedaan heb, nietwaar?'

'Dat weet ik eerlijk gezegd niet. Je zult me moeten helpen, Halvor. Maar het lijkt wel alsof Annie een soort persoonlijkheidsverandering heeft ondergaan. Ben je het daarmee eens?'

'Ja.'

'Het mechanisme dat daarachter steekt, is gedeeltelijk bekend. Sommige factoren komen daarbij regelmatig terug. Mensen kunnen bijvoorbeeld drastisch veranderen als ze iemand verliezen die hen na staat. Of als ze een ernstig ongeluk krijgen, of door een ziekte worden getroffen. Jonge mensen die bekendstaan als zorgzaam, hard werkend en ijverig, kunnen volkomen onverschillig worden, hoewel ze lichamelijk gezien weer helemaal hersteld zijn. Ze kunnen ook veranderen door verdovende middelen. Of door een brute overval, zoals een verkrachting.'

'Was Annie verkracht?'

Daar gaf Sejer geen antwoord op. 'Is er iets bij dat je bekend voorkomt?'

'Ik geloof dat ze een geheim had', zei hij uiteindelijk.

'Je gelooft dat ze een geheim had? Ga door.'

'Iets dat haar hele leven beheerste. Dat ze niet van zich af kon zetten.'

'Ga je mij nu vertellen dat je geen idee hebt wat dat was?'

'Dat klopt. Ik heb geen flauw idee.'

'Wie, afgezien van jijzelf, kende Annie het beste?'

'Haar vader.'

'Maar die spraken toch niet zo veel met elkaar?'

'Daarom kun je elkaar nog wel kennen.'

'Tja. Dus als iemand iets van haar zwijgzaamheid begrijpt, dan zou het Eddie moeten zijn?'

'Het is de vraag of u iets wezenlijks uit hem krijgt. U kunt hem beter alleen laten komen, zonder Ada. Dan praat hij meer.'

Sejer knikte. 'Heb je Axel Bjørk wel eens ontmoet?'

'De vader van Sølvi? Eén keer. Ik ben een keer met Annie en Sølvi bij hem op bezoek geweest.'

'Wat vond je van hem?'

'Hij was best aardig. Smeekte en bedelde dat we terug moesten komen. Leek ongelukkig toen we weggingen. Maar Ada ging volledig over de rooie en Sølvi kon alleen nog maar heel stiekem naar hem toe gaan. Maar toen had ze geen zin meer, dus Ada heeft blijkbaar toch haar zin gekregen.'

'Wat voor soort meisje is Sølvi?'

'Daar valt niet veel over te zeggen. U zult het wel gemerkt hebben, dat is zo gezien.'

Sejer verborg zijn gezicht door zijn voorhoofd in zijn handen te steunen. 'Zullen we een cola nemen? De lucht is hier binnen zo droog. Uitsluitend synthetische vezels en glasfiber en andere ellende.'

Halvor knikte en ontspande een beetje. Maar daarna verstarde hij weer. Misschien was het tactiek, dit eerste beetje gevoel van sympathie voor de grijsharige brigadier. Hij was vast niet zonder reden zo aardig. Hij zou wel een cursus hebben gevolgd, ondervragingstechnieken en psychologie hebben gestudeerd. Wist hoe hij een barst moest vinden en daar dan een wig in moest drijven. De deur bleef achter hem open staan en Halvor benutte de gelegenheid om zijn benen even te strekken. Hij liep naar het raam en keek naar buiten, maar zag alleen de grijze betonnen muur van het gerechtsgebouw en een aantal geparkeerde politieauto's. Op het bureau stond een computer, een Amerikaanse Compaq. Misschien hadden ze daarin de gegevens over zijn jeugd gevonden. Misschien gebruikten ze een wachtwoord, net als Annie, dergelijke inlichtingen lagen tenslotte nogal gevoelig. Hij vroeg zich af wat voor soort wachtwoorden ze dan gebruikten en wie ze gemaakt had.

Sejer kwam binnen en knikte naar de computer. 'Dat is maar speelgoed. Ik heb er niet veel mee op.'

'Waarom niet?'

'Het is net alsof hij niet aan mijn kant staat.'

'Natuurlijk niet. Hij kan helemaal geen kant kiezen, daarom kun je er ook op vertrouwen.'

'Jij hebt er toch ook zo eentje?'

'Nee, ik heb een Mac. Ik doe er spelletjes op. Annie en ik deden altijd spelletjes.' Hij gaf zich plotseling een heel klein beetje bloot en glimlachte zijn halve glimlach. 'Alpineskiën vond ze het leukst. Daarbij kun je de sneeuw kiezen, grof of fijn, droog of nat, de temperatuur, de lengte en het gewicht van de ski's, de wind en alles wat erbij hoort. Annie won altijd. Ze koos altijd de moeilijkste piste, óf Deadquins Peak óf Stonies. Ze startte midden in de nacht in een sneeuwstorm op natte sneeuw met de langste ski's en ik had geen schijn van kans.'

Sejer keek hem niet-begrijpend aan en schudde zijn hoofd. Hij schonk cola in twee plastic bekertjes en ging weer zitten. 'Ken je Knut Jensvoll?'

'De trainer? Ik weet wie hij is. Ik ben een paar keer met Annie naar een wedstrijd geweest.'

'Mocht je hem?'

Een schouderophalen.

'Niet echt een wereldgozer, misschien?'

'Hij zat een beetje te veel achter de meisjes aan, vind ik.'

'Ook achter Annie?'

'Probeert u grappig te zijn?'

'Nee, nooit. Het is maar een vraag.'

'Dat durfde hij niet. Zij liet niet aan zich zitten.'

'Dus daar was ze heel fel in?'

'Ja.'

'Maar ik begrijp dit niet, Halvor.' Hij schoof het plastic bekertje opzij en leunde over de tafel. 'Iedereen laat zich zo positief over Annie uit, over hoe sterk en zelfstandig en sportief ze was. Onverschillig wat haar uiterlijk betreft, bijna ongenaakbaar. "Liet niet aan zich zitten." Toch is ze met iemand meegegaan, ver het bos in, naar de oever van een meertje. Naar het zich laat aanzien geheel vrijwillig. En daar,' hij dempte zijn stem, 'heeft ze zich laten vermoorden.'

Halvor keek hem geschrokken aan, alsof het absurde van de situatie, in al zijn gruwelijkheid, nu pas echt tot hem doordrong. 'Die iemand moet dan een enorme invloed op haar hebben gehad.'

'Maar was er iemand die zoveel invloed op Annie had?'

'Niet dat ik weet. Ik in elk geval niet.'

Sejer dronk van zijn cola. 'Vervelend dat ze niets heeft achtergelaten. Een dagboek, bijvoorbeeld.'

Halvor stak snel zijn neus in zijn beker en dronk lang.

'Maar kan het zo zijn,' ging Sejer verder, 'dat er echt iemand was die haar als het ware in zijn greep had? Iemand tegen wie ze zich niet durfde te verzetten? Kan Annie in iets gevaarlijks verwikkeld zijn geweest, iets dat niet aan het licht mocht komen? Kan ze op de een of andere manier zijn gechanteerd?'

'Annie was heel oprecht. Ik geloof niet dat ze iets verkeerds heeft gedaan.'

'Iemand kan een heleboel verkeerd doen en toch best oprecht zijn', zei Sejer peinzend. 'Eén enkele handeling zegt niet veel over een mens.'

Die woorden prentte Halvor in zijn geheugen.

'Zijn er überhaupt drugs in jullie dorp?'

'O ja. Al jaren. Jullie doen immers regelmatig een inval in de kroeg in het centrum, maar dat kan hier niets mee te maken hebben. Annie kwam daar nooit. Ze kwam zelfs amper in de kiosk ernaast.'

'Halvor', zei Sejer indringend. 'Annie was een stil, teruggetrokken meisje, dat haar leven graag in de hand hield. Als je goed nadenkt, heb jij dan het idee dat ze ergens bang voor was?'

'Niet direct bang. Maar... in zichzelf gekeerd. Soms bijna boos, wanhopig. Maar ik heb Annie wel een keer echt bang gezien. Niet dat het hier iets mee te maken heeft, maar het schiet me nu te binnen.' Hij vergat zijn voornemen en werd nu echt spraakzaam. 'Haar ouders waren met Sølvi in Trondheim, want daar woont een tante. Annie en ik waren alleen thuis. Ik zou blijven slapen. Dat was vorig voorjaar. Eerst hebben we een stuk gefietst en daarna hebben we tot laat in de nacht plaatjes zitten draaien. Omdat het al vrij warm was, besloten we de tent op te zetten en in de tuin te gaan slapen. Toen we alles klaar hadden gemaakt, gingen we naar binnen om onze tanden te poetsen. Ik ging eerst liggen, daarna kwam Annie. Ze ging op haar hurken zitten en maakte haar slaapzak open. En daar lag een adder. Een grote, zwarte adder, opgerold in haar slaapzak. We vluchtten de tent uit en ik haalde een van de overburen. Hij dacht dat dat beest in de slaapzak was gekropen om zich te warmen en hij heeft hem uiteindelijk doodgemaakt. Annie was zo bang dat ze moest overgeven. En vanaf die keer moest ik altijd haar slaapzak uitschudden als we gingen kamperen.'

'Een adder in een slaapzak?' Sejer huiverde en herinnerde zich de kampeertochtjes uit zijn eigen verre jeugd.

'Het wemelt daar van de slangen, het is een lawinehelling met veel stenen. We leggen boter buiten en zo raken we er een heleboel kwijt.'

'Boter? Waarom?'

'Dat vreten ze op tot ze bijna helemaal versuft zijn. Dan kun je ze zo oppakken.'

'En dan hebben jullie ook nog de zeeslang op de bodem van de fjord?' Sejer glimlachte.

'Dat is waar', knikte Halvor. 'Die heb ik zelf gezien. Hij is maar een doodenkele keer te zien, als de wind op een bepaalde manier waait. Eigenlijk is het een rots die vrij diep onder water ligt en als de wind van aanlandig naar aflandig draait, borrelt het een keer of drie, vier heel erg. Daarna wordt het weer stil. Vreemd eigenlijk. Iedereen weet precies wat het is, maar als je daar helemaal alleen op het water bent, dan twijfel je er geen moment aan dat er inderdaad iets uit de diepte oprijst. De eerste keer roeide ik als een gek en ik heb me geen enkele keer omgedraaid.'

'Maar je kunt niemand in Annies omgeving bedenken die haar iets zou willen aandoen?'

'Helemaal niemand', zei hij stellig. 'Ik probeer steeds maar weer te bedenken wat er allemaal gebeurd kan zijn en ik begrijp het niet. Het moet een gek zijn geweest.'

Ja, dacht hij, het kan een gek zijn geweest. Hij bracht Halvor weer naar huis, reed helemaal tot voor de deur.

'Je zult wel vroeg op moeten', zei hij vriendelijk. 'Het is laat geworden.'

'Och, dat lukt meestal wel.'

Halvor vond hem aardig en tegelijkertijd ook weer niet. Dat was lastig.

Hij stapte uit, drukte het portier voorzichtig dicht en hoopte dat zijn oma sliep. Voor de zekerheid keek hij even om de hoek van de deur en hoorde dat ze snurkte. Toen nam hij weer voor het scherm plaats en ging verder waar hij gestopt was. Hij kwam steeds weer op nieuwe dingen, herinnerde zich plotseling dat ze een tijd geleden een kat had gehad, die ze in een hoop sneeuw hadden gevonden, zo mager als een lat. Hij typte de naam Bagheera in. Er gebeurde niets. Maar dat had hij ook niet verwacht. Hij zag het project als iets langdurigs, bovendien waren er andere methoden. In zijn achterhoofd groeide het verlangen om het probleem op een eenvoudige manier op te lossen. Maar voorlopig had hij de moed nog niet verloren. Bovendien zou het zijn alsof hij vals speelde. Als hij erin slaagde om op eigen kracht het wachtwoord te vinden, was de overtreding voor zijn gevoel minder erg. Hij krabde in zijn nek en tikte 'Top Secret' in het zwarte veld. Voor de zekerheid. En meteen erachteraan schreef hij Annie Holland, gewoon vooruit en achterstevoren, omdat het plotseling tot hem doordrong dat hij de meest simpele, meest voor de hand liggende mogelijkheid nog niet had geprobeerd. De mogelijkheid die ze vanzelfsprekend niet had gebruikt en daarmee in feite juist wel gebruikt had kunnen hebben. *Acces denied.* Hij schoof zijn stoel een stukje naar achteren, rekte zich eens uit en legde zijn hand weer in zijn nek. Het prikte, alsof iets hem daar irriteerde. Dat was niet zo, maar het gevoel bleef. Bevreemd draaide hij zich om en keek naar het raam. Ineens stond hij op om het gordijn dicht te trekken. Hij had het sterke gevoel dat hij werd bekeken en door dat gevoel gingen zijn nekharen recht overeind staan. Hij deed snel het licht uit. Buiten klonken wegstervende voetstappen, alsof iemand in de stilte wegholde. Hij keek door een kier in het gordijn naar buiten, maar zag niemand. Toch wist hij dat er iemand had gestaan, zoals je af en toe met al je zintuigen iets wist, een overduidelijke, bijna fysieke zekerheid. Hij zette de Mac af, trok zijn kleren uit en schoot onder de dekens. Daar lag hij muisstil te luisteren. Alles was nu doodstil, zelfs het geruis van de bomen buiten was niet te horen. Maar toen, na een paar minuten, hoorde hij een auto starten.

*

Omdat hij met een elektrische boor stond te ploeteren, hoorde Knut Jensvoll de auto niet. Hij was bezig een droogrek op te hangen, waar hij na de training zijn vochtige sportschoenen op kon zetten. Toen hij even pauzeerde, hoorde hij de deurbel. Hij keek snel door het raam naar buiten en zag Sejers lange gestalte op de bovenste trede staan. Het was bij hem opgekomen dat ze misschien zouden komen. Hij had even tijd nodig om zichzelf in de hand te krijgen, fatsoeneerde zijn kleren en zijn haren. In gedachten had hij al een aantal vragen doorgenomen. Hij voelde zich voorbereid.

Er was één ding dat voortdurend door Jensvolls hoofd bleef malen. Of ze de verkrachting hadden ontdekt. Dat zou wel de reden van hun komst zijn. Eens een schurk, altijd een schurk, dat principe kende hij maar al te goed. Hij zette een pokerface op, maar bedacht ineens dat ze daar achterdochtig van konden worden, daarom vermande hij zich en probeerde te glimlachen. Toen herinnerde hij zich dat Annie dood was en zette het masker weer op.

'Politie. Kunnen we binnenkomen?'

Jensvoll knikte. 'Ik moet even de deur van de bijkeuken dichtdoen.' Hij wenkte hen naar binnen, verdween even en kwam snel weer terug. Wierp een zorgelijke blik op Skarre, die een notitieblokje uit zijn jaszak viste. Jensvoll was ouder dan ze hadden gedacht, liep al aardig tegen de vijftig, en hij zat goed in zijn vlees. Maar de kilo's waren op een voordelige manier verdeeld, zijn lichaam was stevig en hard, gezond en weldoorvoed, en hij had een gezonde kleur op zijn gezicht, een dikke bos rood haar en een fraaie, goedverzorgde snor.

'Ik neem aan dat het over Annie gaat?' zei hij.

Sejer knikte.

'Ik ben van mijn leven nog nooit zo van streek geweest. Want ik kende haar goed, dat mag ik geloof ik wel zeggen. Ook al is het alweer een tijdje geleden dat ze met handbal stopte. Dat was trouwens een ramp, want niemand kon haar vervangen. Nu staat er een soort kamerolifant, die de neiging heeft te bukken als de bal op haar af komt. Maar allemachtig, ze vult in ieder geval het halve doel.' Hij stopte de woordenstroom en bloosde een beetje.

'Ja, dat is echt een ramp', zei Sejer, iets sarcastischer dan hij van plan was geweest. 'Is het lang geleden dat u haar heeft gezien?'

'Zoals ik al zei, ze stopte met handbal. Dat was vorig jaar in de herfst. In november, geloof ik.' Hij keek Sejer recht aan.

'Neem me niet kwalijk, maar dat klinkt een beetje raar. Ze woonde hier een paar honderd meter vandaan.'

'Ja, nee, ik heb haar nog wel eens op straat gezien, natuurlijk. Ik dacht dat u bedoelde wanneer ik voor het laatst met haar te maken had. Echt, op de training. Maar ik heb haar wel gezien, natuurlijk heb ik haar gezien. In de winkel, bijvoorbeeld.'

'Laat ik het dan zo vragen: wanneer heeft u Annie voor het laatst gezien?'

Jensvoll moest nadenken. 'Dat kan ik me eigenlijk niet zo goed herinneren. Een tijdje terug.'

'We hebben de tijd.'

'Twee, drie weken misschien. Op het postkantoor, geloof ik.'

'Heeft u haar gesproken?'

'Alleen gegroet. Ze was niet zo spraakzaam meer.'

'Waarom is Annie met keepen gestopt?'

'Ja, als iemand mij dat zou kunnen vertellen.' Hij haalde zijn schouders op. 'Ik ben bang dat ik nogal heb aangedrongen om haar van gedachten te doen veranderen, maar het heeft niets uitgehaald. Ze had er geen zin meer in. Ja, dat geloofde ik eigenlijk niet, maar dat zei ze. Ze ging liever hardlopen, zei ze. En dat deed ze ook, op ieder moment van de dag. Ik ben haar vaak voorbijgereden. Flink de pas erin, grote stappen, dure joggingschoenen. Holland was niet gierig, als het om Annie ging.' Hij wachtte nog steeds tot de aap uit de mouw kwam, had niet de illusie dat hij de dans zou ontspringen.

'Woont u hier alleen?'

'Ik ben een poos geleden gescheiden. Mijn vrouw is met de kinderen vertrokken, dus nu ben ik alleen en dat bevalt me wel. Ik hou niet veel tijd over, naast mijn werk en het trainen. Ik heb ook nog een jongensteam en ik speel zelf bij de veteranen. Ben de halve dag op weg naar de douche of kom er net onderuit.'

'U geloofde haar niet, toen ze zei dat ze geen zin meer had... wat was volgens u de eigenlijke reden?'

'Ik zou het niet weten. Maar ze had natuurlijk een vriendje en dat kost tijd. Hij was trouwens niet erg atletisch, een pijpenrager met dunne benen. Bleek en mager als een limaboon. Hij is een paar keer mee geweest naar een wedstrijd, zat als een zoutpilaar op de eerste rij en gaf nooit een kik. Volgde alleen de bal, heen en weer, heen en weer. Als ze weggingen, mocht hij niet eens haar tas dragen. Hij was niets voor haar, nee, ze was veel te sportief voor hem.'

'Ze hadden nog steeds verkering.'

'O ja? Nog steeds? Nou ja, ieder zijn meug.'

Sejer tuurde naar de vloer en dacht er het zijne van. 'Ik moet u vragen waar u afgelopen maandag tussen elf en twee uur was.'

'Maandag? U bedoelt... op de dag dat... op mijn werk, natuurlijk.'

'En dat kunnen ze bij de Bouwmarkt bevestigen?'

'We zijn natuurlijk nogal eens op pad. We bezorgen namelijk aan huis.'

'Dus u was onderweg? Alleen?'

'Een deel van de dag was ik onderweg. Ik heb twee garderobekasten naar een villa in Rødtangen gebracht, dat kunnen ze daar in ieder geval bevestigen.'

'Hoe laat was u daar?'

'Tussen een en twee, misschien.'

'Iets nauwkeuriger, Jensvoll.'

'Tja, het zal eerder tegen tweeën zijn geweest.'

Sejer rekende in zijn hoofd. 'En de uren daarvoor?'

'Tja, van alles wat... Ik heb een beetje uitgeslapen. Ben een halfuurtje naar de zonnestudio geweest. We delen onze tijd zelf zo'n beetje in. Een andere keer moet ik weer overwerken en dat krijg ik niet uitbetaald. Dus ik heb geen slecht geweten. De chef heeft zelf de neiging om te...'

'Waar was u, Jensvoll?'

'Ik was nogal laat op pad, die dag', kuchte hij. 'Ik ben zondagavond met een stel de stad in geweest. Dat is niet zo slim natuurlijk, om op zondag uit te gaan, als je weet dat je vroeg op moet en zo, maar het gebeurde nu eenmaal. Ik denk dat ik om een uur of halftwee op mijn werk was.'

'Met wie was je in de stad?'

'Een vriend. Erik Fritzner.'

'Fritzner? De buurman van Annie?'

'Ja.'

'En?' Sejer knikte en keek naar de trainer, naar zijn golvende pony en zijn bruine gezicht. 'Vond u Annie een aantrekkelijk meisje?'

Jensvoll begreep de hint. 'Wat is dat voor vraag?'

'Geeft u maar gewoon antwoord, alstublieft.'

'Natuurlijk. U zult wel foto's hebben gezien.'

'Inderdaad', zei Sejer. 'Ze was niet alleen knap om te zien, maar ook nogal volwassen voor haar leeftijd. Rijp, zou je kunnen zeggen, rijper dan de meeste pubermeisjes. Bent u dat met mij eens?'

'Jawel, op zich wel. Maar ik hield me meer met haar vaardigheden in het doel bezig.'

'Natuurlijk, dat is logisch. En verder? Heeft u wel eens een conflict met de meisjes gehad?'

'Wat voor conflict?'

'Gewoon een conflict', zei Sejer afgemeten. 'Ongeacht waarover.'

'Ja, vanzelf. Pubers zijn net vaatjes buskruit. Maar dat ging over gewone dingen. Er was niemand die Annie in het doel wilde vervangen, niemand wilde op de bank zitten. Periodes met onafgebroken gegiechel. Vriendjes op de tribune.'

'En met Annie?'

'Ja, wat met Annie?'

'Heeft u met Annie wel eens een conflict gehad?'

Hij sloeg zijn armen over elkaar en knikte. 'Ja, ook wel. Op de dag dat ze belde om te zeggen dat ze wilde stoppen. Toen zijn er wel wat harde woorden gevallen, die ik beter voor mezelf had kunnen houden. Misschien heeft ze het als een compliment opgevat, wie weet. Ze hing op en leverde de volgende dag haar tenue in. Over en uit.'

'En dat is de enige keer dat u onenigheid met haar had?'

'Ja, dat klopt. De enige keer.'

Sejer keek hem aan en knikte naar Skarre. Het gesprek was afgelopen. Ze liepen naar de deur, Jensvoll kwam achter hen aan, een flinke portie opgekropte frustratie begon de overhand te krijgen.

'Nou ja, zeg', zei hij geïrriteerd, toen Sejer de deur openmaakte. 'Waarom doet u net alsof u mijn strafblad niet heeft onderzocht? Denkt u niet dat ik fantasie genoeg heb om te snappen dat dat het eerste is wat jullie doen? En dat jullie daarom hier zijn? Ik weet heus wel hoe jullie denken.'

Sejer draaide zich om en keek hem aan.

'Heeft u enig idee wat er met mijn club gebeurt, als dat verhaal in het dorp bekend wordt? De meisjes worden in hun kamer opgesloten. De hele sportclub stort als een kaartenhuis in elkaar en jaren werk is naar de maan!' Hij ging steeds harder praten. 'En als er één ding is wat dit dorp nodig heeft, dan is het de sportclub. De rest zit in de kroeg en koopt dope. Dat is namelijk het enige alternatief. Dat u maar weet wat u teweegbrengt, als u bekend maakt wat u weet. Bovendien is het elf jaar geleden!'

'Ik heb er met geen woord over gerept', zei Sejer rustig. 'En als u uw stem een beetje dempt, kunnen we misschien voorkomen dat het naar buiten komt.'

Jensvoll klapte dicht en werd vuurrood. Hij trok zich ogenblikkelijk terug in de gang en Skarre trok de deur achter hen dicht. 'Jeetje', zei hij. 'Een landmijn met haar en snor.'

'Als we genoeg mensen hadden gehad,' zei Sejer scherp, 'zou ik hem een staart geven.'

'Waarom?' Skarre gaapte hem verbaasd aan.

'Alleen om lullig te doen, waarschijnlijk.'

Fritzner lag op zijn rug in de jol van een biertje te nippen. Na iedere slok nam hij een trek van zijn sigaret, zijn hersenen waren bezig met het boek dat op zijn schoot tegen zijn knieën steunde. Een aanhoudende stroom bier en nicotine sijpelde in zijn bloedbaan. Na een tijdje zette hij het pilsje neer en liep naar het raam. Daarvandaan kon hij Annies slaapkamerraam zien. Hoewel het nog vroeg in de middag was, waren de gordijnen dichtgetrokken, alsof haar kamer geen gewone kamer meer was, maar een soort heilige plaats waar niemand naar binnen mocht kijken. Hij zag het zwakke schijnsel van één enkel lampje, misschien dat op haar bureautje, dacht hij. Toen keek hij naar de straat en zag ineens de politieauto bij de brievenbussen staan. En daar kwam de jonge agent met de krulletjes. Ging zeker naar Holland om hen op de hoogte te houden. Hij zag er niet erg ernstig uit, liep met lichte tred met zijn gezicht naar de lucht gekeerd, een slanke gestalte met lange krullen, vast op de grens van wat de overheid toestond. Plotseling sloeg hij linksaf en liep zijn tuin in. Fritzner fronste zijn voorhoofd. Automatisch keek hij de straat af om te zien of het bezoek in een van de andere huizen werd geregistreerd. Dat was zo. Isaksen stond zijn tuin aan te harken.

Skarre groette en liep naar het raam, precies zoals hij daarnet zelf had gedaan.

'U kijkt uit op Annies slaapkamer', constateerde hij.

'Ja, inderdaad.' Fritzner kwam bij hem staan. 'Eigenlijk ben ik een vieze, oude man, dus ik stond hier vaak kwijlend te gluren, in de hoop een glimp van haar op te vangen. Maar ze was niet het type dat zichzelf etaleert. Ze deed altijd eerst de gordijnen dicht, voordat ze haar trui over haar hoofd trok. Ik kon haar silhouet wel zien, als ze ten minste het plafondlicht aandeed en er niet te veel plooien in het gordijn zaten. En daar was niks mis mee...' Hij moest glimlachen toen hij Skarres gezicht zag. 'Als ik eerlijk ben,' ging hij verder, 'en dat moet ik immers, dan heb ik nooit overwogen te trouwen. Maar toch zou ik graag een paar kinderen hebben gehad, om iets na te laten, als het ware. En het allerliefst met Annie. Zij was zo'n vrouw die je graag zou bevruchten, als u begrijpt wat ik bedoel?'

Skarre gaf nog steeds geen antwoord. Hij stond peinzend op een sesamzaadje te kauwen dat lang tussen twee kiezen had gezeten en nu eindelijk had losgelaten.

'Lang en slank, brede schouders, lange benen. Pienter. Mooi als een bosnimf. Met andere woorden: een heleboel prima genen dus.'

'Ze was toch nog maar een tiener?'

'Maar ze worden ouder. Ja, Annie niet dan', zei hij snel. 'Om eerlijk te zijn,' ging hij verder, 'ik loop tegen de vijftig en ik heb net zoveel fantasie als andere mannen. En ik ben nog alleen ook. Maar een paar privileges moet een vrijgezel zich kunnen veroorloven, vindt u ook niet? Bij mij staat er niemand in de keuken afkeurend te sissen, als ik naar vrouwen kijk. Als u hier had gewoond, recht tegenover Annie, zou u ook af en toe een blik op het huis hebben geworpen. Dat is toch geen misdaad?'

'In principe niet, nee.'

Skarre keek naar de jol en het halve pilsje naast het dolboord. Hij vroeg zich af of het bootje misschien groot genoeg was om...

'Hebben jullie iets ontdekt?' vroeg Fritzner nieuwsgierig.

'Natuurlijk. We hebben stille getuigen. U weet wel, duizend-en-een kleine dingetjes. Iedereen laat wel iets achter.'

Skarre keek naar Fritzner toen hij dat zei. De man stond met zijn ene hand in zijn broekzak en onder de stof zag hij de gebalde vuist.

'Ik begrijp het. Weten jullie trouwens dat we hier een dorpsgek hebben?'

'Pardon?'

'Zo eentje met een hersenbeschadiging, die met zijn vader aan de Kollevei woont. Hij schijnt erg veel belangstelling voor meisjes te hebben.'

'Raymond Låke. Ja, dat weten we. Maar hij heeft geen hersenbeschadiging.'

'O nee?'

'Hij heeft een chromosoom te veel.'

'Het lijkt eerder alsof hij ergens iets te weinig van heeft, als je het mij vraagt.'

Skarre schudde zijn hoofd en keek weer naar het huis van de familie Holland, naar het raam met het dichte gordijn.

'Waarom kruipt een adder in een slaapzak, denkt u?'

Fritzner sperde zijn ogen open. 'Goh, wat jullie allemaal niet weten! Dat heb ik me ook afgevraagd. Ik was het eigenlijk al vergeten, het was een heel drama, zal ik u vertellen. Maar het is een uitstekende schuilplaats, toch? Zo'n donzen Ajungilak-slaapzak. Ik zat hier in de jol whisky te drinken, toen dat vriendje van haar aanbelde. Ze hadden natuurlijk gezien dat er licht brandde. Annie stond in een hoek van de kamer, zo wit als een vaatdoek. Ze was anders nooit ergens bang voor, maar toen wel. Ze was echt doodsbang.'

'Hoe heeft u hem gepakt?' vroeg Skarre nieuwsgierig.

'Ach joh, dat was een fluitje van een cent. Met een emmer. Eerst heb ik met een priem een gat in de bodem gemaakt, zo groot als een dubbeltje misschien. Daarna ben ik de tent ingekropen. Hij lag niet meer in de slaapzak, maar was in een hoek gekropen en had zich opgerold. Het was nog een flinke knaap ook. Ik heb de emmer over hem heen gezet, met mijn voet erop. Daarna heb ik Baygon door het gat naar binnen gespoten.'

'Wat is dat?'

'Een uitermate giftig insecticide. Wordt niet over de toonbank verkocht. Die slang was meteen verdoofd.'

'Hoe komt u daaraan?'
'Ik werk bij Anticimex. Ongediertebestrijding. Vliegen en kakkerlakken en alles wat kruipt.'
'Aha. En toen?'
'Toen heeft dat vriendje van haar een voorsnijmes gehaald en daarmee heb ik het kreng in tweeën gehakt, ik heb hem in een plastic tasje gestopt en in de vuilnisbak gegooid. Ik had echt medelijden met Annie. Ze durfde daarna bijna niet meer in haar eigen bed te stappen.' Hij schudde zijn hoofd bij de gedachte. 'Maar u bent hier waarschijnlijk niet om over mijn carrière als Superman te praten, of wel? Waarom bent u hier eigenlijk?'
'Tja.' Skarre veegde een krul van zijn voorhoofd. 'Volgens mijn chef moet je de druk altijd twee keer meten.'
'O ja? Nou... mijn bloeddruk is heel stabiel. Maar ik kan er nog niet over uit dat iemand Annie om het leven heeft gebracht. Een heel gewoon meisje. Hier, in dit dorp, in deze straat. Haar ouders ook niet. Ik wed dat ze haar kamer jarenlang onaangeroerd zullen laten, precies zoals het was toen ze hem verliet. Zoiets heb ik wel eens gehoord. Denkt u dat dat een onbewuste hoop is dat ze plotseling weer terugkomt?'
'Misschien. Gaat u naar de begrafenis?'
'Het hele dorp komt. Zo gaat dat in een dorp. Het heeft geen zin om het in stilte te doen. De mensen vinden dat ze recht hebben om hun medeleven te tonen. Dat werkt trouwens naar twee kanten. Moeilijk om iets geheim te houden.'
'Misschien een voordeel voor ons', zei Skarre. 'Als de moordenaar hiervandaan komt.'
Fritzner liep naar de jol, pakte het bierflesje op en dronk het leeg. 'Denken jullie dat hij van hier is?'
'Laten we zeggen dat we dat hopen.'
'Ik niet. Maar als het wel zo is, dan hoop ik dat jullie hem snel te pakken hebben. Waarschijnlijk hebben alle

twintig huizen hier in de straat gezien dat u naar mij bent toegekomen. Voor de tweede keer.'

'Vindt u dat vervelend?'

'Natuurlijk. Ik wil hier graag blijven wonen.'

'Waarom zou dat niet kunnen? Daar is toch geen enkele reden voor?'

'De tijd zal het leren. Als vrijgezel ben je extra kwetsbaar.'

'Hoezo?'

'Het is onnatuurlijk dat een man geen vrouw heeft. De mensen verwachten dat je trouwt, zeker als je de veertig gepasseerd bent. En als dat niet het geval is, dan moet daar een reden voor zijn.'

'Dat is wel een beetje paranoïde, vind ik.'

'U weet niet hoe het is om zo dicht op elkaar te wonen. Er zullen moeilijke tijden aanbreken. Voor meerdere mensen.'

'Denkt u aan iemand in het bijzonder?'

'Eigenlijk wel. Ja.'

'Jensvoll, bijvoorbeeld?'

Hij gaf geen antwoord. Dacht een tijdje na. Loerde schuins naar Skarre en leek een besluit te nemen. Haalde zijn hand uit zijn zak en hield iets omhoog. 'Ik wilde u dit even laten zien.'

Skarre keek ernaar. Het leek op een haarbandje, een stukje elastiek met stof eromheen, blauw, met opgenaaide pareltjes.

'Dit is van Annie', zei Fritzner, hem recht aankijkend. 'Ik heb het in de auto gevonden. Op de vloer, voorin, tussen de stoel en het portier. Ze is een week geleden nog met me meegereden naar het centrum. Dat elastiekje is blijven liggen.'

'Waarom geeft u het aan mij?'

Hij haalde adem. 'Ik had het ook niet kunnen doen, nietwaar? Ik had het in de haard kunnen gooien, het kunnen verzwijgen. Ik doe het om te laten zien dat ik open kaart speel.'

'Ik had niet anders verwacht', zei Skarre.

Fritzner glimlachte. 'Denkt u dat ik achterlijk ben?'

'Mogelijk', zei Skarre en glimlachte terug. 'Misschien probeert u mij om de tuin te leiden. Misschien is het een tactiek en hebt u dit schattige bekentenisje in scène gezet. Ik neem het elastiekje mee. En we zullen u meer dan voorheen in onze beschouwingen meenemen.'

Fritzner verbleekte. Skarre kon het niet laten te grinniken.

'Hoe komt u aan de naam van die boot?' vroeg hij nieuwsgierig, naar de jol kijkend. 'Is dat niet een merkwaardige naam voor een boot? Narco Traficante?'

'Dat was gewoon een opwelling.' Hij probeerde zich te herstellen. 'Maar het klinkt goed, vindt u ook niet?' Hij keek bezorgd naar de jonge agent.

'Heeft u er ooit mee gevaren?'

'Nooit', gaf hij toe. 'Ik word snel zeeziek.'

*

De hoofdofficier van justitie had gesproken. Annie Holland moest begraven worden en Eddie zag nu op zijn horloge dat het meer dan een etmaal geleden was, sinds de eerste schep droge aarde op de deksel van de kist was neergekomen. Aarde op Annie. Vol twijgjes en stenen en wormen. In zijn zak had hij een verfrommeld papiertje, een paar woorden die hij eigenlijk, staande bij de kist, na de preek, had willen voorlezen. Dat hij daar had staan hakkelen, zonder een woord te kunnen uitbrengen, zou hem de rest van zijn leven dwars blijven zitten.

'Ik vraag me af of Sølvi misschien een kleine stoornis heeft', zei hij, terwijl hij een vinger tegen zijn voorhoofd zette. Toen veranderde hij van gedachten en verplaatste de vinger naar zijn slaap. 'Op een scan is het niet te zien, maar er is iets. Ze heeft geleerd wat ze hier in de wereld moet leren, ze is alleen een beetje langzaam. Een beetje eenzijdig, misschien. U moet er niet met Ada over praten', voegde hij eraan toe.

'Wil zij het niet accepteren?' vroeg Sejer.

'Zij zegt dat als het niet te zien is, het er ook niet hoeft te zijn. Mensen zijn gewoon verschillend, zegt ze.'

Sejer had hem naar het politiebureau laten komen. Hij tastte nog steeds volkomen in het duister.

'Ik moet u iets vragen', zei Sejer voorzichtig. 'Als Annie die dag Axel Bjørk zou zijn tegengekomen, zou ze dan bij hem zijn ingestapt?'

Holland staarde hem verbaasd aan. 'Dat is de meest groteske gedachte die ik ooit heb gehoord', zei hij toen.

'Er is hier een grotesk misdrijf gepleegd. Geeft u maar gewoon antwoord op mijn vraag. Ik ken de mensen om wie het hier gaat niet zo goed als u en dat zie ik eigenlijk als een voordeel.'

'De vader van Sølvi', zei hij peinzend. 'Ja, misschien. Ze zijn een paar keer bij hem geweest, dus ze kende hem. Als hij dat vroeg, zou ze wel bij hem zijn ingestapt. Waarom niet?'

'Wat voor relatie heeft u met hem?'

'Geen enkele.'

'Maar u hebt hem wel eens gesproken?'

'Nauwelijks. Ada hield hem altijd bij de deur tegen. Beweerde dat hij zich opdrong.'

'Wat vindt u daarvan?'

Hij schoof ongemakkelijk op zijn stoel heen en weer, alsof zijn eigen zwakheid onaangenaam zichtbaar werd. 'Ik vond het bespottelijk. Hij wilde ons immers niets in de weg leggen, alleen Sølvi zo nu en dan zien. Nu heeft hij helemaal niets. Het schijnt dat hij zijn baan ook kwijt is.'

'En Sølvi? Wilde zij hem wel graag zien?'

'Ik ben bang dat Ada haar dat aardig tegen heeft gemaakt. Ze kan behoorlijk hard zijn. Bjørk zal het wel hebben opgegeven. Maar ik heb hem op de begrafenis gezien, toen kon hij in elk geval een glimp van haar opvangen. U begrijpt,' zei hij vurig, 'het is niet makkelijk om Ada tegen te spreken. Niet dat ik bang ben of zo', hij lachte een kort, ironisch lachje. 'Maar ze kan zo vreselijk kwaad worden. Het is niet zo makkelijk uit te leggen. Ze wordt gewoon zo vreselijk kwaad en daar kan ik niet tegen.'

Hij zweeg weer en Sejer wachtte stil, terwijl hij zich het ingewikkelde, onderlinge spel tussen mensen probeerde voor te stellen. Hoe duizenden draden door de jaren heen met elkaar verwikkeld raken en taaie, fijnmazige netten vormen waarin je je gevangen voelt. Het achterliggende mechanisme fascineerde hem. Net als de intense tegenzin van de mens om een mes te trekken en zich eruit los te snijden, ook al verlangen ze nog zo naar de vrijheid. Holland wilde waarschijnlijk graag uit Ada's net ontsnappen, maar duizend kleine dingen weerhielden hem daarvan. Hij had een keuze gemaakt, hij moest de rest van zijn leven in de kleverige draden blijven zitten, en dat besluit drukte op hem, zodat heel zijn zware gestalte voorover-hing.

'Hebben jullie nog niets gevonden?' vroeg Holland na een tijdje.

'Helaas', zei Sejer weifelend. 'We hebben alleen een heleboel mensen die hartelijke en positieve dingen over Annie zeggen. Het sporenonderzoek heeft haast niets opgeleverd, we nog zijn geen stap verder gekomen, er zijn geen zichtbare motieven. Annie is niet seksueel misbruikt of op een andere manier mishandeld. Op de dag zelf zijn er in de buurt van de Koll geen observaties gedaan die ons echt verder helpen en iedereen die er met de auto is langsgekomen heeft zich gemeld en is gecheckt. Er is weliswaar één uitzondering, maar die auto is zo vaag beschreven, dat we er geen kant mee uit kunnen. De motorrijder die bij Horgen Handel is gezien, lijkt van de aardbodem te zijn verdwenen. Misschien was het een toerist op doorreis. Niemand heeft het nummerbord gezien, het kan zelfs een buitenlander zijn geweest. Duikers hebben naar haar rugzak gezocht, maar niets gevonden, dus we moeten er vooralsnog van uitgaan dat die nog in het bezit van de dader kan zijn. Maar we hebben geen aanklacht en kunnen dus bij niemand een huiszoeking doen. We hebben niet eens een concrete theorie. We hebben zo weinig, dat we alleen maar kunnen gissen. Annie zou bijvoorbeeld op bepaalde gevoelige informatie gestuit kunnen zijn, per ongeluk misschien, en dan kan ze vermoord zijn door iemand die haar het zwijgen wilde opleggen. In dat geval moet het nogal compromitterende informatie zijn geweest, aangezien het tot een moord heeft geleid. Ze was uitgekleed, maar niet verkracht en dat kan erop duiden dat de moordenaar ons op een dwaalspoor wilde brengen. Dat hij ons wilde laten geloven dat het om seks ging, om de aandacht misschien van het eigenlijke motief af te leiden. Daarom,' eindigde hij, 'zijn we geïnteresseerd in Annies verleden.'

Hij stopte en krabde over de hand van zijn rug, waar een ruwe, rode plek zo groot als een rijksdaalder zat.

'U bent een van de mensen die haar het beste kenden. En u hebt uw gedachten vast al de vrije loop gelaten. Ik moet u nogmaals vragen of er dingen in Annies verleden zijn, gebeurtenissen, kennissen, uitspraken, indrukken, wat dan ook, die u zijn opgevallen... Probeer niet in een bepaalde richting te denken. Bedenk alleen of u iets is opgevallen. Probeer de kleinste details tevoorschijn te graven, ook al denkt u dat het maar kleinigheden zijn, als het u maar is opgevallen. Een reactie die u niet had verwacht. Antwoorden, toespelingen, feiten die u zijn bijgebleven.

Annies gedrag is veranderd. Ik heb de indruk gekregen dat het misschien meer was dan een gewone puberteitskwestie. Kunt u dat bevestigen?'

'Ada zegt...'

'Maar wat zegt u?' Sejer hield zijn blik vast. 'Ze maakte het uit met Halvor, stopte met keepen en trok zich in zichzelf terug. Is er in die tijd iets bijzonders gebeurd?'

'Hebben jullie met Jensvoll gesproken?'

'Ja.'

'Ja, nee, ik heb wat geruchten gehoord, maar die zijn misschien niet waar. Er wordt nogal gekletst', voegde hij eraan toe, een beetje verlegen en met rode wangen.

'Wat bedoelt u nu?'

'Iets dat Annie ooit heeft gezegd. Dat hij een keer in de gevangenis heeft gezeten. Lang geleden. Ik weet niet waarvoor.'

'Wist Annie dat?'

'Dus hij heeft inderdaad in de gevangenis gezeten?'

'Dat klopt, ja. Maar ik was me er niet van bewust dat iemand dat wist. Wij checken iedereen die met Annie te maken heeft gehad, of ze een alibi hebben en zo. We hebben meer dan driehonderd mensen gesproken. Maar het is helaas zo dat we niemand als verdachte hebben kunnen aanmerken.'

'Er woont een man aan de Kollevei,' mompelde Holland, 'die niet helemaal is zoals hij moet zijn. Ik heb gehoord dat hij wel eens achter de meisjes aan zit.'

'Hem hebben we ook gesproken', zei Sejer geduldig. 'Hij heeft Annie gevonden.'

'O ja, zo was het.'

'Hij heeft een alibi.'

'Als dat betrouwbaar is.'

Sejer dacht aan Ragnhild en zag ervan af Holland te vertellen dat het alibi een kind van zes was.

'Waarom is ze met oppassen opgehouden, denkt u?'

'Ze was het ontgroeid denk ik.'
'Maar ik heb begrepen dat ze het heel erg leuk vond. Daarom vind ik het een beetje vreemd.'
'Ze heeft jarenlang niets anders gedaan. Eerst haar huiswerk en dan de straat op om te zien of ze nog met een van de kinderen kon gaan wandelen. En als er ruzie op straat was, kwam ze altijd tussenbeide en zorgde ze ervoor dat de kwestie werd bijgelegd. De stakker die was begonnen moest excuses aanbieden. Die werden dan aanvaard en alles was weer koek en ei. Ze kon goed bemiddelen. Ze had gezag en ze deden allemaal precies wat ze zei. De jongens ook.'
'Een diplomatiek karakter, met andere woorden?'
'Precies. Ze vond het leuk om dingen recht te breien. Als er bijvoorbeeld iets met Sølvi was, vond ze altijd een oplossing voor ons. Ze was een soort tussenpersoon. Maar in zekere zin,' zei hij langzaam, 'verloor ze daar ook haar interesse voor. Ze bemoeide zich niet meer zoals vroeger met alles.'
'Sinds wanneer was dat?' vroeg Sejer snel.
'Vorige herfst.'
'Wat is er vorige herfst gebeurd?'
'Dat heb ik al verteld. Ze wilde niet meer bij de handbalclub, ging niet meer zoals voor die tijd met andere mensen om.'
'Maar waarom!'
'Dat weet ik niet', zei hij wanhopig. 'Ik zeg toch dat ik het niet begrijp.'
'Probeer verder te kijken dan binnen het gezin. Verder dan Halvor en de club en de problemen met Axel Bjørk. Is er in diezelfde tijd verder nog iets gebeurd, iets dat niet per se met jullie te maken had?'
Holland spreidde hulpeloos zijn armen.
'Ja, op zich wel... maar dat heeft hier niets mee te maken. Een van de kinderen waar ze vaak op paste is overle-

den. Een tragisch ongeval. Dat maakte de zaken er niet beter op. Annie kon nergens meer haar hoofd bij houden. Het enige waar ze nog aan dacht, was haar joggingschoenen aantrekken en lopen, weg van het huis en de straat.'

Sejer voelde dat zijn hart oversloeg. 'Wat zei u?' Hij zette zijn ellebogen op tafel.

'Een van de kinderen waar ze vaak op paste kwam om bij een ongeval. Hij heette Eskil.'

'Terwijl Annie op hem paste?'

'Nee, nee!' Holland keek hem geschrokken aan. 'Nee, bent u gek! Annie was heel voorzichtig met andermans kinderen. Ze verloor ze geen moment uit het oog.'

'Hoe is het gebeurd?'

'Bij hun thuis. Hij was net twee jaar. Annie nam het heel zwaar op. Ja, wij allemaal, we kenden hen immers.'

'En wanneer gebeurde dat?'

'Vorige herfst, zeg ik toch. Toen ze zich overal aan onttrok. Er gebeurde toen in feite zo veel, het was voor ons allemaal een rottijd. Halvor belde steeds, Jensvoll belde. Bjørk zeurde de hele tijd om Sølvi en met Ada viel bijna niet onder één dak te leven!' Hij zweeg en leek zich plotseling te schamen.

'Wanneer is dat jongetje precies overleden, Eddie?'

'Ik geloof dat het ergens in november was. Ik weet de datum niet meer.'

'Maar was het vóór, of was het nadat ze met handbal was gestopt?'

'Dat weet ik niet meer.'

'Dan gaan we net zo lang door tot je het weer weet. Wat voor ongeval was het?'

'Er was iets in zijn keel blijven steken, en dat kregen ze er niet meer uit. Het schijnt dat hij in zijn eentje in de keuken zat te eten.'

'Waarom heeft u dit niet eerder verteld?'

Holland keek hem ongelukkig aan. 'U onderzoekt toch Annies dood?' fluisterde hij.

'Dat is precies waar ik nu mee bezig ben. Dingen uitsluiten is net zo belangrijk.'

Er viel een lange stilte. Het zweet parelde op Hollands hoge voorhoofd en hij kneedde zijn vingers onophoudelijk, alsof er geen gevoel meer in zat. Er doken voortdurend allerlei idiote beelden in zijn gedachten op, afbeeldingen van Annie met een rode overall en een studentenpet om te vieren dat ze geslaagd was. Annie in een bruidsjurk. Annie met een baby op schoot. Foto's die hij nooit zou kunnen nemen.

'Vertel me over Annie, vertel me hoe ze reageerde.'

Holland richtte zich op en dacht na. 'Ik herinner me de datum niet, maar ik weet de dag nog, want we hadden ons verslapen. Zelf had ik vrij van mijn werk. Annie was te laat voor de bus en kwam bovendien vroeg thuis van school, omdat ze zich niet zo lekker voelde. Ik durfde het haar niet meteen te vertellen. Ze ging naar bed, een beetje slapen.'

'Was ze ziek?'

'Ja, nee, ze was nooit ziek. Het was waarschijnlijk een virusje. Ze werd in de loop van de middag wakker. Ik zat in de kamer en zag er vreselijk tegenop. Uiteindelijk ging ik naar haar toe, ging op de rand van haar bed zitten.'

'Ga door.'

'Ze werd volkomen apathisch', zei hij nadenkend. 'Apathisch en bang. Draaide zich om en trok de deken over haar hoofd. Wat moet je in zo'n geval zeggen? De dagen daarna liet ze niet veel van haar gevoelens zien, ze rouwde als het ware in stilte. Ada wilde dat ze bloemen naar de familie bracht, maar dat wilde ze niet. Ze wilde ook niet naar de begrafenis.'

'Zijn jullie er zelf wel naartoe geweest?'

'Ja, wij wel. Ada voelde zich opgelaten omdat Annie niet

wilde, maar ik probeerde uit te leggen dat het voor een kind moeilijk is om naar een begrafenis te gaan. Annie was toen nog maar veertien. Ze weten zich dan nog geen houding te geven, nietwaar?'

'Mm', mompelde Sejer. 'Maar is ze naderhand wel naar het graf geweest?'

'O ja, meer dan eens. Maar ze is nooit meer bij hen thuis geweest.'

'Maar ze zal toch wel met hen gepraat hebben? Als ze zo vaak op dat jongetje paste?'

'Dat heeft ze vast wel gedaan. Ze had tenslotte veel met hen te maken. Het meest met de moeder. Die is trouwens ondertussen verhuisd, ze zijn een poosje later gescheiden. Het is natuurlijk moeilijk om elkaar weer terug te vinden, na zo'n tragedie. Je moet je relatie als het ware weer helemaal opnieuw opbouwen. En niemand van ons wordt ooit weer zoals we waren.' Hij vergat het gesprek en praatte tegen zichzelf, alsof Sejer er niet meer was. 'Alleen Sølvi is nog dezelfde. Het verbaast mij echt dat zij nog precies hetzelfde kan zijn na alles wat er gebeurd is. Ze is dan ook een geval apart. Maar we moeten onze kinderen nemen zoals we ze krijgen, nietwaar?'

'En... Annie?' vroeg Sejer voorzichtig.

'Ja, Annie', mompelde hij. 'Annie werd nooit meer helemaal de oude. Ik geloof dat ze zich realiseerde dat we allemaal een keer doodgaan. Ik kan me herinneren van toen ik zelf klein was, toen mijn moeder doodging, dat dát het ergste was. Niet dat ze dood en weg was. Maar dat ik ook dood zou gaan. En mijn vader en iedereen die ik kende.'

Zijn ogen waren glazig en Sejer luisterde met beide handen rustend op het bureau.

'We hebben meer te bespreken, Holland', zei hij uiteindelijk. 'Maar eerst moet ik u iets vertellen.'

'Ik weet niet of ik nog meer wil weten.'

'Ik kan het niet voor u verborgen houden. Dat staat mijn geweten niet toe.'

'Wat is er dan?'

'Kunt u zich herinneren of Annie ooit over pijn heeft geklaagd?'

'Nee. Afgezien van de tijd voordat ze verende hardloopschoenen kreeg. Toen had ze pijn in haar voeten.'

'Ik heb het over een mogelijke pijn in haar onderlichaam, om precies te zijn.'

Holland keek hem onzeker aan. 'Daar heb ik nooit iets over gehoord. Dat zou u aan Ada moeten vragen.'

'Ik vraag het aan u, omdat ik begrepen heb dat u haar het meest na stond.'

'Ja. Maar zulke vrouwendingen... Ik heb het nooit gehoord.'

'Ze had een tumor in haar onderlichaam', zei Sejer zacht.

'Een tumor? Bedoelt u een gezwel?'

'Een gezwel ongeveer zo groot als een ei. Kwaadaardig. Met uitzaaiingen naar de lever.'

Holland verstijfde volkomen. 'Nu vergissen ze zich toch', zei hij beslist. 'Niemand was zo gezond als Annie.'

'Ze had een kwaadaardig gezwel in haar onderlichaam', volhardde Sejer. 'En ze zou over niet al te lange tijd heel erg ziek zijn geworden. De kans dat die ziekte haar dood zou worden was vrij groot.'

'Zegt u dat ze sowieso zou zijn gestorven?' Hollands stem had een agressieve klank gekregen.

'Dat zegt het gerechtelijk laboratorium.'

'Dus ik moet eigenlijk blij zijn dat ze niet heeft hoeven te lijden?' Hij schreeuwde het in wilde razernij uit, een druppel spuug raakte Sejers voorhoofd. Holland verborg zijn gezicht in zijn handen. 'Nee, nee, zo bedoelde ik het niet,' zei hij gesmoord, 'maar ik snap niet wat er allemaal gebeurt. Dat er zo veel dingen zijn die ik niet gezien heb.'

'Het kan zijn dat ze het zelf nog niet had ontdekt, of ze heeft de pijn verdrongen en met opzet geen arts opgezocht. Het is niet geregistreerd in haar medisch dossier.'

'Daar zal wel niets in staan', zei Holland stilletjes. 'Ze mankeerde nooit wat. Ze is in de loop van de tijd een paar keer ingeënt, dat is alles.'

'Ik wil graag dat u iets voor ons doet', ging Sejer verder. 'Ik wil dat u met Ada gaat praten en haar vraagt om naar het politiebureau te komen. We hebben haar vingerafdrukken nodig.'

Holland glimlachte vermoeid en zakte achteruit in zijn stoel. Hij had al een tijd niet geslapen en niets stond meer helemaal stil. Het gezicht van de inspecteur flakkerde een beetje, net als het gordijn bij het raam, of misschien kwam dat door de tocht, dat wist hij niet zeker.

'Op de gesp van Annies riem zijn twee verschillende vingerafdrukken gevonden. De ene was van Annie. De andere kan van uw vrouw zijn. Ze heeft verteld dat ze 's morgens vaak kleren voor Annie klaarlegde en daarbij kan er een vingerafdruk op de gesp zijn gekomen. Als die afdruk niet van haar is, kan hij van de dader zijn. Hij heeft haar uitgekleed. Hij moet de gesp hebben aangeraakt.'

Eindelijk begreep Holland het.

'Vraag uw vrouw zo snel mogelijk hierheen te komen. Ze kan naar Skarre vragen.'

'Dat eczeem van u', zei Holland plotseling, naar Sejers hand knikkend. 'Ik heb gehoord dat as daar goed voor is.'

'As?'

'Je smeert as op de uitslag. As is het schoonste dat er bestaat. Het bevat zouten en mineralen.'

Sejer gaf hier geen antwoord op. Hollands gedachten maakten als het ware een U-bocht en verdwenen naar binnen. Sejer liet hem rustig nadenken. Het was zo stil in de kamer dat ze Annie konden horen.

Halvor at rookworst met gekookte kool aan het uitschuifblad in de keuken. Toen hij klaar was ruimde hij alles op en dekte hij zijn oma, die op de bank lag te doezelen, toe met een plaid. Hij ging zijn kamertje binnen, trok de gordijnen dicht en ging voor het beeldscherm zitten. Zo bracht hij het grootste deel van zijn vrije tijd door. Hij had al aardig wat van Annies favoriete muziek uitgeprobeerd en tikte titels en artiesten uit haar platenverzameling in. Daarna probeerde hij het met titels van films, een beetje weifelend, want het was niks voor Annie om zoiets te kiezen. De taak die hij zichzelf had opgelegd leek onbegonnen werk. Om nog maar te zwijgen van de mogelijkheid dat ze het wachtwoord nog eens veranderd kon hebben, zoals ze in het leger deden als het om militaire geheimen ging. Daar gebruikten ze codes die automatisch een paar keer per seconde veranderden. Dat had hij in een computerblad gelezen. Een wachtwoord dat constant veranderde was bijna onmogelijk te kraken. Hij probeerde zich te herinneren wanneer ze hun mappen hadden aangemaakt en beveiligd. Dat was een aantal maanden geleden, ergens in het najaar. Een gevoel van uitzichtloosheid besloop hem, wanneer hij aan alle combinaties dacht die je met alle cijfers en tekens en letters van het toetsenbord kon maken. Maar ze had vast niet zomaar iets gekozen. Ze had iets gebruikt wat indruk op haar had gemaakt, of wat bekend en geliefd was. Hij wist wel zo'n beetje wat Annie kende en waar ze van hield, daarom ging hij door. Tot hij zijn oma uit de kamer hoorde roepen dat ze klaar was met haar middagdutje. Dan pauzeerde hij even om koffie voor haar te zetten en een paar *lefser,* of wafels als ze die hadden, met boter te besmeren. Fatsoenshalve keek hij een poosje naar de televisie om haar gezelschap te houden. Maar zo snel hij kon schoot hij zijn kamertje weer in. Ze zei er niets van. Hij werkte tot middernacht door, dan liet hij zich in zijn bed vallen en deed het licht uit. Hij bleef altijd nog even liggen luisteren voordat de slaap kwam. Vaak kwam die helemaal niet en dan sloop hij naar zijn oma's kamer om stiekem een slaaptablet uit haar potje te pakken. Hij hoorde nooit meer voetstappen buiten. Terwijl hij wachtte tot hij in slaap viel, dacht hij aan Annie. Blauw was haar lievelingskleur. Haar favoriete chocolade was Dove met rozijnen. Hij sloeg een paar woorden op in zijn geheugen om ze later te gebruiken. Hij mocht het niet opgeven. Als hij het wachtwoord uiteindelijk had gevonden, zou hij er verbaasd van staan hoe vanzelfsprekend de code was die ze gekozen had en hij zou tegen zichzelf zeggen: dat had ik eerder moeten bedenken!

Buiten lag het erf zwart en stil. De ingang van het lege hondenhok gaapte als een open, tandeloze bek, maar was vanaf de weg niet te zien, en een dief zou kunnen denken dat er een hond in lag. Achter het hondenhok stond het schuurtje, met daarin een bescheiden voorraadje brandhout, zijn fiets, een oud zwart-wit televisietoestel en een grote stapel oude kranten. Hij vergat altijd wanneer het oud papier werd ingezameld en hij las ook geen huis-aanhuisblad. Helemaal achterin, achter een schuimrubbermatras, stond Annies schooltas.

*

Hij was naar het Bruvann gerend en weer terug. Een afstand van dertien kilometer. Probeerde de pijngrens te benaderen, in ieder geval op de terugweg. Elise schonk altijd een glas ijskoud mineraalwater voor hem in en stond daarmee klaar als hij uit de douche kwam. Vaak had hij alleen een handdoek om zijn middel. Nu wachtte er niemand. Behalve de hond, die verwachtingsvol zijn kop ophief toen hij de deur opende en de stoom naar buiten liet. Hij kleedde zich in de badkamer aan en pakte zelf een flesje, ontkurkte het tegen de rand van het aanrecht en zette het aan zijn mond. Toen het flesje halfleeg was, werd er aangebeld. Er werd niet vaak bij Sejer aangebeld, dus hij keek ervan op. Hij hief een waarschuwende vinger op naar de hond en liep naar de deur om open te doen. Buiten stond Skarre, bij de trapleuning en met één voet op de trap, alsof hij wilde aangeven dat hij snel de aftocht zou blazen als hij ongelegen kwam.

'Ik was in de buurt', verklaarde hij.

Hij zag er anders uit. Zijn krullen waren verdwenen, afgeknipt tot aan de hoofdhuid. Zijn haar had een donkerder kleur gekregen, waardoor hij er ouder uitzag. En nu bleek dat hij een beetje flaporen had.

'Leuke coupe', zei Sejer, naar zijn hoofd knikkend. 'Kom binnen.'

Kollberg kwam aangerend en misdroeg zich zoals gewoonlijk.

'Het lijkt heel wat', zei Sejer gelaten. 'Maar hij is heel lief.'

'Dat mag ook wel, met dat formaat. 't Is net een wolf, man.'

'Het is de bedoeling dat hij op een leeuw lijkt. Dat was tenminste de opzet van de man die de rassen kruiste en de eerste Leonberger maakte.' Sejer liep de kamer in. 'Hij kwam uit de stad Leonberg in Duitsland en had zich voorgenomen een stadsmascotte te maken.'

'Een leeuw?' Skarre bekeek het grote dier en begon te glimlachen. 'Nee, zoveel fantasie heb ik niet.' Hij trok zijn jasje uit en legde het op het telefoonkrukje. 'Heb je Holland vandaag alleen kunnen spreken?'

'Ja. Wat heb jij gedaan?'

'Ik heb Halvors oma opgezocht.'

'O?'

'Ik kreeg koffie en *lefser* voorgeschoteld, en de hele ellende van de ouderdom. Ik weet nu hoe het is om oud te worden.'

'En hoe is dat?'

'Een geleidelijk verval. Een sluipend, bijna onmerkbaar proces dat je alleen op plotselinge, schokkende momenten waarneemt.' Skarre zuchtte als een oude man en schudde bezorgd zijn hoofd. 'Het celdelingproces neemt af, daar gaat het om. Het gaat steeds trager, tot de cellen zich bijna helemaal niet meer vernieuwen en alles begint te krimpen. In feite is het het eerste stadium van het verrottingsproces en dat begint al als je ongeveer vijfentwintig bent.'

'Dat is me ook wat. Dan is het bij jou ook al begonnen. Je ziet er ook een beetje verfomfaaid uit, vind ik.'

Sejer liep voor hem uit naar de kamer.

'Het bloed blijft in de aderen stilstaan. Niets smaakt en ruikt zoals het hoort. Ondervoeding komt ook vaak voor. Niet vreemd dat we doodgaan als we oud worden.'

Sejer moest om deze uitspraak grinniken. Toen dacht hij aan zijn moeder in het verpleeghuis en hield op.

'Hoe oud is ze?'

'Drieëntachtig. En ik geloof dat het niet meer helemaal functioneert zoals het moet, daarboven.' Hij wees naar zijn kortgeknipte hoofd. 'Het zou beter zijn als we wat eerder doodgingen, vind ik. Zo vlak voor je zeventigste misschien.'

'Ik denk niet dat de zeventigjarigen dat met je eens zijn', zei Sejer kort. 'Wil je wat drinken?'

'Ja, graag.' Skarre haalde een hand over zijn hoofd, alsof hij wilde controleren of hij zijn nieuwe coupe alleen maar gedroomd had. 'Wat heb jij veel muziek, Konrad.' Hij gluurde naar de plank bij de stereo-installatie. 'Heb je ze wel eens geteld?'

'Ongeveer vijfhonderd', riep hij uit de keuken.

Skarre sprong op uit de stoel om de titels te lezen. Zoals meer mensen had hij het idee dat iemands muziekkeuze veel zei over het innerlijk van die persoon.

'Laila Dalseth. Etta James. Billy Holiday. Edith Piaf.

Nou ja zeg!' Hij keek verbluft en glimlachte verrast. 'Je hebt hier alleen maar vrouwen', riep hij uit.

'O ja, is dat zo?' Sejer schonk mineraalwater in.

'Alleen vrouwen, Konrad! Eartha Kitt. Lill Lindfors. Monica Zetterlund, wie is dat?'

'Een van de besten. Maar dat kun jij niet weten, daar ben je te jong voor.'

Skarre ging weer zitten, nam een slok en droogde de onderkant van het glas aan zijn broekspijp af. 'Wat kon Holland je vertellen?'

Sejer pakte zijn tabak onder een krant vandaan en maakte het pakje open. Hij trok er een vloeitje uit en begon te rollen.

'Annie wist dat Jensvoll in de gevangenis heeft gezeten. Misschien wist ze ook waarom.'

'Ga door!'

'En een van de kinderen waar ze vrij vaak op paste, is op een ongelukkige manier overleden.'

Skarre zocht zijn sigaretten.

'Dat gebeurde in november, ongeveer op dezelfde tijd dat de moeilijkheden begonnen. Annie wilde er niet meer heen. Ze wilde geen bloemen brengen, ze wilde niet naar de begrafenis en ze heeft daarna niet meer opgepast. Dat was volgens Holland niet zo raar, want ze was nog maar veertien en dan ben je nog niet oud genoeg om met de dood te kunnen omgaan.' Terwijl hij praatte lette hij op Skarres gezicht en zag hij dat zijn blik een en al aandacht was. 'Daarna stopte ze met handballen, maakte het tijdelijk uit met Halvor en trok zich in zichzelf terug. Het gebeurde dus in deze volgorde: het kind stierf, Annie trok zich terug uit de wereld om haar heen.'

Skarre kreeg een vuurtje en keek naar Sejer die aan zijn shagje likte.

'Dat sterfgeval was duidelijk een tragisch ongeval, het kind was nog maar twee jaar oud en ik begrijp goed dat zo'n ervaring een tiener aangrijpt. Ze kende het kind goed. En ze kende zijn ouders. Maar...' Hij stopte om zijn shagje aan te steken.

'Dus dan hebben we de verklaring voor haar verandering?'

'Misschien. Bovendien had ze kanker. Hoewel ze dat zelf misschien nog niet wist, kan het haar veranderd hebben. Maar ik had eigenlijk gehoopt iets anders te vinden. Iets bruikbaars.'

'En Jensvoll?'

'Ik kan eigenlijk maar moeilijk geloven dat iemand een moord begaat om er zeker van te zijn dat een verkrachting die elf jaar geleden is gebeurd verzwegen wordt. Waar hij bovendien al voor gezeten heeft. Tenzij hij het nog een keer geprobeerd heeft. En dat dat fout afliep.'

'Nou ja!' riep Skarre verbaasd uit. 'Je rookt.'

'Eentje maar, 's avonds. Heb je zo tijd om een eindje te gaan rijden?'

'Zeker. Waar gaan we heen?'

'Naar de kerk van Lundeby.' Hij nam een stevige trek van de sigaret en hield de rook lang binnen.

'Waarom?'

'Tja, ik weet het niet. Ik snuffel graag rond, dat is alles.'

'Misschien kun je in de frisse lucht beter nadenken?'

Hij krabde wat kaarsvet van het blankhouten tafeltje. 'Ik ben altijd van mening geweest dat de omgeving je gedachten beïnvloedt. Dat je meer voelt als je op de plek zelf bent. Als je een soort gevoeligheid binnen in je hebt, een gevoel voor dingen. Voor de Taal der Dingen.'

'Fascinerend', zei Skarre. 'Durf je daar op het bureau niet hardop over te praten?'

'Het is een soort stilzwijgende afspraak dat we dat niet doen. De officier van justitie is niet geïnteresseerd in mijn gevoelens. Maar hij weet natuurlijk wel dat ze er zijn. Hij houdt er rekening mee, maar dat geeft hij nooit toe. Ook een stilzwijgende afspraak.' Hij blies aandachtig de rook uit en keek op. 'Wat had Halvors oma nog meer te bieden? Afgezien van *lefser* en een voordracht over het verval?'

'Ze heeft me veel over Halvors vader verteld. Hoe ontzettend lief hij was toen hij klein was. En dat hij eigenlijk alleen maar ongelukkig was.'

'Dat geloof ik graag. Aangezien hij in staat was om zijn eigen kinderen in elkaar te slaan.'

'En ze zegt dat Halvor zich in zijn kamertje heeft verschanst. Schijnt de hele avond achter zijn computer te zitten, vaak tot diep in de nacht.'

'Wat zit hij te doen, denk je?'

'Geen idee. Misschien schrijft hij een dagboek.'

'Dat zou ik dan graag eens lezen.'

'Laat je hem nog een keer komen?'

'Natuurlijk.'

Ze dronken hun glas leeg en stonden op. Op weg naar buiten viel Skarres oog op de foto van Elise, met de stralende glimlach.

'Je vrouw?' vroeg hij voorzichtig.

'De laatste die genomen is.'

'Ze lijkt een beetje op Grace Kelly', zei hij. 'Hoe kon een kniesoor als jij zo'n schoonheid veroveren?'

Sejer was zo afgebluft door die grenzeloze brutaliteit dat hij begon te stamelen. 'Ik was geen kniesoor', zei hij tam.

De auto reed langzaam over de onverharde weg naar de kerk van Lundeby, die nu met schijnwerpers was verlicht en heel stil in het roze licht stond, met een vanzelfsprekendheid alsof hij daar altijd had gestaan. In werkelijkheid was hij nog maar honderd vijftig jaar oud. Ze drukten de portieren voorzichtig dicht, bleven even bij de auto staan luisteren. Skarre keek om zich heen, liep een paar passen in de richting van de kapel en stevende af op de rij graven aan de voorkant. Tien witte stenen, perfect in het gelid opgesteld.

'Wat is dit?'

Ze bleven staan en lazen de opschriften.

'Oorlogsgraven', zei Sejer zacht. 'Engelse en Canadese soldaten. Door de Duitsers hier in het bos neergeschoten. De kinderen leggen hier ieder jaar op zeventien mei bosanemoontjes neer. Dat heeft Ingrid, mijn dochter, me verteld.'

'*"Pilot Officer, Royal Air Force, A.F. Le Maistre of Canada. Age 26. God gave and God has taken"*. Een lange reis voor zo'n kortstondige heldendaad.'

'Mm.' Skarre keek op. 'Hier kom ik, helemaal uit Canada, in mijn nieuwe uniform, om voor jullie te vechten, aan de goede kant. En dan is het uit. Alleen nog vuur en dood.'

Sejer keek hem een beetje verbaasd aan en begon in de richting van de kerk te slenteren. Annie was aan de rand van het kerkhof gelegd, tegen een grote gerstakker aan. De bloemen hadden hun versheid verloren en begonnen op afval te lijken. Ze bleven in gedachten verzonken staan. Daarna wandelden ze een beetje rond, ondertussen de andere stenen lezend. Twee rijen van Annie verwijderd vond Sejer waar hij naar zocht. Een kleine steen, met een ronde top en een krullerig schrift. Skarre bukte zich om te lezen.

'Onze geliefde Eskil?'

Sejer knikte en keek hem aan. 'Eskil Johnas. Geboren vier augustus tweeënnegentig, gestorven zeven november vierennegentig.'

'Johnas? De tapijthandelaar?'

'De zoon van de tapijthandelaar. Bij het ontbijt bleef er iets in zijn keel steken, waardoor hij stikte. Na zijn overlijden is het huwelijk gestrand. Niet zo vreemd misschien, dat schijnt wel vaker voor te komen. Johnas heeft nog een oudere zoon, die bij zijn moeder woont.'

'Er hingen foto's van de jongens aan de muur', zei Skarre en stak zijn handen in zijn zakken. 'Waar dient dat gaatje bovenin voor?'

'Iemand zal wel iets gepikt hebben. Daar heeft waarschijnlijk een vogeltje of een engeltje gezeten, zoals je wel vaker op grafstenen van kleine kinderen ziet.'

'Gek dat ze dat niet vervangen hebben. Een beetje een miezerig graf, vind ik. Het lijkt wel alsof het niet onderhouden wordt. Ik dacht dat alleen oude mensen op die manier werden vergeten.'

Ze draaiden zich om en keken uit over de landerijen die het kerkhof aan alle kanten omringden. De lichten van de nabij gelegen pastorie fonkelden vroom in de blauwe schemering.

'Het is misschien niet zo makkelijk om hiernaartoe te komen. Zijn moeder is naar Oslo verhuisd en moet een lange reis maken.'

'Voor Johnas is het maar twee minuten.' Skarre keek de andere kant op, naar de kleine woonwijk, de huizen lagen fonkelend aan de voet van de Koll.

'Hij kan de kerk vanuit zijn woonkamer zien', zei Sejer. 'Dat herinner ik me van toen we bij hem waren. Misschien vindt hij dat genoeg.'

'Hij heeft zijn welpjes nu.'

Sejer gaf geen antwoord.

'En wat doen we nu?'

'Ik weet het niet precies. Maar dit kleine jongetje is gestorven,' hij keek weer naar het graf en fronste zijn voorhoofd, 'en Annie leek daarna een ander mens. Waarom zou ze het zo zwaar hebben opgenomen? Ze was een sterke meid, en heel doortastend. Is het niet zo dat alle gezonde, normale mensen over zoiets heen komen? Zijn we niet zo gemaakt dat we de dood accepteren en verder leven, in ieder geval na een tijdje?' Ineens drong het tot hem door wat hij zei en hij deed abrupt zijn mond dicht. Een beetje verward knielde hij neer en bestudeerde nogmaals het bijna naakte graf, terwijl hij doelloos met zijn handen door de weinige bladeren woelde.

'Dat ze dus toch zo reageerde, niettegenstaande ze zo sterk was, wat zou dat betekenen?'

'Nee, dat weet ik niet. Ik weet niet goed wat ik hiervan moet denken.'

'Hoe kan iemand zo diep zinken dat hij iets van een graf steelt?' vroeg Skarre.

'Dat jij dat niet kunt begrijpen,' zei Sejer, terwijl hij opstond, 'lijkt me een goed teken.'

Ze liepen terug naar de auto.

'Geloof jij in God?' vroeg Skarre plotseling.

Sejers mond verstrakte in een komisch pruimenmondje. 'Tja, nee, ik geloof niet in God. Ik geloof eerder in... een soort kracht', zei hij hakkelend.

Skarre glimlachte. 'Dat heb ik eerder gehoord. Die *kracht* is als het ware meer geaccepteerd. Grappig hoe moeilijk mensen het vinden om er een naam aan te geven. Maar het woord God is natuurlijk enorm belast. En waar voert die kracht ons volgens jou heen?'

'Ik zei kracht', was Sejers commentaar. 'Niet wil.'

'Dus jij gelooft in een willoze kracht?'

'Ook dat zei ik niet. Ik noem het alleen een kracht en in hoeverre die door een wil wordt gestuurd of niet, is een open vraag.'

'Maar een willoze kracht, dat is nogal ontmoedigend, vind je niet?'

'Jij geeft het ook niet op! Probeer je nu op een stuntelige manier voor je geloof uit te komen?'

'Ja', zei Skarre eenvoudig.

'O jee. Dat wist ik niet.' Hij dacht even over deze onverwachte informatie na en mompelde uiteindelijk: 'Ik heb dat geloven nooit begrepen.'

'Hoezo?'
'Ik begrijp niet helemaal wat het inhoudt.'
'Het gaat er alleen maar om dat je een standpunt inneemt. Je kiest een standpunt ten opzichte van het leven, waar je op den duur profijt van hebt en vreugde aan beleeft. Het geeft je een oorsprong en een zin aan het leven en de dood die voldoening geeft, hoe raar dat ook mag klinken.'
'Een standpunt innemen? Ben jij niet bekeerd?'
Skarre opende zijn mond en liet een schaterende lach naar buiten, die een beeld opriep van de zuidkust en rotseilanden en zeewater.
'De mensen willen het allemaal altijd zo moeilijk maken. Eigenlijk is het hartstikke eenvoudig. Je moet niet alles willen begrijpen. Je moet in de allereerste plaats voelen. Het begrijpen komt later.'
'Dat gaat me te ver', zei Sejer.
'Ik weet wel waar je op doelt', grijnsde Skarre. 'Jij gelooft niet in God, maar de Hemelpoort zie je duidelijk voor je. En net zoals de meeste mensen hoop jij dat Petrus straks boven zijn boek zit te pitten, zodat je op een onbewaakt ogenblik toch naar binnen kunt glippen.'
Sejer grinnikte hartelijk uit de grond van zijn hart en deed iets wat hij nooit voor mogelijk had gehouden. Hij sloeg een arm om Skarre heen en gaf hem een schouderklopje.
Ze waren bij de auto aangekomen. Sejer pakte een broos beukenblad van de voorruit.
'Ik zou een nieuw vogeltje hebben gekocht', zei Skarre. 'En het stevig op de steen hebben vastgemetseld. Als het mijn kind was geweest.'
Sejer startte de oude Peugeot en liet hem een poosje in de stilte brommen.
'Ik ook.'

Halvor zat voor zijn computer. Hij had niet gedacht dat het gemakkelijk zou worden, want zijn leven was nooit makkelijk geweest. Het kon wel maanden duren, maar dat schrok hem niet af. In gedachten nam hij alles door waarvan hij wist dat ze het gelezen had of ernaar geluisterd had, hij koos hier en daar een titel, een naam uit een boek, of vaste woorden of uitdrukkingen die een deel van haar vocabulaire waren geweest. Vaak zat hij alleen maar naar het scherm te staren. Hij gaf niet meer om andere dingen, niet om televisie, of de cd-speler. Hij zat in zijn eentje in de stilte en leefde het merendeel van de tijd in het verleden. Het geheime woord te moeten vinden was een excuus geworden om in het verleden te blijven, om niet vooruit te hoeven kijken. De toekomst had hem niets te bieden. Alleen eenzaamheid.

Wat hij met Annie had gehad was natuurlijk veel te goed om te blijven voortduren, dat had hij moeten snappen. Hij had zich vaak afgevraagd hoe het verder moest gaan en waar het zou eindigen.

Oma zei niets, maar dacht er toch het hare van, dat hij bijvoorbeeld iets nuttigers zou moeten doen, zoals het grasveldje achter het huis maaien, het erf aanharken en het schuurtje misschien een beetje opruimen. Dat soort dingen hoorde je nu eenmaal te doen in het voorjaar. Het vuil van de winter wegdoen. Bovendien moest het bloembed voor het huis nodig gewied worden, ze was zelf buiten geweest en had gezien hoe slecht de tulpen gedijden, volkomen overwoekerd door paardebloemen en onkruid. Steeds als ze daar iets van zei, knikte hij afwezig en ging door met datgene waar hij mee bezig was. Ten slotte gaf ze het op, denkende dat het toch wel heel erg belangrijk moest zijn, wat hij aan het doen was. Met veel moeite slaagde ze erin een paar sportschoenen aan te snoeren, daarna hinkte ze met een kruk onder haar arm naar buiten. Ze was niet vaak buiten op het erf. Alleen als ze een van haar zeldzame goede dagen had kon ze helemaal naar de winkel lopen. Ze steunde zwaar op de kruk en mijmerde een beetje over het verval. Dat gebeurde blijkbaar niet alleen maar binnenin haar. Alles kwam haar zo grijs en flets voor, de huizen, de boerderijen, of misschien lieten haar ogen haar in de steek. Of was het een combinatie van alles. Ze strompelde het erf over en deed de deur van het schuurtje open. Wilde daar eens een kijkje nemen. Misschien waren de oude tuinmeubelen nog bruikbaar, ze konden in ieder geval voor de sier voor het huis staan. Dat zag er gezellig uit. Andere mensen hadden hun tuinmeubelen allang buiten gezet. Ze tastte naar het lichtknopje aan de muur en stak het licht aan.

*

Astrid Johnas had een wolwinkel in het westen van Oslo.

Ze zat achter een breimachine aan iets zachts en angora-achtigs te werken, iets voor een baby misschien. Hij liep de zaak door en schraapte voorzichtig zijn keel, bleef achter haar staan en bewonderde het werk met een ietwat onbeholpen gezichtsuitdrukking.

'Ik maak een dekentje', glimlachte ze. 'Voor in een kinderwagen. Dat soort dingen maak ik op bestelling.'

Hij keek haar aan, eerst een beetje verbaasd. Ze was een stuk ouder dan de man met wie ze getrouwd was geweest. Maar in de allereerste plaats was ze zeldzaam mooi, en die schoonheid ontnam hem een ogenblik de adem. Niet de milde, beheerste schoonheid die Elise had gehad, maar een overrompelende, donkere schoonheid. Tegen zijn wil bleven zijn ogen bij haar mond dralen. Toen pas rook hij haar geur, misschien omdat ze een beweging maakte. Ze rook naar een snoepwinkel, vaag naar vanille.

'Konrad Sejer', zei hij. 'Politie.'

'Dat dacht ik al.' Ze glimlachte. 'Ik heb me wel eens afgevraagd waarom dat er altijd zo dik bovenop ligt, ook al zijn jullie in burger.'

Hij bloosde niet, maar vroeg zich af of hij zich misschien een bepaalde manier van lopen had aangewend, of een manier van kleden, gedurende al die jaren bij de politie, of dat zij heel eenvoudig een scherpere blik had dan de meeste mensen.

Ze stond op en deed de werklamp uit. 'Komt u maar mee naar achteren. Ik heb een kantoortje waar ik eet en zo.'

Ze had een zeer vrouwelijke manier van lopen.

'Wat is het toch verschrikkelijk, dat met Annie, ik moet er steeds aan denken. En ik heb zo'n slecht geweten omdat ik niet naar de begrafenis ben geweest, maar ik kon het gewoonweg niet. Ik heb bloemen gestuurd.'

Ze wees naar een lege stoel.

Hij staarde haar aan en langzaam vervulde hem een bijna vergeten gevoel. Hij was helemaal alleen met een mooie vrouw en er waren geen anderen in de kamer achter wie hij zich kon verschuilen. Ze glimlachte naar hem, alsof die gedachte plotseling ook bij haar opkwam. Maar zij raakte niet van haar stuk. Ze was altijd mooi geweest.

'Ik kende Annie goed', zei ze. 'Ze kwam vaak bij ons om op Eskil te passen. We hadden een zoon,' verklaarde ze, 'die vorig jaar is overleden. Hij heette Eskil.'

'Dat weet ik.'

'U heeft Henning natuurlijk gesproken. Later zijn we helaas het contact met haar verloren, ze kwam niet meer langs. Het arme kind, ik had zo'n medelijden met haar. Want ze was nog maar veertien jaar en dan weet je niet zo goed wat je moet zeggen.'

Sejer knikte en frunnikte aan de knopen van zijn jas. Het werd plotseling erg warm in het kleine kantoortje.

'Heeft u enig idee wie het gedaan heeft?' vroeg ze toen.

'Nee', zei hij eerlijk. 'Voorlopig verzamelen we alleen

informatie. Daarna zullen we bezien of we kunnen overgaan tot wat we de tactische fase noemen.'

'Ik ben bang dat ik niet veel kan helpen.' Ze keek naar haar handen. 'Ik kende haar goed, een leuk meisje, flinker en aardiger dan de meeste meisjes van die leeftijd. Ze was geen aanstelster. Trainde hard om in vorm te blijven en deed het goed op school. Mooi was ze ook. Ze had een vriendje, een jongen die Halvor heette. Maar dat was nu misschien uit?'

'Nee', zei hij zacht.

Er ontstond een pauze. Hij wachtte om te zien of zij de stilte zou vullen.

'Wat wilt u weten?' vroeg ze uiteindelijk.

Hij zweeg nog steeds en keek haar aan. Ze was knap en slank, met donkere ogen. Alle kleding die ze droeg was gebreid, één grote reclame voor haar branche. Een mooi pakje met een strakke rok en een getailleerd jasje, donkerrood met groene en mosterdkleurige boordsels. Zwarte lage schoenen. Eenvoudig steil haar. Lippenstift in dezelfde kleur als haar kleding. Bronzen pijlpunten in haar oren, die gedeeltelijk schuilgingen onder haar donkere haar. Ietsje jonger dan hijzelf, met de eerste fijne lijntjes bij haar ogen en haar mond, en heel duidelijk een stuk ouder dan de man met wie ze getrouwd was geweest. Eskil moest aan het einde van haar jeugd zijn gekomen.

'Ik wilde gewoon met u praten', zei hij voorzichtig. 'Ik was niet op iets speciaals uit. Dus ze kwam bij u om op Eskil te passen?'

'Meerdere keren per week', zei ze stil. 'Verder wilde niemand op Eskil passen, hij was niet makkelijk in de omgang. De anderen gaven de voorkeur aan andere kinderen. Maar dat zult u al wel gehoord hebben.'

'Nou ja, het is genoemd', loog hij.

'Hij was ontzettend druk, bijna op de grens van het abnormale. Hyperactief schijnt dat te heten. U weet wel, alsmaar hollen en rennen, geen moment rust.' Ze lachte een hulpeloos lachje. 'Het is niet gemakkelijk om dit toe te geven, ik hoop dat u dat begrijpt. Maar hij was gewoon een heel moeilijk kind. Annie was zo ongeveer de enige die hem redelijk in de hand kon houden.' Ze stopte en dacht even na. 'En ze kwam vrij vaak. Henning en ik waren vaak op van vermoeidheid, en dan was het een zegen als zij glimlachend voor de deur stond en iets met hem wilde gaan doen. Hij zat in de buggy en we gaven meestal geld mee, zodat ze naar het centrum konden om iets te kopen. Snoep en ijs en zo. Daar waren ze gewoonlijk een uur of twee mee zoet, ik geloof dat ze met opzet treuzelde. Soms namen ze de bus naar de stad en waren ze de hele dag weg. Maakten een ritje met het treintje op de markt. Ik draaide toen nachtdiensten in het verpleeghuis en moest overdag vaak slapen, dus het was een welkome afwisseling. We hebben weliswaar nog een zoon, Magne, maar hij was eigenlijk te groot om met de kinderwagen rond te rijden. Hij had er in ieder geval geen zin in. Dus dat hoefde hij niet, zoals zo vaak met jongens.'

Ze glimlachte weer en ging eens verzitten. Iedere keer als ze bewoog, rook hij een vleug vanille in de kamer. Ze hield voortdurend de deur in de gaten, maar er kwam niemand. Over haar zoon te praten leek haar onrustig te maken. Haar blik was overal, behalve op Sejers gezicht, schoot als een vogel die in een veel te kleine ruimte was opgesloten over de rekken met garen, naar de tafel, de winkel in.

'Hoe oud was Eskil toen hij stierf?' vroeg Sejer.

'Zevenentwintig maanden', fluisterde ze.

Op dat moment maakte ze een abrupte beweging met haar hoofd.

'Is het gebeurd terwijl Annie op hem paste?'

Ze keek op. 'God zij dank niet. Gelukkig niet, had ik bijna gezegd, dat zou afschuwelijk zijn geweest. Zonder die verantwoordelijkheid was het al erg genoeg voor die arme Annie.'

Weer een stilte. Hij ademde zo voorzichtig mogelijk en zette zich weer schrap.

'Maar... wat voor ongeluk was het eigenlijk?'

'Ik dacht dat u met Henning had gesproken?' vroeg ze verbaasd.

'Dat heb ik ook', loog hij. 'Maar niet erg gedetailleerd.'

'Hij heeft eten in zijn luchtpijp gekregen', zei ze zacht. 'Ik lag boven in bed. Henning stond zich in de badkamer te scheren en heeft niets gehoord. Maar hij zal ook wel niet geschreeuwd hebben, want hij had dat eten in zijn keel. Hij zat met een tuigje vast in zijn stoel', fluisterde ze. 'Zo eentje dat kinderen op die leeftijd hebben en dat eigenlijk bescherming moet bieden. Hij zat aan zijn ontbijt.'

'Ik ken die stoelen, ik heb een kind en een kleinkind', zei hij snel.

Ze slikte en ging verder. 'Henning vond hem hangend in het tuigje, zijn gezicht was helemaal blauw. Het duurde meer dan twintig minuten voordat de ambulance er was en toen ze eindelijk kwamen was er geen hoop meer.'

'Kwamen ze van het Centraal Ziekenhuis?'

'Ja.'

Sejer keek de winkel in en zag een mevrouw voor de etalage staan. Ze bewonderde een vest dat mevrouw Johnas had uitgestald.

'Dus het gebeurde 's morgens?'

''s Morgens vroeg', fluisterde ze. 'Op zeven november.'

'En u lag de hele tijd te slapen, was het zo?'

Plotseling keek ze hem aan, heel direct. 'Ik dacht dat u over Annie kwam praten?'

'Het zou fijn zijn als u iets over Annie vertelt', zei hij snel. Tegelijkertijd voelde hij een steek in zijn hartstreek.

Maar nu zei ze niets meer. Ze richtte zich plotseling op en sloeg haar armen over elkaar.

‘Ik ga ervan uit dat u met iedereen heeft gesproken die aan de Kristalweg woont?’

‘Inderdaad.’

‘Dan weet u dit toch allemaal al?’

‘Ja, dat is wel zo. Maar ik ben met name geïnteresseerd in Annies reactie op het ongeluk’, zei hij eerlijk. ‘Dat ze zo heftig reageerde.’

‘Is dat zo vreemd?’ vroeg ze snel, haar stem was een fractie scherper geworden. ‘Als een kind van twee op die manier overlijdt. Een kind dat ze zo goed kende. Ze waren erg aan elkaar gehecht en Annie was er trots op dat zij de enige was die hem echt aankon.’

‘Nee, dat is misschien niet zo vreemd. Ik probeer er alleen maar achter te komen wie ze was. *Hoe* ze was.’

‘En dat heb ik u verteld. Ik wil niet lastig zijn, maar het is niet makkelijk om hierover te praten.’ Ze keek hem weer met haar ronde ogen aan. ‘Maar... jullie zoeken toch zeker naar een verkrachter?’

‘Ik weet het niet.’

‘Niet? O, dat was het eerste waar ik aan dacht. Aangezien er stond dat ze zonder kleren was gevonden. Weet u, als je de kranten leest, gaat het immers bijna altijd om seks.’ Nu bloosde ze en plukte aan haar vingers. ‘Wat zou het dan moeten zijn?’

‘Dat is nu juist de vraag. Wij begrijpen het niet. Voor zover wij weten had ze geen vijanden. Maar je kunt je inderdaad afvragen, als het niet om seks ging, waar ging het dan om?’

‘Er zit waarschijnlijk niet veel logica in de hoofden van zulke lui. Van idioten, bedoel ik. Die denken immers niet zoals anderen.’

‘Wij weten niet hoe gek hij is. We kunnen alleen het motief nog niet zien. Hoe lang bent u met Henning Johnas getrouwd geweest?’

Ze keek hem verbaasd aan. ‘Vijftien jaar. Ik was zwanger van Magne toen we trouwden. Henning... hij is een stuk jonger dan ik', zei ze snel, alsof ze iets wilde bevestigen waarvan ze dacht dat hij zich daarover verwonderd had. 'Eigenlijk was Eskil het resultaat van nogal lange discussies, maar we waren het absoluut eens, echt waar.'

'Een soort nakomertje?'

'Ja.' Ze staarde naar het plafond, alsof daar iets hing dat haar aandacht trok.

'Dus de oudste is nu bijna zeventien?'

Ze knikte.

'Heeft hij contact met zijn vader?'

Ze keek hem onthutst aan. 'Ja, natuurlijk! Hij gaat vaak naar Lundeby om oude vrienden op te zoeken. Maar het is niet altijd even gemakkelijk voor ons. Na alles wat er is gebeurd.'

Hij knikte begrijpend. 'Gaat u vaak naar het graf van Eskil?'

'Nee', bekende ze. 'Maar Henning verzorgt het en houdt het bij. Dat is een beetje lastig voor mij. Zolang ik weet dat het verzorgd wordt, is het te verdragen.'

Hij dacht aan het verwaarloosde graf en gaf geen antwoord. Plotseling ging de winkeldeur open en een zeer jonge man kwam de winkel binnen. Mevrouw Johnas keek op.

'Magne! Ik zit hier!'

Sejer draaide zich om en bekeek haar zoon. Hij leek erg op zijn vader, maar had al zijn haar nog en veel meer spieren. Hij knikte afwachtend en bleef in de deur staan, had duidelijk geen zin om te praten. Zijn gezicht was nors en afwijzend en paste bij het zwarte haar en de enorme spieren in zijn bovenarmen.

'Ik moet weer verder, mevrouw Johnas', zei Sejer en stond op. 'En u moet het me niet kwalijk nemen als ik nog eens terugkom, maar dat kan noodzakelijk zijn.'

Hij knikte naar beiden, passeerde de zoon in de open

deur. Mevrouw Johnas staarde hem na en keek haar zoon toen met een gekwelde uitdrukking aan.

'Hij onderzoekt de moord op Annie', fluisterde ze. 'Maar hij wilde alleen maar over Eskil praten.'

Hij bleef even voor de winkel staan. Naast de voordeur stond een motor geparkeerd, misschien eigendom van Magne Johnas. Een grote Kawasaki. Tegen de motor, met haar achterwerk tegen de zitting, stond een jonge vrouw. Ze zag hem niet, ze werd volledig in beslag genomen door haar nagels. Misschien had ze er eentje gescheurd en probeerde ze die nu te redden door er met een andere nagel overheen te schrapen. Ze droeg een kort, rood leren jasje met veel beslag en ze had een wolk blond haar, die hem deed denken aan het engelenhaar dat vroeger, toen hij klein was, bij hen thuis in de kerstboom hing. Plotseling keek ze op. Hij glimlachte en trok zijn jasje dicht.

'Dag, Sølvi', zei hij en stak de straat over.

Onderweg, terwijl hij rustig over de snelweg terugreed, ordende hij zijn gedachten. Eskil Johnas. Een moeilijk kind, waar alleen Annie op wilde passen. Dat plotseling stierf, helemaal alleen, vastgebonden in een stoel, zonder dat iemand hem kon helpen. Hij dacht aan zijn eigen kleinkind en gruwelde, terwijl hij koers zette naar het huis van Halvor.

Halvor Muntz stond in de keuken, waar hij de spaghetti die hij zojuist had gekookt met koud water afspoelde. Hij vergat steeds te eten. Daar werd hij duizelig en suf van, en zijn hoofd was zwaar en traag van het slaaptablet dat hij de nacht tevoren had genomen. Er zat flink wat druk op de waterleiding, daardoor hoorde hij niet dat er een auto voor het huis stopte. Maar even later hoorde hij zijn oma met de deur slaan. Ze mompelde iets en schuifelde de kamer binnen, op Nike-sportschoenen met zwarte strepen. Het zag er grappig uit. Op het aanrecht stonden een schaal geraspte kaas en een fles ketchup. Het schoot hem ineens te binnen dat hij vergeten was de spaghetti te zouten. Oma kreunde in de kamer.

'Kijk eens wat ik in de schuur gevonden heb, Halvor!'

Er klonk een dreun toen er iets op de vloer viel. Hij keek naar binnen.

'Een oude schooltas', zei ze. 'Met boeken erin. Het is leuk om oude schoolboeken te bekijken, ik wist niet dat je ze bewaard had.'

Halvor deed een paar stappen en bleef toen ineens staan. Aan de gesp van de rugzak hing een flesopener met colareclame.

'Die is van Annie', fluisterde hij.

Blauwe inkt uit een vulpen was door het leer gelekt en had onderin het ritszakje vlekken gemaakt.

'Heeft ze die hier vergeten?'

'Ja', zei hij snel. 'Ik zal hem zolang op mijn kamer zetten en naar Eddie brengen.'

Oma keek hem aan, er verscheen een angstige uitdrukking op haar gerimpelde gezicht. Plotseling dook er een bekende figuur op uit de schemerige gang. Halvor voelde zijn hart overslaan, hij verstijfde, stond vastgenageld aan de vloer, met de tas bungelend aan een van de schouderbanden.

'Halvor', zei Sejer. 'Je moet met me meekomen.'

Halvor stond te zwaaien op zijn benen en moest een stap opzij doen om niet te vallen.

Het plafond leek langzaam omlaag te komen en het zou niet lang meer duren voor hij tegen de vloer werd platgedrukt.

'Dan kunnen jullie Annies tas onderweg afgeven', zei oma nerveus, almaar draaiend aan haar veel te grote trouwring. Halvor gaf geen antwoord. De kamer begon om hem heen te golven en het zweet sprong tevoorschijn, terwijl hij met de tas in zijn hand stond te schudden. Die was helemaal niet zwaar, want Annie had hem leeggehaald. Het enige wat erin zat waren *De harten van mensen,* de biografie van Sigrid Undset, *Kristin Lavransdochter* en een schrift. En haar portemonnee met een foto van hemzelf, van vorige zomer, toen hij best mooi bruin was geworden en zijn haar bijna wit was. Niet zoals nu. Met bezweet voorhoofd en spierwit van angst.

De stemming was bedrukt. Gewoonlijk ging hij doortastend te werk, had hij geen moeite met improviseren. Nu voelde hij zich overrompeld.

'Je begrijpt dat dit noodzakelijk was?' begon hij.

'Ja.'

Halvor tilde zijn ene voet op en bestudeerde zijn schoen, de rafelige veter en de zool die losliet.

'Annies schooltas is bij jou thuis in de schuur gevonden. Daarmee bestaat er een direct verband tussen jou en de moord. Begrijp je wat ik zeg?'

'Ja. Maar u vergist zich.'

'Als Annies vriendje hielden we je natuurlijk in de gaten. Het probleem was alleen dat we je niet in staat van beschuldiging konden stellen. Maar nu heeft je oma het werk voor ons gedaan. Daar had je vast niet op gerekend, Halvor, aangezien zij zo slecht ter been is. Plotseling wilde ze de schuur opruimen. Wie had dat gedacht?'

'Ik weet echt niet waar hij vandaan komt! Ze heeft hem in het schuurtje gevonden, dat is alles wat ik weet.'

'Verstopt achter een schuimrubbermatras?'

Halvors gezicht was streperig en bleker dan ooit. Zo nu en dan trok het in de strakke mondhoek, alsof die zich eindelijk, na lange tijd, wilde losrukken.

'Iemand probeert mij de schuld in de schoenen te schuiven.'

'Wat bedoel je?'

'Dat iemand hem daar heeft neergezet. Ik heb op een avond iemand voor het raam horen rondscharrelen.'

Sejer glimlachte triest.

'Ja, lacht u maar', ging Halvor verder. 'Maar het is echt zo. Iemand heeft hem daar neergezet, iemand die mij de schuld wil geven. Die weet dat wij verkering hadden. En dat betekent dat het iemand is die haar kende, nietwaar?' Hij keek de inspecteur koppig aan.

'Ik heb al die tijd al gedacht dat het iemand was die haar kende', zei Sejer. 'Ik geloof dat hij haar heel goed kende. Misschien zo goed als jij?'

'Ik heb het niet gedaan! Hoort u? Ik heb het niet gedaan!' Hij veegde zijn voorhoofd af en probeerde te kalmeren.

'Denk je dat er iemand is, die we nog niet gesproken hebben?'

'Dat weet ik toch niet!'

'Een nieuw vriendje, misschien?'

'Dat had ze niet.'

'Hoe weet je dat zo zeker?'

'Dat zou ze me verteld hebben.'

'Denk jij dat meisjes het je meteen vertellen als hun gevoelens een andere weg inslaan? Hoeveel meisjes heb je gehad, Halvor?'

'Ze zou het me verteld hebben. U kent Annie niet.'

'Dat is zo. En ik begrijp dat ze anders was. Maar sommige dingen zal ze toch wel gemeen hebben met andere meisjes? Sommige dingen, Halvor?'

'Ik ken geen andere meisjes.' Hij kromp ineen op zijn stoel. Stak een vinger tussen de gummizool en het canvas van de schoen en begon te wrikken. 'Zoek liever naar vingerafdrukken op die tas.'

'Dat zullen we ook wel doen. Maar het is niet moeilijk om die te verwijderen. Ik heb het sterke vermoeden dat we niets zullen vinden, afgezien van die van jou en die van je oma.'

'Ik heb hem niet aangeraakt. Niet voor nu.'

'We zullen zien. De vondst van die tas geeft ons bovendien een reden om zowel je motor, je pak als je helm nader te onderzoeken. En het huis. Wil je iets hebben voordat we doorgaan?'

'Nee.'

De ruimte tussen de zool en de schoen was vrij groot geworden. Hij trok zijn hand terug.

'Moet ik hier vannacht blijven?'

'Ik ben bang van wel. Probeer het maar als een buitenstaander te zien, dan snap je vast wel dat ik je hier moet houden.'

'Hoe lang?'

'Dat weet ik nog niet.' Hij keek naar het jongensgezicht aan de andere kant van de tafel en veranderde van onderwerp. 'Wat doe je allemaal met je computer, Halvor? Je zit uren voor het scherm, vanaf het moment dat je thuiskomt van je werk, tot bijna middernacht, iedere dag. Kun je mij dat vertellen?'

Hij keek op. 'Bespioneren jullie mij?'

'In zekere zin. We bespioneren momenteel een heleboel mensen. Hou je een dagboek bij?'

'Ik doe alleen wat spelletjes. Ik schaak, bijvoorbeeld.'

'Tegen jezelf?'

'Tegen de maagd Maria', antwoordde hij kort.

Sejer knipperde met zijn ogen. 'Ik raad je aan alles te vertellen wat je weet. Je houdt iets achter, Halvor, daar ben ik van overtuigd. Hebben jullie het soms met zijn tweeën gedaan? Bescherm je iemand anders?'

'Ik hou helemaal niets achter', zei hij nors.

'Als dit op een aanklacht uitloopt, moeten we je computer misschien in beslag nemen.'

'U gaat uw gang maar', glimlachte hij plotseling. 'Jullie komen er toch niet in!'

'Komen we er niet in? Waarom niet?'

Halvor klapte zijn mond dicht en begon weer aan zijn schoen te prutsen.

'Omdat de toegang is beveiligd?'

Hij had een droge mond, maar hij wilde niet om een cola bedelen. Thuis in de koelkast stond een maltbier, daar moest hij nu aan denken.

'Dan ga ik ervan uit dat er iets belangrijks in staat, als jij ervoor hebt gezorgd dat niemand het zal vinden.'

'Het is maar voor de lol.'

'Kan ik iets langere zinnen krijgen, Halvor?'

'Het is niet belangrijk. Gewoon iets dat ik neerkrabbel als ik me verveel.'

Sejer stond op, de stoel gleed volkomen geluidloos naar achteren over de linoleumvloer.

'Je ziet eruit alsof je dorst hebt. Ik haal een cola voor ons.'

Sejer verdween naar buiten en het kantoor sloot zich rond Halvor. Er zat nu een flink gat in zijn schoen en hij kon zijn smerige tennissok zien. In de verte hoorde hij een sirene, maar hij kon niet zeggen wat voor soort wagen het was. Verder hing er een gelijkmatig gezoem in het grote gebouw, ongeveer zoals in de bioscoop, voordat de film begint. Sejer kwam terug met twee flesjes en een flesopener.

'Ik zet het raam een beetje open. Oké?'

Halvor knikte. 'Ik heb het niet gedaan.'

Sejer pakte een paar plastic bekertjes en schonk in. De cola schuimde over.

'Ik had geen enkele reden.'

'Zo op het eerste gezicht kan ik die ook niet ontdekken.' Hij zuchtte en dronk. 'Maar dat hoeft niet te betekenen dat jij die niet had. Af en toe gaan onze gevoelens met ons op de loop, meestal is het antwoord zo simpel. Is jou dat wel eens overkomen?'

Halvor zweeg.

'Ken je Raymond aan de Kollevei?'

'Die mongoloïde jongen? Ik zie hem wel eens op de weg.'

'Ben je wel eens bij zijn huis geweest?'
'Ik ben er wel eens langs gereden. Hij heeft konijnen.'
'En met hem gepraat?'
'Nooit.'
'Weet jij dat Knut Jensvoll, Annies trainer, in de gevangenis heeft gezeten wegens verkrachting?'
'Dat heeft Annie me verteld.'
'Wisten anderen het?'
'Geen idee.'
'Kende je dat jongetje op wie ze altijd paste? Eskil Johnas?'
Nu keek hij verwonderd op. 'Ja! Hij is dood.'
'Vertel eens over hem.'
'Waarom?' vroeg hij verrast.
'Doe maar gewoon wat ik zeg.'
'Tja, hij was... vrolijk en grappig.'
'Vrolijk en grappig?'
'Heel druk.'
'Moeilijk?'
'Een beetje vermoeiend, misschien. Kon niet stilzitten. Hij scheen er medicijnen voor te krijgen. Moest aldoor vastgebonden worden, in zijn stoel, in de wagen. Ik ben een paar keer mee geweest om op hem te passen. Annie was de enige die op hem wilde passen. Maar weet u, Annie...' Hij leegde zijn bekertje en veegde zijn mond af.
'Kende je zijn ouders?'
'Ik weet wie het zijn.'
'De oudste zoon?'
'Magne? Alleen van gezicht.'
'Heeft hij wel eens interesse voor Annie getoond?'
'Alleen het gewone. Keek haar na als ze langsliep.'
'Wat vond jij daarvan, Halvor? Dat anderen jouw meisje nakeken?'
'In de eerste plaats was ik eraan gewend. In de tweede plaats was Annie heel afwijzend.'

'Toch is ze met iemand meegegaan. Er is een uitzondering, Halvor.'

'Dat begrijp ik.'

Halvor was moe. Hij sloot zijn ogen. Het litteken in zijn mondhoek glom als een zilveren draad in het licht van de lamp. 'Er was veel aan Annie dat ik nooit heb begrepen. Soms werd ze zonder reden boos, of heel erg geïrriteerd, en als ik vroeg wat er was, werd het nog erger en dan snauwde ze tegen me dat je niet alles maar kunt vertellen, zo zonder meer.' Hij hapte naar adem.

'Dus je had het gevoel dat ze iets wist? Dat haar iets dwarszat?'

'Ik weet het niet. Of toch. Ik heb Annie veel over mezelf verteld. Bijna alles. Zodat ze zou begrijpen dat het geen kwaad kon om iemand in vertrouwen te nemen.'

'Maar wat je over jezelf vertelde was blijkbaar niet van dezelfde orde van grootte? Dat van haar was erger?'

Het kon niet erger zijn geweest. Nooit!

'Halvor?'

'Het was net,' zei hij zacht, terwijl hij zijn ogen weer opende, 'alsof er een deksel over Annie heen lag.'

*

Het was net alsof er een deksel over Annie heen lag.

De zin was zo zorgvuldig geformuleerd dat hij het bijna wel moest geloven. Of wílde hij het gewoon geloven? Maar ja. De rugzak, in het schuurtje. Het sterke gevoel dat Halvor iets achterhield. Sejer keek naar de weg en verzamelde in gedachten een aantal zinnen. Ze paste graag op andermans kinderen. Het jongetje op wie ze het liefst paste was uitermate moeilijk en bovendien dood. Ze kon zelf geen kinderen krijgen en had niet lang meer te leven. Wilde niet langer met anderen concurreren, maar alleen nog in haar eentje langs de weg rennen. Haar vriendje snauwde ze regelmatig af, ze zette hem aan de kant en nam hem weer terug. Alsof ze niet wist wat ze eigenlijk wilde. Hij kon maar niets zinnigs aan deze feitelijke gegevens ontdekken.

Hij stopte zijn handen in zijn zakken en liep het parkeerterrein op. Vond zijn auto en manoeuvreerde die voorzichtig de weg op. Toen reed hij naar het naburige dorp, het dorp waar Halvor zijn jeugd had doorgebracht, als je het tenminste een jeugd kon noemen. Destijds was het plaatselijke politiebureau gevestigd in een oude villa, nu vond hij het bureau in een nieuw winkelcentrum, ingeklemd tussen een Rimi-supermarkt en het belastingkantoor. Hij zat een tijdje in de wachtkamer te wachten en was in gedachten verzonken toen de politiechef binnenkwam. Een bleke knuist met sproeten op de rug van de hand drukte zijn eigen hand. De man was de veertig gepasseerd, mager en met een slechte pigmentatie in zijn huid en zijn haar en een slecht verholen nieuwsgierigheid in zijn blauwgroene ogen. Maar absoluut beleefd. Een rechercheur uit de stad was geen dagelijkse kost. Doorgaans voelde het alsof de rest van de wereld hen was vergeten.

'Fijn dat je tijd kon vrijmaken', zei Sejer, terwijl hij hem door de gang volgde.

'Je had het over een moord. Annie Holland?'

Sejer knikte.

'Ik heb het in de krant gevolgd. En aangezien je hierheen komt, neem ik aan dat je iemand in de kijker hebt die ik moet kennen? Zie ik dat goed?'

Hij wees naar een lege stoel.

'Tja, ja, in zekere zin. In feite zit hij al in bewaring. Het is nog maar een jongen, maar door wat we bij hem thuis hebben gevonden, hadden we geen keus.'

'Terwijl je dat liever wel had gehad?'

'Ik geloof niet dat hij het gedaan heeft.' Hij glimlachte even om zijn eigen woorden.

'Ah, juist. Dat komt wel eens voor.' De stem van de politiechef was zonder ironie, hij vouwde zijn roze handen en wachtte.

'In december tweeënnegentig is er in jouw district een zelfmoord gepleegd. Als gevolg daarvan werden twee broertjes naar het Bjerkeli Kindertehuis gestuurd en de moeder belandde op de psychiatrische afdeling van het Centraal Ziekenhuis. Ik ben op zoek naar informatie over Halvor Muntz, geboren in 1976, zoon van Torkel en Lilly Muntz.'

De politiechef herkende de namen onmiddellijk en keek hem plotseling bezorgd aan.

'Jij hebt die zaak behandeld, toch?'

'Ja, helaas wel. Samen met een jongere agent. Halvor, de oudste, belde mij thuis op mijn privé-nummer. 's Nachts. Ik weet de datum nog, dertien december, want mijn dochter mocht Sinte-Lucia zijn op school. Omdat ik er niet in mijn eentje naartoe wilde gaan, nam ik een nieuwe collega mee, bij die familie wist je nooit wat je kon verwachten. We gingen dus naar het huis toe en vonden de moeder op de bank in de kamer, verstopt onder de deken, en de twee kinderen boven. Halvor zei helemaal niets. Hij had zijn kleine broertje bij zich in bed genomen en zag er niet uit. Overal bloed. We onderzochten de jongens en haalden opgelucht adem toen we zagen dat ze leefden. Daarna begonnen we te zoeken. De vader lag in een oude, halfvergane slaapzak in het houtschuurtje. De helft van zijn hoofd was weg.'

Hij stopte en naarmate de herinneringen weer boven kwamen, kon Sejer de beelden bijna als schaduwen in zijn irissen zien.

'Het was moeilijk iets uit de jongens te krijgen. Ze klampten zich aan elkaar vast en brachten geen woord uit. Maar na een boel getrek en geduw vertelde Halvor dat zijn vader de hele dag, vanaf 's morgens vroeg, had zitten drinken en zich almaar kwader had gemaakt. Hij kraamde wartaal uit en sloeg de hele benedenetage kort en klein. De jongens waren het grootste deel van de dag buiten gebleven, maar toen het 's avonds laat koud werd moesten ze toch naar binnen gaan. Halvor was wakker geworden toen zijn vader met een broodmes in zijn hand bij het bed stond. Hij stak Halvor één keer en leek toen tot bezinning te komen. Hij rende naar buiten, Halvor hoorde de keukendeur dichtslaan. Daarna hoorden ze hem met de deur van het schuurtje rammelen. Ze hadden zo'n ouderwets houtschuurtje achter het huis. Na een tijdje weerklonk er een geweerschot. Halvor durfde niet te gaan kijken, hij sloop naar beneden en belde mij op. Maar hij vermoedde wel wat er aan de hand was. Zei dat hij bang was dat er iets met zijn vader was gebeurd. De kinderbescherming zat al jaren achter die kinderen aan en Halvor had de boot altijd afgehouden. Maar die nacht protesteerde hij niet.'

'Hoe reageerde hij?'

De politiechef stond op en liep de kamer rond. Hij was een beetje bedrukt en leek onrustig. Sejer was niet van plan de stilte op te vullen.

'Het was moeilijk te zien wat hij voelde. Halvor was een gesloten jongen. Maar om eerlijk te zijn kon je het nauwelijks radeloosheid noemen. Meer een soort doelbewustheid, misschien omdat er eindelijk een nieuw leven kon beginnen. De dood van zijn vader was een keerpunt. Het moet een hele opluchting zijn geweest. De kinderen waren altijd bang en ze kregen nooit wat ze nodig hadden.'

Hij zweeg weer. Stond nog steeds met zijn rug naar hem toe en wachtte op commentaar. De inspecteur was tenslotte naar hem toe gekomen om hulp te krijgen. Maar er gebeurde niets. Hij bleef staan en broedde als het ware ergens op, uiteindelijk draaide hij zich om.

'Pas later begonnen we na te denken.' Hij liep terug naar zijn plaats. 'Zijn vader lag in een slaapzak. Had zijn jas en zijn laarzen uitgetrokken, zelfs zijn trui opgerold en onder zijn hoofd gelegd. Wat ik wil zeggen: hij was duidelijk van plan geweest om te gaan slapen. Niet,' zei hij en haalde adem, 'niet om te sterven. Dus toen pas drong het tot ons door dat het ook zo geweest kon zijn, dat iemand anders hem naar een andere wereld had geholpen.'

Sejer sloot zijn ogen. Hij wreef hard op een plek in zijn ene wenkbrauw en merkte dat een beetje afgeschilferde huid voor zijn oog neerdwarrelde.

'Je bedoelt Halvor?'

'Ja', zei hij mismoedig. 'Ik bedoel Halvor. Misschien is Halvor hem naar buiten gevolgd, zag hij dat zijn vader sliep en heeft hij toen het geweer in de slaapzak gestoken, in zijn handen, en afgevuurd.'

Sejer huiverde toen hij dit hoorde. 'Wat hebben jullie gedaan?'

'Niets.' De politiechef maakte een hulpeloos gebaar. 'We hebben helemaal niets gedaan. Bovendien hadden we geen enkele aanwijzing die deze theorie bevestigde, concreet. Afgezien van het feit dat de vader zo ongeveer bewusteloos was van de drank en het zichzelf makkelijk had gemaakt door zijn laarzen uit te trekken en een kussen te maken van zijn trui. Het letsel was kenmerkend voor een zelfmoord. Een contactschot, met het inschot aan de onderkant van de kin en het uitschot bovenop de schedel. Kaliber zestien. Geen andere vingerafdrukken op het geweer. Geen verdachte voetafdrukken voor het schuurtje. Wij hadden, in tegenstelling tot jullie nu, een keus. Maar jij noemt dat misschien anders. Nalatigheid, of onachtzaamheid?'

'Daar zou ik nog wel erger woorden voor kunnen bedenken.' Sejer glimlachte plotseling. 'Als ik zou willen. Maar jullie hebben wel met hem gepraat?'

'Een routineverhoor, er was tenslotte geschoten. Maar we kwamen geen steek verder. Zijn broertje was nog maar zes, hij kon niet klokkijken en kon het tijdstip bevestigen noch ontkennen. De moeder zat onder de valium en geen van de buren had het schot gehoord. Ze woonden nogal afgelegen, in een afzichtelijk huis dat vroeger een kruidenierswinkel was geweest. Een grijs bakstenen huis met een hoge stenen trap en één groot raam naast de deur.' Hij haalde zijn hand onder zijn neus langs, hoewel daar niets hing. 'Maar een aantal dingen spreken er gelukkig tegen.'

'Waar denk je aan?'

'Als Halvor werkelijk degene was die geschoten had, dan moest hij op zijn buik naast zijn vader hebben gelegen, met het geweer langs zijn borst en de loop tegen zijn kaak aan. Volgens de hoek van het schot. Zou een vijftienjarige, met zijn ene wang in tweeën gekliefd, zo helder denken?'

'Niet ondenkbaar. Iemand die jarenlang met een psychopaat in één huis woont, maakt zich vast en zeker een aantal kneepjes eigen. Halvor is kien.'

'Hadden ze verkering of zo? Hij en dat Holland-meisje?'

'Zoiets', zei Sejer. 'Ik ben niet blij met jouw hypothese, maar ik zal hem wel moeten meenemen in het onderzoek.'

'Dus je moet ermee in de openbaarheid?'

'Het zou fijn zijn als ik een kopie van het dossier kan krijgen. Maar het zal niettemin onmogelijk zijn, na zo'n lange tijd, om iets te bewijzen. Volgens mij heb je niets te vrezen. Ik heb zelf ooit in een dorp gewerkt, dus ik weet hoe het is. Je raakt aan de mensen gehecht.'

De politiechef keek triest door het raam naar buiten. 'Nu heb ik Halvors zaak natuurlijk geen goed gedaan, door jou dit te vertellen. Hij verdient iets beters. Hij is de meest zorgzame jongen die ik ooit heb ontmoet. Hij heeft al die jaren voor zijn moeder en zijn broertje gezorgd en ik heb gehoord dat hij nu bij de oude mevrouw Muntz woont en haar verzorgt.'

'Dat klopt.'

'En dan krijgt hij eindelijk een vriendinnetje, en dan eindigt het zo? Hoe gaat het met hem, houdt hij het hoofd boven water?'

'Ja hoor, dat gaat wel. Misschien heeft hij altijd al gedacht dat het leven uit elkaar opvolgende rampen bestaat.'

'Als hij zijn vader heeft vermoord,' zei de politiechef, terwijl hij Sejer recht in de ogen keek, 'dan was er sprake van noodweer. Hij redde de rest van de familie. Het was hij of zij. Ik kan moeilijk geloven dat hij om andere redenen zou kunnen doden. Daarom is het niet helemaal rechtvaardig om dit tegen hem te gebruiken, deze episode, die bovendien nooit echt door ons is opgehelderd. Naderhand heb ik het probleem voor mijzelf opgelost door hem vrij te spreken. Laat hem het voordeel van de twijfel krijgen.' Hij haalde een hand over zijn mond. 'Die arme Lilly wist waarschijnlijk niet wat ze deed, toen ze ja zei tegen Torkel Muntz. Mijn vader was hier voor mij politiechef en er waren altijd problemen met Torkel. Hij was een herrieschopper, maar hij was een knappe vent. En Lilly was mooi. Ieder voor zich hadden ze misschien iets van het leven kunnen maken. Maar bepaalde combinaties werken nu eenmaal niet, nietwaar?'

Sejer knikte. 'We hebben vanmiddag een overleg en dan moeten we een aanklacht overwegen. Ik ben bang...'

'Ja?'

'Ik ben bang dat ik de rest van het team niet meekrijg voor een invrijheidsstelling. Nu we dit weten.'

Holthemann bladerde het rapport door en keek hen streng aan, alsof hij met de kracht van het oog de resultaten op tafel wilde dwingen. De afdelingschef was een man die je geen enkele snuggerheid of positie zou toedichten, als je bijvoorbeeld in de rij voor de kassa van de supermarkt achter hem kwam te staan. Hij was zo droog en grauw als hooi, met een glimmende, bezwete kale plek bovenop zijn hoofd en een versluierde blik die in tweeën werd gehakt door bifocale brillenglazen.

'Hoe zit het met die halve gare aan de Kollevei?' begon hij. 'Hoe grondig hebben jullie hem eigenlijk nagetrokken?'

'Raymond Låke?'

'Het jasje over het lichaam was van hem. En Karlsen zegt dat er geruchten over hem de ronde doen.'

'Meerdere', zei Sejer kort. 'Aan welke denk je?'

'Bijvoorbeeld dat hij rondrijdt en kwijlend meisjes nakijkt. Er gaan ook geruchten over zijn vader. Dat hem helemaal niets mankeert, maar dat hij op zijn rug pornoblaadjes ligt te lezen en die stakker voor hem laat rennen en al het werk laat doen. Misschien heeft Raymond stiekem zitten lezen en is hij geïnspireerd geraakt.'

'Ik ben ervan overtuigd dat we het over iemand hebben die bij Annie in de buurt woont', antwoordde Sejer. 'En ik geloof dat hij ons om de tuin probeert te leiden.'

'Geloof je Halvor?'

Sejer knikte. 'Bovendien is er een geheimzinnige persoon bij Raymond op het erf geweest en plotseling zweert hij dat de auto rood was.'

'Dat is me wel een verhaal. Misschien was het een onschuldige wandelaar. Die Raymond is toch niet helemaal goed wijs? Geloof je hem?'

Sejer beet op zijn lip. 'Juist daarom. Ik geloof niet dat hij slim genoeg is om zoiets te bedenken. Ik geloof echt dat er iemand is geweest die met hem heeft gepraat.'

'Dezelfde man dus die bij Halvors raam rondgeslopen zou hebben? En de rugzak in het schuurtje heeft gezet?'

'Bijvoorbeeld... ja.'

'Anders ben je nooit zo goedgelovig, Konrad. Heb je je volkomen laten inpalmen door een idioot en een tiener?'

Sejer voelde zich zeer ongemakkelijk. Hij vond de terechtwijzing niet prettig. Misschien liet hij zich inderdaad beïnvloeden door zijn gevoel en door wat hij geloofde. Halvor hield van haar. Hij was haar vriendje.

'Kon Halvor wat details ophoesten?' ging Holthemann verder, hij stond op en ging op zijn bureau zitten, waardoor hij in feite op Sejer neerkeek.

'Hij hoorde een auto starten. Mogelijk een oude auto, misschien met een kapotte cilinder. Het geluid kwam uit de richting van de hoofdweg.'

'Er is daar een keerplaats. Daar stoppen veel auto's.'

'Dat weet ik. Volgens mij moeten we hem laten gaan. Hij gaat er heus niet vandoor.'

'Na wat jij verteld hebt, is hij mogelijk sowieso een moordenaar. Iemand die zijn eigen vader in koelen bloede kan hebben gedood. Ik vind het nogal wat, Konrad.'

'Maar hij hield van Annie, echt waar, op zijn eigen merkwaardige manier. Ook al liet Annie dat nauwelijks toe.'

'Hij zal wel ongeduldig zijn geworden en zijn zelfbeheersing hebben verloren. En als hij het hoofd van zijn vader heeft afgeschoten, dan blijkt daar toch uit dat die jongeman licht ontvlambaar is.'

'Als hij werkelijk zijn vader heeft vermoord, en dat weten we helemaal niet, dan was dat omdat hij geen keus had. De hele familie ging te gronde, na jarenlange mishandeling en verwaarlozing. Bovendien kreeg hij een mes in zijn wang. Eigenlijk geloof ik dat hij vrijgesproken zou worden.'

'Heel wel mogelijk. Maar blijft staan dat hij misschien

in staat is te doden. Dat geldt niet voor iedereen. Wat vind jij, Skarre?'

Skarre kauwde op een pen en schudde zijn hoofd. 'Ik stel me een oudere dader voor', zei hij.

'Waarom?'

'Ze was fysiek zeer goed in vorm. Annie woog vijfenzestig kilo, een gewicht dat hoofdzakelijk uit spieren bestond. Halvor weegt maar drieënzestig, dus ze waren aan elkaar gewaagd. Als Halvor echt degene is die haar in het water heeft geduwd, dan zou hij zo veel tegenstand hebben gehad dat Annie meerdere uitwendige verwondingen opgelopen zou hebben, zoals schrammen en krassen. Maar alles wijst erop dat de dader haar duidelijk de baas was, waarschijnlijk veel zwaarder was dan zij. Naar wat ik gezien heb, geloof ik dat Annie Halvor fysiek de baas was. Ik bedoel niet dat hij het niet gedaan kan hebben, maar ik geloof dat het hem vrij veel moeite zou hebben gekost.'

Sejer knikte zwijgend.

'Oké. Dat klinkt aannemelijk. Maar dat betekent dat we terug bij af zijn. Hebben we verder niemand aangetroffen die een mogelijk motief kan hebben?'

'Halvor heeft ook geen duidelijk motief.'

'Hij had de rugzak en was er bovendien gevoelsmatig bij betrokken. Ik heb hier de verantwoordelijkheid en ik vind dit maar niks, Konrad. Hoe zit het met Axel Bjørk? Verbitterd en aan de drank, een man met een gevaarlijk temperament? Is daar ook niets te vinden?'

'We hebben geen aanwijzingen dat Bjørk die dag in Lundeby is geweest.'

'Goed. Als ik het rapport goed lees, dan zijn jullie meer geïnteresseerd in een knaapje van twee jaar?' Nu glimlachte hij, maar niet direct schamper.

'Niet in het jongetje. Meer in Annies reactie op zijn dood. We hebben geprobeerd uit te vinden hoe het met die persoonsverandering van haar zit, die misschien iets te maken heeft met dat jongetje, of met het feit dat ze ziek was, natuurlijk. Ik had eigenlijk gehoopt iets anders te vinden.'

'Zoals wat bijvoorbeeld?'

'Dat weet ik niet precies. Dat is nou juist de moeilijkheid, we hebben geen flauw idee naar wat voor soort man we zoeken.'

'Een beul, misschien. Hij heeft haar hoofd onder water geduwd tot ze dood was', zei Holthemann ruw. 'Verder heeft ze geen schrammetje.'

'Daarom denk ik dat ze naast elkaar aan de waterkant hebben zitten praten. Heel vertrouwelijk. Hij had misschien een bepaalde invloed op haar. Plotseling legde hij een hand in haar nek en duwde haar voorover in het water. Van het ene moment op het andere. Maar het idee kan eerder bij hem zijn opgekomen, misschien toen ze nog in de auto zaten, of op de motor.'

'Hij moet zowel nat als vies zijn geworden', mompelde Skarre.

'Maar op de Kollevei is geen motor gezien?'

'Alleen een snel langsrijdende auto. Maar de eigenaar van Horgen Handel herinnert zich een motor. Hij kan zich echter niet herinneren dat hij Annie heeft gezien. Johnas heeft ook niet gezien dat ze op de motor stapte. Hij heeft haar afgezet, kreeg die motor in het vizier en zag dat ze daarheen liep.'

'Is er verder nog nieuws?'

'Magne Johnas.'

'Wat is daarmee?'

'Niet veel, eigenlijk. Hij ziet eruit alsof hij barst van de anabole steroïden en hij heeft wel eens een oogje op Annie laten vallen. Ze wees hem af. Misschien is hij zo'n knakker die zoiets nou net niet kan hebben. Bovendien komt hij af en toe in Lundeby om oude vrienden op te zoeken en hij heeft een motor. Nu heeft hij zich, in plaats daarvan, op Sølvi geworpen. We kunnen hem in ieder geval niet zomaar buiten beschouwing laten.'

Holthemann knikte. 'Maar Raymond en zijn vader, hoe zit het daarmee? Het is toch duidelijk geworden dat Raymond een tijdje weg is geweest?'

'Hij was naar de winkel en toen hij terugkwam heeft hij een tijdje naar Ragnhild zitten kijken terwijl ze sliep.'

'Een spijkerhard alibi, Konrad', glimlachte Holthemann. 'Ik heb begrepen dat hij een impulsieve en onvolwassen spierbundel is, met de hersencapaciteit van een vijfjarige?'

'Precies. En er zijn niet veel moordenaars van vijf.'

Holthemann schudde zijn hoofd. 'Maar hij houdt van meisjes?'

'Ja. Maar ik geloof niet dat hij weet wat hij met ze moet doen.'

'Jij geeft het verdorie niet op. Aan de andere kant weet ik dat je een goede neus hebt. Maar één ding moet je ondertussen goed voor ogen houden.' Hij stak plotseling een plagende vinger op en wees naar hem. 'Jij bent niet de hoofdpersoon in een of andere misdaadroman. Probeer het hoofd koel te houden.'

Sejer legde zijn hoofd in zijn nek en lachte zo hartelijk dat Holthemann ervan schrok.

'Heb ik iets gemist?' Hij stak een vinger onder zijn brillenglas en drukte zijn oogbol heen en weer. Daarna knipperde hij een paar keer en ging verder: 'Wel. Als er nu niet snel iets gebeurt, wil ik een aanklacht tegen Halvor hebben. Waarom zou de moordenaar bijvoorbeeld haar rugzak mee naar huis nemen?'

'Als ze met de auto zijn gekomen, dan hebben ze die op de keerplaats laten staan en dan is de tas in de auto blijven staan', dacht Sejer. 'Later was het misschien te ver om weer naar boven te lopen en hem in het water te gooien.'

'Klinkt redelijk.'

'Eén vraag', ging Sejer verder, Holthemanns blik vangend. 'Als de vingerafdruk op de gesp van Annies riem Halvor kan uitsluiten... wil je hem dan laten gaan?'

'Daar moet ik over nadenken.'

Sejer stond op en liep naar de plattegrond die aan de wand hing en waarop de route vanaf de Kristalweg, via de rotonde, omlaag naar Horgen Handel en langs de Kollevei omhoog naar het ven, met rood was gemarkeerd. Door middel van een aantal kleine, groene magneetfiguurtjes werd aangegeven waar Annie onderweg was gezien. Ze leek op het groene mannetje op de verkeerslichten bij oversteekplaatsen. Er was er eentje voor het huis aan de Kristalweg geplaatst, eentje op het kruispunt bij de Gneisweg, waar ze overstak en het paadje tussen de huizen door nam, eentje stond op de rotonde, waar ze door een vrouw was gezien op het moment dat ze in Johnas' auto stapte. En er stond er een voor Horgen Handel. De auto van Johnas en de motor bij de winkel waren ook op hun plaats. Hij pakte een van de Annie-figuurtjes, die bij de winkel, met twee vingers op en stak het in zijn zak.

'Wie stond haar eigenlijk het meest na', mompelde hij. 'Halvor? Hoe groot is de kans dat iemand haar in die korte tijd heeft kunnen oppikken, van het moment dat ze naar de winkel liep, tot ze feitelijk werd gevonden? De motorrijder heeft zich nooit gemeld. Niemand heeft gezien dat ze op de motor is gestapt.'

'Maar ze had toch met iemand afgesproken?'

'Ze zou naar Anette gaan.'

'Dat is wat ze tegen Ada Holland zei. Misschien had ze een ander afspraakje?' opperde Holthemann.

'In dat geval liep ze het risico dat Anette zou opbellen om naar haar te vragen.'

'Ze kenden elkaar. Ze belde niet.'

'Dat klopt, dat weet ik. Maar stel nou dat ze helemaal niet uit Johnas' auto is gestapt. Stel dat het zo eenvoudig is.'

Hij stond op en deed een paar stappen, terwijl zijn gedachten over elkaar heen tuimelden. 'We hebben alleen Johnas' woord.'

'Voor zover ik weet is hij een respectabel zakenman, met een eigen zaak en een smetteloos strafblad. Bovendien stond hij bij Annie in het krijt, omdat zij hem regelmatig van een moeilijk kind had bevrijd.'

'Precies. Ze kende hem. En hij mocht haar graag.'

Hij sloot zijn ogen. 'Ze heeft zich misschien vergist.'

'Wat zeg je nou?' Holthemann spitste zijn oren.

'Ik vraag me af of ze zich heeft vergist', herhaalde hij.

'Natuurlijk. Ze is helemaal alleen met een moordenaar meegegaan naar een verlaten plaats.'

'Dat ook. Maar daarvoor. Ze heeft hem onderschat. Gedacht veilig te zijn.'

'Hij zal wel geen bordje om zijn nek hebben gehad', zei Holthemann droog. 'En als ze hem nou ook nog kende? Als ze zo voorzichtig was als jij zegt, moeten ze elkaar goed hebben gekend.'

'Misschien deelden ze een geheim.'

'Een bed, bijvoorbeeld?' vroeg Holthemann glimlachend.

Sejer zette Annie weer op haar plaats bij de winkel en draaide zich aarzelend om.

''t Zou niet de eerste keer zijn', glimlachte de afdelingschef. 'Sommige jonge meisjes schijnen een zwak te hebben voor oudere mannen. Hoe zit dat, Konrad, heb jij daar iets van gemerkt?' Hij glimlachte uitnodigend.

'Halvor zegt van niet', zei Sejer afgemeten.

'Natuurlijk. Die gedachte kan hij niet verdragen.'

'Bedoel je een affaire die ze aan de grote klok wilde hangen? Iemand met vrouw en kinderen en een goed salaris?'

'Ik denk alleen hardop. Snorrason zegt dat ze geen maagd meer was.'

Sejer knikte. 'Halvor heeft het hoe dan ook mogen proberen. Naar mijn mening zijn alle mannen die aan de Kristalweg wonen mogelijke kandidaten. Ze zagen haar elke dag, zomer en winter, over straat wandelen. Zagen hoe ze opgroeide en zo allejezus knap werd. Ze boden haar een lift aan; zij paste op hun kinderen, was kind aan huis, vertrouwde hen. Volwassen mannen die ze goed kende, die ze zeker niet zou afwijzen als ze op haar weg verschenen. Eenentwintig huizen, minus dat van haarzelf, dat geeft ons twintig mannen. Fritzner, Irmak, Solberg, Johnas, een heel stel. Misschien was er wel eentje die stiekem op haar geilde.'

'Op haar geilde? Hij heeft haar toch niet aangeraakt?'

'Misschien werd hij gestoord.'

Sejer staarde naar de kaart aan de wand. De mogelijkheden stapelden zich op. Hij begreep niet dat iemand een mens kon vermoorden, zonder die persoon verder aan te raken. Het dode lichaam niet gebruikte, niet naar sieraden of geld zocht, of zichtbare tekenen van radeloosheid, razernij of van een of andere perverse neiging achterliet. Haar alleen maar netjes neerlegde, behulpzaam, zorgvuldig, met haar kleren ernaast. Hij pakte het laatste Annie-figuurtje op. Kneep er een ogenblik hard in en zette het toen schoorvoetend weer op zijn plaats.

Later wandelde hij langzaam naar het ven.

Hij luisterde, probeerde hen voor zich te zien, hoe ze het pad op liepen. Annie in spijkerbroek en blauwe trui, naast een man. In zijn gedachten een vage omtrek, een donkere schaduw, vrijwel zeker ouder en groter dan zij. Misschien voerden ze een gedempt gesprek terwijl ze door het bos liepen, misschien over iets belangrijks. Hij had een voorstelling van hoe het gegaan was. De man gebaarde en praatte, Annie schudde haar hoofd, hij ging door, probeerde haar te overreden, de gemoederen raakten verhit. Ze naderden het water dat tussen de bomen lag te glinsteren. Hij ging op een steen zitten, had haar nog niet aangeraakt, en zij nam aarzelend naast hem plaats. De man kon zich goed uitdrukken, uitnodigend, vriendelijk, of misschien smekend, dat wist hij niet zo goed. Plotseling stond de man op en wierp zich op haar, een krachtige plons toen ze het water raakte, met de man over zich heen. Hij gebruikte nu beide handen en zijn hele gewicht, een paar vogels vlogen verschrikt krijsend op en Annie perste haar lippen op elkaar om geen water in haar longen te krijgen. Ze stribbelde tegen, krabde met haar handen in de modder, terwijl rode, adembenemende seconden verstreken en het leven langzaam in het flonkerende water wegebde.

Sejer staarde omlaag naar het kleine strandje.

Er verstreek een eeuwigheid. Annie schopte en wrikte niet meer. De man stond op, draaide zich om en staarde naar het pad. Niemand had hen gezien. Annie lag op haar buik in het troebele water. Misschien vond hij het akelig dat ze daar zo lag, dus trok hij haar weer omhoog. De gedachten kwamen langzaam in zijn hoofd op. De politie zou haar vinden, het toneel aanschouwen en een aantal conclusies trekken. Een jong meisje, dood in het bos. Een verkrachter, natuurlijk, die te ver was gegaan, daarom kleedde hij haar uit, maar heel voorzichtig, had moeite met knopen en rits en riem, en legde de kleren netjes naast haar neer. Vond de indecente houding waarin ze lag, op haar rug met gespreide benen, niet prettig, maar anders zou hij haar broek nooit uit hebben gekregen. Dus draaide hij haar op haar zij, duwde haar knieën omhoog, legde haar armen goed. Want dit beeld, het allerlaatste, zou hem de rest van zijn leven achtervolgen, en wilde hij het kunnen verdragen, dan moest het zo vredig mogelijk zijn.

Hoe durfde hij de tijd te nemen?

Sejer liep omlaag naar het ven en bleef staan, met de punten van zijn schoenen een paar centimeter van het water af. Zo bleef hij lange tijd staan. De gedachte aan hoe ze haar dood had gevonden dook voor zijn innerlijk oog op en had in eerste instantie niets met wreedheid te maken. Het was eerder een wanhopige, ontroerende handeling. Plotseling drong er een beeld tot hem door van een wanhopige stakker die in een grote duisternis ronddoolde. Daarbinnen was het koud en benauwd, hij stootte voortdurend zijn hoofd tegen de muur, kon bijna niet ademen, kwam er niet uit. Eindelijk brak hij door een muur. De muur was Annie.

Sejer draaide zich om en wandelde langzaam terug. De moordenaar had zijn auto, of misschien de motor, waarschijnlijk geparkeerd waar hij nu zijn eigen Peugeot had neergezet. Later had de moordenaar het portier geopend en de rugzak zien staan. Hij aarzelde even, maar liet hem staan, reed weg met de bewijslast. Snel langs Raymonds huis, hij zag ze aankomen, de halve gare en het meisje met de poppenwagen. Ze zagen de auto. Sommige kinderen zijn goed in details. Hij voelde de eerste steek van angst in zijn borst. Hij reed door, passeerde drie boerderijen, bereikte uiteindelijk de hoofdweg. Sejer kon hem niet meer zien.

Hij stapte in en reed terug. In het spiegeltje zag hij de stofwolk achter de auto. Het was stil bij Raymonds huis, het zag er bijna verlaten uit. Witte en bruine konijnen sprongen in de hokken heen en weer toen hij er langsreed. De bestelauto met de lege accu stond op het erf. Een oude auto, misschien met een kapotte cilinder? Het kippengaas en de bewegingen erachter herinnerden hem plotseling aan zijn eigen jeugd, de jaren voordat ze uit Denemarken waren vertrokken. Ze hadden bruine dwergkippen in een hok achterin de moestuin. Iedere ochtend raapte hij de eieren, piepkleine eitjes, wonderlijk rond, niet groter dan de grootste knikkers, die ze bommen noemden. In zijn spiegeltje meende hij te zien dat het gordijn achter het raam even bewoog. Het slaapkamerraam van Raymonds vader. Maar hij wist het niet zeker. Hij sloeg rechtsaf, langs Horgen Handel, waar de motor had gestaan. Nu stond er een blauwe Chevrolet Blazer voor de winkel, en een bord met een gele eskimo, de ijsreclame kondigde het voorjaar aan. Hij draaide zijn raampje omlaag en voelde de milde bries op zijn gezicht. Het kon natuurlijk een seksueel motief zijn geweest, ook al was dat niet aan de buitenkant te zien. Misschien was het voldoende geweest om haar helemaal uit te kleden, om haar zo te zien liggen, weerloos, naakt en volkomen onbeweeglijk, terwijl hij zichzelf aan de gewenste bevrediging hielp, denkend aan wat hij eigenlijk met haar had kunnen doen, als hij gewild had. In de fantasie van de dader kon er heel wat met haar zijn gebeurd. Natuurlijk kon het zo zijn gegaan. Opnieuw kreeg hij een onbehaaglijk gevoel als hij aan alle mogelijkheden dacht. Hij reed langzaam verder over de hoofdweg en stopte bij de inrit naar de kerk. Liet een tractor met kisten kool passeren en sloeg het weggetje in. De verwelkte bloemen op Annies graf waren weg en het houten kruis was verwijderd. Er was een steen neergezet, een gewone grijze kei, rond en glad, gladgeschuurd en gepolijst door de zee. Misschien afkomstig van het strand waar ze 's zomers altijd ging surfen. Hij las het opschrift.

Annie Sofie Holland. Moge God je genadig zijn.

Hij dacht even na, vroeg zich af of hij de tekst mooi vond. Hij dacht van niet. Het klonk alsof ze iets verkeerds had gedaan, iets waar ze vergeving voor moest hebben. Op weg naar de uitgang kwam hij langs het graf van Eskil Johnas. Iemand, misschien een kind, had een boeket paardenbloemen neergelegd.

Kollberg moest worden uitgelaten. Hij nam de hond mee achter de flat, liet hem tussen de berberisstruiken plassen en nam de lift weer omhoog. Slenterde daarna naar de keuken en keek wat er in het vriesvak zat. Een pak grillworst, zo hard als beton, een bevroren pizza en een klein pakje waar 'bacon' op stond. Hij kneep erin en glimlachte even, omdat het hem ergens aan deed denken. Dan maar ei. Vier spiegeleieren, doorgeprikt en dubbel gebakken met zout en peper en een in plakken gesneden worst voor de hond. Kollberg schrokte het eten naar binnen en ging onder de tafel liggen. Zelf at hij de eieren en dronk een glas melk, met zijn voeten onder de borst van de hond gestoken. Het kostte hem alles bij elkaar tien minuten. De krant lag opengeslagen naast hem. *Vriend van slachtoffer aangehouden.* Hij zuchtte even, voelde zich machteloos. Hij had niet veel op met de pers, hield niet van de manier waarop ze de ellende van het leven beschreven. Ten slotte ruimde hij de tafel af en stak de stekker van het koffiezetapparaat in het stopcontact. Misschien had Halvor zijn vader echt doodgeschoten. Had hij handschoenen aangetrokken, het geweer in de slaapzak gestoken, het in zijn handen gedrukt, overgehaald, de grond voor de deur van de schuur geveegd en was hij weer omhoog gerend naar de kamer van zijn broertje. Die een zeer sterke loyaliteit moet hebben gevoeld en het nooit verklapt zou hebben als Halvor niet in bed had gelegen toen het schot weerklonk.

Hij dronk koffie in de kamer. Daarna wilde hij een douche nemen en de catalogus van Bad & Sanitair die hij in de brievenbus had gevonden eens doorbladeren. Er waren badkamertegels in de aanbieding. Onder andere een stel eenvoudige witte met blauwe dolfijnen. Na het douchen ging hij op de bank liggen. Die was iets te kort, hij moest zijn voeten op de leuning leggen, wat niet echt prettig was, maar het verhinderde dat hij in slaap viel. Hij wilde zijn nachtrust niet in gevaar brengen, hij had 's nachts al genoeg last van zijn eczeem. Hij staarde naar het raam en zag dat dat nodig eens gezeemd moest worden. Omdat hij op de twaalfde verdieping woonde zag hij niets door het raam, alleen de blauwe lucht die de diepe kleur van de avond begon aan te nemen. Plotseling zag hij een vlieg over het raam lopen. Een bromvlieg, dik en zwart. Ook een teken dat het voorjaar in aantocht was, dacht hij, en toen kwam er nog een omhoog gekropen, die in de buurt van de eerste begon te gonzen. Hij had niet veel tegen vliegen, maar er was iets aan de manier waarop ze hun poten tegen elkaar wreven. Dat vatte hij op als iets zeer intiems, iets wat hij op één lijn stelde met in het bijzijn van anderen in je kruis krabben. Het leek alsof ze iets zochten. Er kwam er nog eentje. Nu keek hij serieus, een onbehaaglijk gevoel bekroop hem. Drie vliegen op het raam, tegelijkertijd. Merkwaardig dat ze niet opvlogen. Er kwam er nog een en nog een, en even later wemelde de ruit van de grote zwarte vliegen. Uiteindelijk vlogen ze toch op en verdwenen achter de stoel bij het raam. Het waren er nu zo veel dat hij hun gezoem kon horen. Hij richtte zich aarzelend op van de bank, met een akelig gevoel. Er moest iets achter de stoel liggen, iets waar ze zich te goed aan deden. Ten slotte kwam hij overeind, liep voorzichtig naar de stoel, verzamelde al zijn moed, pakte de stoel beet en rukte hem weg. De vliegen vlogen alle kanten op, een hele zwerm. De rest zat op een kluitje op de vloer ergens van te eten. Hij schopte er met zijn tenen tegenaan en eindelijk verdwenen ze. Het klokhuis van een appel. Verrot en zacht.

Hij ging rechtop zitten en voelde zich een beetje draaierig. Zijn overhemd was nat van het zweet. Verward wreef hij zijn ogen uit en keek naar de ruit. Niets. Hij had gedroomd. Zijn hoofd was zwaar en vol, hij had kramp in zijn nek en in zijn kuiten van het slapen op de te korte bank. Hij stond op, kon de drang niet weerstaan om de stoel naar voren te trekken en erachter te kijken. Niets. Hij liep naar de keuken, waar hij een fles whisky en een pakje shag bewaarde. Zuchtte even, niet helemaal tevreden met zichzelf, en nam beide zaken mee naar de kamer. Kollberg keek hem afwachtend aan. Hij zag de hond en bedacht zich. 'Uit', zei hij zacht.

Ze gebruikten precies een uur om van de flat naar de kerk in het centrum en weer terug te lopen. Hij dacht aan zijn moeder, die hij eigenlijk nog eens had moeten bezoeken, het was alweer veel te lang geleden sinds hij voor het laatst bij haar was geweest. Op een dag, dacht hij weemoedig, zou zijn dochter Ingrid op de kalender kijken en hetzelfde denken: ik moet maar weer eens langsgaan. Het is alweer lang geleden. Zonder vreugde, alleen uit een soort plichtsbesef. Misschien had Skarre toch gelijk, misschien was het onredelijk om zo achterlijk oud te worden dat je alleen nog maar kon liggen en tot last kon zijn. Hij werd een beetje overmand door zijn eigen gedachten en voerde het tempo op. Kollberg huppelde en sprong naast hem. Je moest niet bij de pakken neerzitten. Hij zou de badkamer gaan opknappen. Elise zou die tegels mooi hebben gevonden, daar was hij van overtuigd. En als ze geweten had dat het nog steeds niet was gebeurd, nee, daar durfde hij niet eens aan te denken. Acht jaar met imitatiemarmer, het was een schande.

Eindelijk kon hij zijn welverdiende whisky nemen, het was al zo laat geworden dat hij misschien toch in slaap zou vallen. Op het moment dat hij de dop er weer op schroefde, ging de bel. Skarre groette, niet meer zo bescheiden als de vorige keer. Hij was te voet, maar trok zijn neus op toen Sejer hem een whisky aanbood.

'Heb je geen bier?'

'Nee, heb ik niet. Maar ik kan het Kollberg vragen. Hij heeft meestal een voorraadje onderin de koelkast liggen', zei hij dodernstig. Hij verdween naar de keuken en kwam terug met een flesje bier.

'Weet jij iets van badkamertegels zetten?'

'Absoluut. Ik heb een keer een cursus gevolgd. Het belangrijkste is het voorwerk, dat moet je zorgvuldig doen. Heb je hulp nodig?'

Sejer knikte. 'Wat vind je hiervan?' Hij wees naar de brochure en de blauwe dolfijnen.

'Mooi. Wat heb je nu?'

'Imitatiemarmer.'

Skarre knikte begrijpend en nam een slok van zijn bier. 'Halvors vingerafdrukken komen niet overeen met die op de gesp van Annies riem', zei hij plotseling. 'Holthemann heeft erin toegestemd om hem voorlopig te laten gaan.'

Sejer gaf geen antwoord. Hij voelde een soort opluchting, vermengd met irritatie. Blij dat Halvor het niet was, gefrustreerd omdat hij geen andere verdachte had.

'Ik heb een enge droom gehad', zei hij plotseling, een beetje verrast over zijn eigen openhartigheid. 'Ik droomde dat er een rotte appel achter die stoel daar lag. Helemaal bedolven onder grote, zwarte vliegen.'

'Ben je gaan kijken?' grijnsde Skarre.

Hij dronk van zijn whisky en knikte. 'Alleen wat vlokken stof. Denk je dat het iets betekent?'

'We zullen wel vergeten zijn ergens een meubelstuk weg te trekken. Iets dat er de hele tijd heeft gestaan, maar dat we over het hoofd hebben gezien. Die droom is absoluut een waarschuwing. Nu is het alleen zaak om die stoel te vinden.'

'Dus je bedoelt dat we in de meubelbranche moeten beginnen?' Hij grinnikte hartelijk om zijn eigen grapje, een zeldzaam fenomeen.

'Ik had gehoopt dat je een paar troefkaarten achter de hand had', zei Skarre. 'Ik kan maar niet aanvaarden dat we geen stap verder komen. De weken gaan voorbij.

Annies dossier puilt uit. En jij zou degene moeten zijn die raad weet.'

'Wat bedoel je daarmee?'

'Je naam', glimlachte Skarre. 'Konrad betekent: hij die raad geeft.'

Sejer trok zijn ene wenkbrauw indrukwekkend onafhankelijk van de ander op. 'Hoe weet jij dat?'

'Ik heb thuis een boek. Daar zoek ik de mensen die ik tegenkom altijd in op. Het is een leuk tijdverdrijf.'

'Wat betekent Annie?' vroeg hij snel.

'Mooi.'

'Wel heb je ooit. Nou ja, op dit moment doe ik mijn naam geen eer aan. Maar daarom hoef je de moed nog niet te verliezen, Jacob. Wat betekent Halvor trouwens?' vroeg hij nieuwsgierig.

'Halvor betekent: de bewaker.'

Hij zei Jacob, dacht Skarre verbaasd. Voor de allereerste keer had hij Jacob gezegd.

*

De zon stond laag, viel schuin op de beschutte veranda en vormde een aangename hoek waar ze hun jas konden uittrekken. Ze wachtten tot de barbecue heet was. Het rook naar houtskool en aanmaakblokjes, en naar citroenmelisse uit Ingrids balkonkas, omdat ze die net had gesproeid.

Sejer liet zijn kleinzoon op zijn schoot paardje rijden, tot hij pijn in zijn dijspieren kreeg. Met dit kind zou een deel van hem verdwijnen. Over niet al te veel jaren zou hij de hoogte in schieten en grover in de mond worden. Daarom voelde hij altijd een soort weemoed, als hij zo met Matteus op schoot zat, tegelijkertijd liep er een prettige rilling langs zijn rug, als een fysiek welbehagen.

Ingrid stond op, pakte haar klompen van de balkonvloer en sloeg ze drie keer tegen elkaar. Daarna zette ze haar voeten erin.

'Waarom doe je dat?' wilde hij weten.

'Een oude gewoonte', glimlachte ze. 'Uit Somalië.'

'Er zijn hier toch geen slangen en schorpioenen?'

'Het wordt een soort dwangneurose,' lachte ze, 'ik kan het niet laten. Bovendien hebben we hier wel wespen en adders.'

'Denk je dat een adder in een schoen kan kruipen?'

'Geen idee.'

Hij drukte zijn kleinkind tegen zich aan en stak zijn neus in het kuiltje van zijn nek.

'Paardje rijden', bedelde Matteus.

'Mijn benen zijn moe. Haal maar een boek, dan zal ik je voorlezen.'

Het kind sprong op de grond en spurtte naar binnen.

'Hoe gaat het verder, pappa?' vroeg zijn dochter plotseling, met een stem zo licht als van een kind.

Verder, dacht hij. Dat betekende *eigenlijk,* hoe het eigenlijk ging, hoe het echt met hem ging, diep in zijn hart. Of het was een gecamoufleerde manier om te vragen of er nog iets was gebeurd. Of hij bijvoorbeeld een vriendin had gevonden, of misschien op afstand verliefd was op iemand, wat hij niet was. Dat zou me wat zijn.

'Best hoor', zei hij redelijk onschuldig.

'De dagen vallen je misschien niet meer zo zwaar?'

Wat was ze nou toch voorzichtig? Hij had het idee dat ze iets in haar schild voerde. 'Ik heb het druk op het werk', zei hij. 'Bovendien heb ik jullie.'

Bij die laatste woorden begon ze met het slabestek te spelen. Ze husselde de stukjes tomaat en komkommer energiek door elkaar. 'Ja. Maar weet je, we denken erover om weer een tijdje naar het zuiden te gaan. Voor de laatste keer', zei ze snel, terwijl ze, steeds schuldbewuster, naar hem opkeek.

'Naar het zuiden?' Hij proefde aan het woord. 'Naar Somalië?'

'Ze hebben het Erik gevraagd. We hebben nog geen antwoord gegeven,' zei ze snel, 'maar we denken er serieus over. Ook een beetje voor Matteus. We willen zo graag dat hij iets van zijn land ziet en misschien de taal leert. Als we er in augustus naartoe gaan, zijn we terug als hij naar de basisschool gaat.'

Drie jaar, dacht hij. Drie jaar zonder Ingrid en Matteus. Ze zouden alleen met Kerstmis naar huis komen. Brieven en ansichtkaarten, en zijn kleinzoon die steeds weer een stukje groter is, een jaar ouder, met grote sprongen.

'Ik twijfel er niet aan dat jullie daarginds nodig zijn', zei hij, met een beetje extra nadruk om zijn stem in bedwang te houden. 'Je bedoelt toch niet dat mijn welzijn een obstakel voor jullie zou zijn? Ik ben geen negentig, Ingrid.'

Ze bloosde een beetje. 'Ik denk ook een beetje aan oma.'

'Ik zorg wel voor oma. Je hebt bijna moes van die sla gemaakt', wees hij.

'Ik vind het niet prettig als je alleen bent', zei ze zacht.

'Ik heb Kollberg toch.'

'Toe zeg, dat is maar een hond!'

'Wees blij dat hij niet begrijpt wat je zegt.' Sejer wierp even een blik op de hond, die nietsvermoedend onder de tafel lag te slapen. 'Wij redden ons wel. Als dit echt is wat jullie willen, dan wil ik dat jullie gaan. Is Erik de blindedarmen en de gezwollen amandelen zat?'

'Het is daarginds zo anders', verklaarde ze. 'Zo ontzettend veel nuttiger.'

'En Matteus? Wat doen jullie met hem?'

'Hij kan naar een Amerikaanse kleuterschool, samen met een heleboel andere kinderen. En bovendien is het zo,' zei ze peinzend, 'dat hij daar familie heeft die hij nog nooit heeft gezien. Dat vind ik niet prettig. Ik wil dat hij alles weet.'

'Amerikaans?' vroeg hij sceptisch. 'Wat bedoel je met alles weten?' Hij dacht aan Matteus' echte ouders en wat er met hen was gebeurd.

'Dat van zijn moeder, daar wachten we mee tot hij groter is.'

'Doen!' zei hij beslist.

Ze keek hem aan en glimlachte. 'Wat denk je dat mamma gezegd zou hebben?'

'Hetzelfde als ik. En dan zou ze naderhand op bed een traantje hebben weggepinkt.'

'En dat doe jij niet?'

Matteus kwam aangerend, met een kinderboek in zijn ene hand en een appel in de andere.

'"Het was een donkere, stormachtige nacht." Is dat niet te eng?'

'Puh!' snoof hij en klom bij zijn opa op schoot.

'De kooltjes zijn wit', zei Ingrid en schopte haar klompen uit. 'Ik gooi de biefstukjes erop.'

'Gooi jij de biefstukjes er maar op', zei hij.

Ze legde het vlees op het rooster, vier stuks in totaal, en liep naar binnen om drinken te halen.

'Ik heb een groene nepslang in mijn kamer', fluisterde Matteus. 'Zullen we die in haar klomp stoppen?'

Sejer aarzelde. 'Ik weet het niet. Is dat wel verstandig, denk je?'

'Vind jij van niet?'

'Eigenlijk niet.'

'Oude mensen zijn zo bang', zei hij zorgzaam. 'Ik krijg toch de schuld.'

'Oké', zei hij zacht. 'Ik kijk wel de andere kant op.'

Matteus sprong weer op de grond, rende naar binnen om de nepslang te halen en duwde die zorgvuldig in haar klomp.

'Nu kun je voorlezen.'

Hij dacht met afschuw aan die akelige rubberen slang

en hoe dat moest voelen tegen een blote voet. Toen begon hij te lezen, met een zware, dramatische stem: 'Het was een donkere, stormachtige nacht. Er zaten rovers in de bergen, en wolven. Weet je zeker dat dit niet te eng is?'

'Mamma heeft het heel vaak voorgelezen.' Hij zette zijn tanden in de appel en kauwde tevreden.

'Niet zulke grote happen', zei hij waarschuwend. 'Als het in je keel schiet, stik je.'

'Voorlezen, opa!'

Ik begin vast oud te worden, dacht hij triest. Oud en bangelijk.

'Het was een donkere, stormachtige nacht', begon hij weer, en op dat moment kwam Ingrid weer buiten, met drie flesjes bier en een cola. Hij stopte en staarde haar aan. Dat deed Matteus ook.

'Waarom kijken jullie zo? Wat hebben jullie?'

'Niets', zeiden ze in koor en bogen zich weer over het boek. Ze zette de flesjes op de tafel, wipte de doppen eraf en zocht haar klompen. Tilde ze op, keerde ze ondersteboven en klopte ze drie keer tegen elkaar aan. Er gebeurde niets. Hij zit vast in de punt, dachten ze, zich verkneuterend. Toen gebeurde er van alles tegelijk. Zijn schoonzoon Erik verscheen plotseling in de deuropening. Matteus sprong van zijn schoot en rende naar hem toe. Kollberg schrok op onder de tafel en kwispelde zo hard dat de flesjes omvielen, en Ingrid stak haar voeten in haar klompen.

*

Sølvi stond in haar kamer, ze pakte dingen uit een doos. Een ogenblik rechtte ze haar rug en keek naar buiten. Aan de overkant van de straat stond Fritzner voor zijn raam naar haar te kijken. Hij had een glas in zijn hand. Nu hief hij het op en knikte, alsof hij een toost wilde uitbrengen.

Sølvi keerde hem ogenblikkelijk haar rug toe. Weliswaar had ze er niets op tegen om door een man bekeken te worden. Maar Fritzner was kaal. Leven met een kale man was voor haar net zo moeilijk voor te stellen als leven met een dikke man. Zij pasten niet in haar dromen. Dat Eddie zowel kaal als gezet was, daar dacht ze niet aan. Andere mannen konden best kaal zijn, maar niet degene met wie zij uitging. Ze snoof verachtelijk en keek weer op. Nu was hij weg. Hij zou wel weer in zijn bootje zitten, de idioot.

Ze hoorde de bel en trippelde naar de deur om open te doen. Ze droeg een lichtblauw broekpak met een zilveren riem rond haar middel en ballerinaschoenen.

'O!' zei ze opgewekt. 'Bent u het! Ik ben bezig Annies kamer op te ruimen. Kom maar binnen, mamma en pappa komen zo.'

Sejer volgde haar via de woonkamer naar haar kamer, die naast die van Annie lag. Die van haar was een stuk groter en geheel in pastelkleuren. Er stond een foto van haar overleden zus op het nachtkastje.

'Ik heb het een en ander geërfd', glimlachte ze verontschuldigend. 'Wat kleine dingetjes en kleren en zo. En als ik pappa kan overhalen, dan mag ik misschien de muur naar Annies kamer weghalen en dan krijg ik een hele grote kamer.'

Hij knikte. 'Dat wordt dan echt mooi', mompelde hij. Op hetzelfde moment schaamde hij zich, omdat er enkele arrogante gevoelens boven kwamen drijven. Hij had geen enkel recht om iemand te veroordelen. Ze probeerden verder te leven en hadden het recht om dat op hun eigen manier te doen. Niemand kon een ander vertellen hoe hij moest rouwen. Hij gaf zichzelf deze kleine reprimande en keek om zich heen. Nog nooit had hij een kamer gezien met zo veel frutseltjes en beeldjes en andere rommeltjes.

'En dan krijg ik een eigen tv', glimlachte ze. 'En met een extra antenne kan ik nog meer zenders ontvangen.'

Ze boog zich over de kartonnen doos die op de vloer stond en haalde voortdurend nieuwe dingen tevoorschijn. 'Het zijn vooral boeken,' zei ze toen, 'Annie had geen make-up en sieraden en zo. En een heleboel cd's en muziekcassettes.'

'Hou je van lezen?'

'Eigenlijk niet. Maar het is leuk als mijn boekenplank helemaal vol staat.'

Hij knikte begrijpend.

'Is er iets gebeurd?' vroeg ze voorzichtig.

'Ja, eigenlijk wel. Maar voorlopig weten we nog niet wat het allemaal betekent.'

Ze knikte en pakte weer iets uit de doos. Ingepakt in krantenpapier.

'Dus jij kent Magne Johnas, Sølvi?'

'Ja?' zei ze snel. Hij dacht dat ze bloosde, maar haar wangen waren sowieso nogal rood. 'Hij woont nu in Oslo. Werkt in een sportschool.'

'Weet jij of Annie en hij wel eens iets met elkaar hebben gehad?'

'Iets met elkaar hebben gehad?' Ze keek hem niet-begrijpend aan.

'Of ze verkering hebben gehad, of dat Magne wel eens verliefd op haar is geweest, of misschien toenaderingspogingen heeft gedaan? Voor jouw tijd?'

'Annie lachte hem alleen maar uit', zei ze, op een enigszins klagende toon. 'Alsof je met Halvor voor de dag kunt komen. Magne ziet er tenminste uit als een jongen. Hij heeft tenminste spieren en zo, bedoel ik.' Ze trok aan het krantenpapier en vermeed zijn blik.

'Kan ze hem beledigd hebben?' vroeg hij voorzichtig, op het moment dat er iets glimmends uit het papier tevoorschijn kwam.

'Dat zou best kunnen. Alleen maar nee zeggen, was niet genoeg voor Annie. Ze kon soms nogal hatelijk uit de hoek komen en ze viel niet op spieren. Iedereen praat erover hoe aardig en leuk ze was, en het is niet mijn bedoeling om iets lelijks over mijn halfzus te zeggen. Maar ze was vaak hatelijk, alleen durft niemand dat te zeggen. Omdat ze dood is. Ik begrijp niet dat Halvor het uithield. Annie was altijd degene die alles besliste.'

'O ja?'

'Maar tegen mij was ze aardig. Altijd aardig.' Haar gezicht kreeg even een verschrikte uitdrukking bij de herinnering aan haar zus en aan wat er allemaal was gebeurd.

'Hoe lang heb je al verkering met Magne?' vroeg hij beleefd.

'Nog maar een paar weken. We gaan naar de bioscoop en zo.' Het antwoord kwam er erg snel uit.

'Hij is jonger dan jij?'

'Vier jaar', zei ze onwillig. 'Maar hij is heel erg volwassen voor zijn leeftijd.'

'Juist.'

Ze hield iets omhoog tegen het licht en tuurde ernaar. Een bronzen vogel op een pin. Een klein mollig gevederd schepseltje met een scheef kopje.

'Deze lijkt me kapot', zei ze onzeker.

Hij keek verrast op. Het was alsof er een pijl in zijn slaap drong. Het leek op zo'n dingetje dat mensen op de grafstenen van kleine kinderen zetten.

'Ik kan er van klei een sokkeltje voor maken om hem neer te zetten', zei ze peinzend. 'Of pappa kan me helpen. Hij is best mooi.'

Hij kon niet antwoorden. Een beeld van een andere Annie, een Annie met meer nuances dan die Halvor en haar ouders hadden laten zien, nam langzaam vorm aan.

'Wat denk je dat het is?' mompelde hij.

Ze haalde haar schouders op. 'Geen idee. Gewoon een beeldje dat kapot is gegaan, toch?'

'Heb je het nooit eerder gezien?'

'Nee. Ik mocht nooit in Annies kamer komen als ze niet thuis was.'

Ze legde de vogel op het bureautje. Daar bleef hij liggen wiebelen. Daarna dook ze weer in de doos.

'Is het lang geleden dat je je vader hebt gezien?' vroeg hij luchtig, terwijl hij naar het vogeltje bleef kijken, dat almaar wiebelde, steeds langzamer. Zijn hersenen werkten onder hoogspanning.

'Mijn vader?' Ze richtte zich op en keek hem verward aan. 'U bedoelt... mijn vader in Oslo?'

Hij knikte.

'Hij was op Annies begrafenis.'

'Je mist hem zeker?'

Daar gaf ze geen antwoord op. Het was alsof hij iets had aangestipt waar ze zelden dieper over nadacht. Iets onprettigs, dat ze probeerde te vergeten, een flard slecht geweten misschien, iets dat anderen hadden veroorzaakt, ongeschreven wetten die ze altijd had gevolgd en zonder tegenwerpingen had aanvaard, omdat ze nooit had begrepen wat er eigenlijk achter stak. Hij voelde zich op dat moment een beetje vrijpostig. Hij moest niet vergeten voorzichtig te werk te gaan, eraan denken dat hij mensen op hun eigen voorwaarden moest benaderen, niet zomaar naar binnen stampen.

'Hoe noem je Eddie?' vroeg hij voorzichtig.

'Ik noem hem pappa', zei ze zacht.

'En je echte vader?'

'Hem noem ik vader', zei ze eenvoudig. 'Dat heb ik altijd gedaan. Dat wilde hij zo, hij was altijd zo ouderwets.'

Was. Alsof hij niet meer bestond.

'Daar heb je de auto!' zei ze opgelucht.

De groene Toyota van de familie Holland reed de oprit op. Hij zag Ada Holland een voet op het grind zetten en een blik op het raam werpen.

'Die vogel, Sølvi, mag ik die hebben?' vroeg hij snel.
Ze keek hem met open mond aan. 'Die kapotte vogel? Best hoor.' Ze gaf het ding aan hem, vragend.
'Dank je wel. Dan zal ik je verder niet storen', glimlachte hij en liep de gang in. Hij stopte de vogel in zijn binnenzak en ging de kamer binnen. Bleef bij de muur staan en wachtte.
De vogel. Van Eskils graf gerukt. In Annies kamer. Waarom?
Holland kwam als eerste binnen. Hij knikte en stak met een half afgewend gezicht zijn hand uit. Hij straalde iets afwijzends uit dat er eerder niet was geweest. Mevrouw Holland ging koffie zetten.
'Sølvi krijgt Annies kamer', zei Holland. 'Dan hoeft die niet leeg te blijven staan. En dan hebben we iets om handen. Ik ga de wand ertussenuit halen en opnieuw behangen. Dat wordt een heel karwei.'
Sejer knikte.
'Ik wil graag iets zeggen', ging hij verder. 'Ik lees in de krant dat er een achttienjarige jongen is aangehouden. Halvor kan dit toch niet gedaan hebben? We kennen hem al twee jaar. Hij mag dan niet zo makkelijk toegankelijk zijn, maar je leert iemand toch kennen. Ik wil hiermee niet insinueren dat u niet weet wat u doet, maar we kunnen ons Halvor niet als moordenaar voorstellen, echt niet, wij geen van allen.'
Maar dat kon Sejer wel. Moordenaars waren net als andere mensen. Misschien had hij zijn vaders hoofd eraf geschoten, in koelen bloede een slapende man afgeslacht.
'Is Halvor aangehouden?' hernam Holland.
'We hebben hem weer laten gaan', antwoordde hij luid.
'Ja maar, waarom is hij dan eerst aangehouden?'
'We hadden geen keus. Meer kan ik er niet over zeggen.'
'"In het belang van het onderzoek"?'
'Inderdaad.'

Mevrouw Holland kwam binnen met vier kopjes en een schaal biscuitjes.

'Maar gebeurt er verder nog iets?'

'Ja.' Hij keek uit het raam, zocht iets om hen af te leiden. 'Voorlopig kan ik niet veel zeggen.'

Holland glimlachte wrang. 'Natuurlijk niet. Wij zullen wel de laatsten zijn die iets te horen krijgen, stel ik me zo voor. De kranten zullen het wel veel eerder weten, als jullie hem eindelijk te pakken hebben.'

'Absoluut niet.' Sejer keek hem recht in de ogen, die groot en grijs waren, net zoals die van Annie waren geweest. Op dit moment liepen ze over van pijn. 'Maar de pers is overal en ze hebben zo hun contacten. Dat u dingen in de krant leest, betekent niet dat wij hen hebben ingelicht. Als we iemand arresteren krijgt u bericht. Dat beloof ik.'

'Niemand heeft ons over Halvor verteld', zei hij zacht.

'Dat komt heel eenvoudig omdat we niet dachten dat hij de juiste man was.'

'Als ik erover nadenk,' mompelde Holland, 'dan weet ik niet of ik het wel wil weten. Wie het heeft gedaan.'

'Wat zeg je nou?' Ada Holland kwam binnen met de koffie en staarde hem vol ontzetting aan.

'Het maakt niets meer uit. Alles bij elkaar is het net een onvermijdelijk ongeval.'

'Waarom zeg je zoiets?' vroeg ze vertwijfeld.

'Aangezien ze toch dood zou gaan. Het maakt eigenlijk niets meer uit.' Hij staarde in het lege kopje, tilde het op en zette het in beweging, alsof hij wilde morsen met gloeiend hete koffie die er helemaal niet was.

'Het maakt wel wat uit', zei Sejer nijdig. 'Jullie hebben het recht te weten waarom. Het kan even duren, maar ik zal het ophelderen, ook al wordt het misschien een heel lang proces.'

'Een heel lang proces?' Holland glimlachte plotseling,

opnieuw een bittere glimlach. 'Annie gaat langzaam in ontbinding', fluisterde hij.

'Maar Eddie toch!' zei mevrouw Holland gekweld. 'We hebben Sølvi toch nog!'

'Jíj hebt Sølvi.'

Hij stond op. Hij verdween in het huis en bleef weg. Niemand ging achter hem aan. Mevrouw Holland haalde wanhopig haar schouders op.

'Annie was een vaderskindje', zei ze zacht.

'Ik weet het.'

'Ik ben bang dat hij nooit meer de oude wordt.'

'Dat wordt hij ook niet. Momenteel is hij op zoek, naar een andere houding. Hij heeft tijd nodig. Misschien wordt het makkelijker als we ontdekken wat er precies is gebeurd.'

'Ik weet niet of ik het durf te weten.'

'Bent u ergens bang voor?'

'Ik ben overal bang voor. Ik zie allerlei dingen gebeuren, daar boven bij het ven.'

'Kunt u mij daar iets over vertellen?'

Ze schudde haar hoofd en greep haar kopje. 'Nee, dat kan ik niet. Het zijn maar fantasieën. Als ik ze hardop zeg, worden ze misschien waarheid.'

'Het ziet ernaar uit dat Sølvi zich wel redt?' vroeg hij afleidend.

'Sølvi is sterk', zei ze plotseling stellig.

Sterk, dacht hij. Ja, misschien was dat de juiste benaming. Misschien was Annie de zwakkere geweest. De dingen werden binnen in zijn hoofd op een verontrustende manier op hun kop gezet. Ze stond op om suiker en melk te halen. Sølvi kwam binnen.

'Waar is pappa?'

'Hij komt zo!' riep mevrouw Holland luid vanuit de keuken, op een autoritaire toon. Misschien hoopte ze dat Eddie het zou horen en weer zou binnenkomen.

Ze is niet alleen dood en weg, dacht Sejer. De familie valt uiteen, de lasnaden laten los, de romp vertoont grote gaten en het water gutst naar binnen, en nu propt ze oude frasen en bevelen in de kieren om de schuit drijvende te houden.

Ze schonk koffie in. Hij kon zijn vingers niet door het oortje krijgen en moest het kopje met beide handen oppakken.

'U praat de hele tijd over het waarom', zei ze vermoeid. 'Alsof hij een goede reden had.'

'Niet goed. Maar natuurlijk wel een reden. Die op dat moment en op die plaats de enige uitweg was.'

'Dus u begrijpt ze blijkbaar? De mensen die u opsluit wegens moord en andere ellende?'

'Anders zou ik dit werk niet kunnen doen.' Hij nam weer een slok van zijn koffie en dacht aan Halvor.

'Maar er zullen toch wel uitzonderingen zijn?'

'Dat komt maar zelden voor.'

Ze zuchtte en keek naar haar dochter. 'Wat denk jij, Sølvi?' vroeg ze ernstig, zachtjes, op een andere toon dan hij eerder van haar had gehoord, alsof ze voor deze ene keer eindelijk in het blonde hoofd wilde doordringen om een antwoord te vinden, een onverwacht verhelderend antwoord misschien. Alsof haar enig overgebleven dochter misschien een ander was dan ze eerst had gedacht, en misschien meer op Annie leek dan ze had geweten.

'Ik?' Sølvi keek haar moeder verrast aan. 'Als je het mij vraagt, dan heb ik Fritzner van de overkant nooit gemogen. Ik heb gehoord dat hij de hele nacht in de kamer in een zeilboot zit te lezen, met bier in een flessenhouder.'

Skarre had de meeste lampen in het kantoor uitgedaan. Alleen de leeslamp was aan, zestig watt in een witte cirkel boven de papieren. De printer zoemde zacht en regelmatig, en spuwde de ene bladzijde na de andere uit, bedekt met het lettertype dat hij het allermooist vond en dat Palatino heette. Op de achtergrond, als het ware in de verte, ging een deur open en kwam iemand binnen. Hij wilde opkijken om te zien wie het was, maar precies op dat moment viel er een papier uit de printer. Hij bukte om het op te pakken, richtte zich weer op, en zag toen dat er iets in zijn blikveld gleed, boven het witte papier. Een bronzen vogel op een steeltje.

'Waar!' zei hij snel.

Sejer ging zitten. 'Thuis bij Annie. Sølvi erft allemaal dingen van haar zus en deze lag tussen haar bezittingen, ingepakt in krantenpapier. Ik ben nog even bij het graf wezen kijken. Hij paste als een hand in een handschoen.' Hij keek naar Skarre. 'Maar ze kan hem natuurlijk van iemand gekregen hebben. '

'Aan wie denk je dan?'

'Dat weet ik niet. Maar als ze hem zelf heeft weggehaald, als ze er werkelijk in het donker naartoe is gegaan en hem met een of ander gereedschap van het graf heeft losgetikt, dan is het een nogal wrede daad. Vind je ook niet?'

'Annie was toch niet wreed?'

'Daar ben ik niet zo zeker van. Ik ben ondertussen nergens meer zeker van.'

Skarre draaide de lamp van de tafel weg, zodat het schijnsel een perfecte volle maan op de wand vormde. Ze bleven ernaar zitten kijken. Ineens pakte Skarre de vogel op, hield hem aan de pin vast en liet hem in het licht van de lamp dansen. De schaduw die hij in de witte maan vormde, leek op die van een beschonken reuzeneend die van een feestje kwam.

'Jensvoll heeft opgezegd als trainer van het meisjesteam', zei Skarre.

'Wat?'

'Het roddelcircuit is in gang gezet. De verkrachtingszaak doet de ronde. De meisjes bleven weg.'

'Dat had ik wel gedacht. Van het een komt het ander.'

'En Fritzner krijgt gelijk. Het wordt voor veel mensen een moeilijke tijd. Totdat de schuldige instort. En dat doet hij binnenkort, want nu zie je het verband, nietwaar?'

Sejer schudde zijn hoofd. 'Er is iets met Annie en Johnas. Er is iets tussen hen gebeurd.'

'Misschien wilde ze alleen een herinnering aan Eskil hebben?'

'Dan had ze kunnen aanbellen en een beertje of zoiets kunnen krijgen.'

'Kan hij haar iets gedaan hebben?'

'Haar, of iemand anders met wie ze iets had. Iemand van wie ze hield.'

'Dat begrijp ik niet... bedoel je Halvor?'

'Ik bedoel zijn zoontje. Eskil. Die stierf terwijl Johnas zich in de badkamer stond te scheren.'

'Dat kan ze hem toch niet aanrekenen?'

'Tenzij er iets niet is opgehelderd aan de wijze waarop hij is gestorven.'

Skarre floot.

'Er was verder niemand bij, niemand heeft het gezien. We hebben nog steeds alleen de verklaring van Johnas.' Sejer pakte het vogeltje weer op en peuterde voorzichtig aan het scherpe snaveltje. 'Wat denk jij, Jacob? Wat is er eigenlijk gebeurd, op die ochtend van zeven november?'

*

Op het moment dat hij de dubbele glazen deur opende en de kamer betrad, stroomden de herinneringen als een vloedgolf over hem heen. De ziekenhuislucht, een mengeling van formaline en zeep, samen met de zoete geur van chocolade uit de kiosk en de kruidige geur van anjers uit de bloemenwinkel.

In plaats van aan de dood van zijn vrouw, probeerde hij aan zijn dochter Ingrid te denken, aan de dag waarop ze geboren werd. Want in dit grote gebouw had hij niet alleen zijn grootste verdriet beleefd, maar ook de grootste vreugde in zijn leven. Toen was hij dezelfde deur binnengegaan en had hij dezelfde geuren geroken. Onwillekeurig vergeleek hij zijn pasgeboren dochter met de andere zuigelingen. Hij vond dat die allemaal roder en dikker waren en meer plooien hadden, en bovendien was hun haar borsteliger. Of ze waren te vroeg geboren en geel als bijenwas. Of ze hadden te lang gelegen en leken ondervoede minibejaarden. Ingrid was de enige baby die volkomen perfect was. Door deze herinneringen ontspande hij uiteindelijk.

Hij kwam allerminst onaangekondigd. Het had hem precies acht minuten aan de telefoon gekost om de patholoog-anatoom te vinden die de sectie op Eskil Johnas had verricht. Hij had duidelijk gemaakt waar het om ging, zodat ze van te voren dossiers en statussen konden opzoeken en klaarleggen. Een van de dingen die hem eigenlijk wel bevielen aan de bureaucratie, aan het logge, taaie, omstandige systeem dat alle overheidsinstellingen regeerde, was de regel dat alles moest worden genoteerd en gearchiveerd. Data, tijden, namen, diagnoses, handelingen, onregelmatigheden, alles moest worden vastgelegd. Zo kon alles weer tevoorschijn worden gehaald en opnieuw onderzocht, door andere mensen, met andere drijfveren en met een frisse blik.

Dacht hij, terwijl hij de lift verliet. Toen hij op de zevende verdieping door de gang liep, merkte hij dat de ziekenhuisgeur sterker werd. De patholoog-anatoom, die aan de telefoon bezadigd en middelbaar had geklonken, bleek een jonge man te zijn. Een klein, weldoorvoed mannetje met dikke brillenglazen en vlezige, zachte handen. Op zijn bureau had hij een rolodex en een telefoon, een stapel papieren en een groot rood boek met Chinese tekens.

'Ik moet toegeven dat ik snel het dossier even heb doorgekeken', zei de arts. Door zijn bril zag hij er een beetje onthutst uit. 'Ik werd nieuwsgierig. U was toch van de recherche?'

Sejer knikte.

'Mag ik aannemen dat er mogelijk iets bijzonders aan dit sterfgeval is?'

'Daar kan ik niets over zeggen.'

'Maar daarvoor bent u toch hier?'

Sejer keek hem aan en knipperde twee keer met zijn ogen, dat was zijn hele antwoord. Toen hij bleef zwijgen sprak de arts verder, een fenomeen dat Sejer bleef verbazen en dat hem al jaren ontboezemingen opleverde.

'Tragisch geval', mompelde de patholoog, een blik in de papieren werpend. 'Een jongetje van twee jaar. Ongeval in huis. Een paar minuten zonder toezicht. Dood bij aankomst. Toen we hem openmaakten troffen we een totale obstructie van zijn luchtpijp aan, in de vorm van voedsel.'

'Wat voor voedsel?'

'Wafels. We konden ze zo openvouwen, ze waren bijna helemaal heel. Twee hele wafelhartjes, opgevouwen tot een prop. Dat is vrij veel eten voor zo'n klein mondje, ook al was het een stevig knulletje. Achteraf bleek dat hij nogal een schrokop was, en bovendien hyperactief.'

Sejer trachtte zich een rozet wafels voor de geest te halen zoals Elise ze altijd bakte, bestaande uit vijf hartjes. Ingrids wafelijzer was moderner, met slechts vier hartjes, die bovendien niet echt een cirkel vormden.

'Ik kan me die autopsie vrij goed herinneren. De tragische gevallen herinner je je altijd het beste, die blijven je bij. Het merendeel van wat we hier op de snijtafel krijgen, is tenslotte tussen de tachtig en de negentig. En ik zie die wafelhartjes nog voor me. Kinderen en wafels horen als het ware bij elkaar. Het was extra tragisch dat ze hem het leven hadden gekost. Het was immers zijn bedoeling geweest om ervan te genieten.'

'U zegt wij. Waren er meer mensen bij?'

'Arnesen, de chef, was erbij. Ik was toen namelijk net in dienst en hij wilde nieuwelingen altijd graag even in de gaten houden. Hij is nu met pensioen. Nu hebben we een vrouwelijke chef.'

Bij die gedachte tuurde hij naar zijn handen.

'Twee hele wafelhartjes. Was erop gekauwd?'

'Niet zichtbaar, nee. Ze waren zo goed als heel.'

'Hebt u kinderen?' vroeg Sejer nieuwsgierig.

'Ik heb vier kinderen', zei hij tevreden.

'Dacht u aan hen tijdens die sectie?'

Hij keek een beetje onzeker naar Sejer op, alsof hij de vraag niet helemaal snapte. 'Tja, in zekere zin. Of, ik dacht misschien meer aan kinderen in het algemeen, en hoe ze zijn.'

'Ja?'

'Mijn zoontje was toen net drie geworden', ging hij verder. 'Hij is dol op wafels. En net als alle andere ouders zanik ik altijd tegen hem dat hij niet zoveel eten tegelijk in zijn mond moet proppen.'

'Maar hier was niemand bij,' zei Sejer, 'om hem zo'n waarschuwing te geven.'

'Nee. Dan zou dit natuurlijk niet gebeurd zijn.'

Daar gaf Sejer geen antwoord op.

'Kun je je eigen zoon voorstellen, toen hij ongeveer net zo oud was, met een bord wafels voor zijn neus? Zou hij het in zijn hoofd halen om twee stukjes te pakken, ze dubbel te vouwen en ze tegelijk in zijn mond te steken?'

Nu volgde er een lange pauze.

'Eh... dit was een bijzondere jongen.'

'Hoe komen jullie precies aan die informatie? Dat hij zo speciaal was, bedoel ik?'

'Van zijn vader. Hij was de hele dag hier in het ziekenhuis. Zijn moeder kwam later, samen met een oudere broer. Bovendien is alles genoteerd. Ik heb een kopie voor u gemaakt, zoals u vroeg.' Hij duwde zijn vinger op de stapel papieren voor hem en schoof het Chinese boek opzij. Sejer herkende het eerste teken op de omslag, het teken voor 'man'.

'Naar ik vernomen heb was de vader in de badkamer toen het ongeluk gebeurde?'

'Dat klopt. Hij stond zich te scheren. De jongen zat vastgebonden in zijn stoel, daarom kon hij niet loskomen om hulp te halen. Toen de vader weer in de keuken kwam, hing de jongen over de tafel. Hij had het bord op de grond geveegd zodat het kapot was gevallen. Het ergste was, dat de vader dát wel had gehoord.'

'Is hij niet naar hem toegerend?'

'Hij gooide blijkbaar aldoor dingen kapot.'

'Wie was er nog meer in huis toen het gebeurde?'

'Alleen de moeder, naar ik heb begrepen. De oudste zoon was net vertrokken, naar school of zo, en de moeder lag boven te slapen.'

'En zij heeft niets gehoord?'

'Er was denk ik niet veel te horen. Hij kon immers niet schreeuwen.'

'Niet met twee stukken wafel in zijn keel. Maar uiteindelijk werd ze gewekt... door haar man veronderstel ik?'

'Het kan zijn dat hij haar geroepen heeft. Mensen reageren heel verschillend in dergelijke situaties. Sommigen schreeuwen alleen maar, anderen raken volkomen verlamd.'

'Maar ze is niet met de ambulance meegekomen?'

'Ze kwam later. Ze heeft eerst die oudste jongen van school gehaald.'

'Hoeveel later kwamen zij?'

'Eens even kijken... ongeveer anderhalf uur, staat hier.'

'Kunt u iets zeggen over zijn gedrag? Van de vader?'

Nu zweeg de arts en hij sloot zijn ogen, alsof hij zich die bewuste ochtend weer voor de geest wilde halen, precies zoals het gegaan was.

'Hij had een shock. Hij zei niet veel.'

'Begrijpelijk. Maar het weinige dat hij eventueel gezegd heeft... kunt u zich dat herinneren? Kunt u zich enkele woorden herinneren?'

De arts keek hem vragend aan en schudde zijn hoofd. 'Het is behoorlijk lang geleden. Bijna acht maanden.'

'Probeer het toch maar.'

'Ik geloof dat het zoiets was als: O God, nee! O God, nee!'

'Heeft de vader de ambulance gebeld?'

'Dat staat hier, ja.'

'Hebben ze echt twintig minuten nodig om van hier naar Lundeby te rijden?'

'Ja, helaas. En weer twintig minuten terug. Er was niemand bij die een tracheotomie kon uitvoeren. Als dat wel het geval was geweest, had hij misschien gered kunnen worden.'

'Waar heeft u het nu over?'

'Je kunt tussen twee nekwervels naar binnen gaan en de luchtpijp van buitenaf openmaken.'

'Dus de hals opensnijden?'

'Ja. Dat is vrij simpel. En het zou hem misschien gered hebben. Maar we weten natuurlijk niet precies hoe lang hij zo in zijn stoel heeft gezeten voordat zijn vader hem vond.'

'Ongeveer zo lang als het duurt om je te scheren, toch?'

'Ja, misschien.'

De arts bladerde in het dossier en duwde zijn bril omhoog. 'Is er wellicht sprake van een... misdrijf?' Hij had lang op deze vraag zitten broeden. Nu had hij voor zijn gevoel het recht om hem eindelijk te stellen.

'Dat kan ik me niet voorstellen. Wat bedoelt u?'
'Daar kan ik toch niets over zeggen?'
'Maar u heeft de jongen naderhand opengemaakt en onderzocht. Is u iets onnatuurlijks opgevallen aan dit sterfgeval?'
'Onnatuurlijk? Zo zijn kinderen nu eenmaal. Ze proppen van alles naar binnen.'
'Maar als hij een bord met een aantal wafels voor zich had en helemaal alleen was, en dus niet bang hoefde te zijn dat iemand iets van hem afpakte... waarom zou hij dan twee stukken tegelijk naar binnen proppen?'
'Zegt u eens... waar wilt u eigenlijk heen?'
'Dat weet ik niet.'
De arts bleef peinzend zitten, hij ging in gedachten weer terug. Naar de ochtend waarop de kleine Eskil naakt op de porseleinen tafel lag, van het kuiltje in zijn hals naar beneden toe opengereten, totdat hij het brok in zijn luchtpijp in de gaten kreeg en zag dat het wafels waren. Twee hele wafelhartjes. Eén grote kleffe klont van ei en meel en boter en melk.
'Ik herinner me de sectie', zei hij zacht. 'Ik herinner het me heel goed. Dat betekent misschien dat ik me eigenlijk verbaasde. Nee, ik weet het niet, ik kan er niets van zeggen. Zulke gedachten zijn nooit bij me opgekomen. Maar,' zei hij plotseling, 'hoe bent u überhaupt op dit idee gekomen? Dat er hier een ongeregeldheid zou zijn?'
Ongeregeldheid. Dat verdekte woord, dat zo veel kon betekenen.
'Tja', zei Sejer, hem aankijkend. 'Hij had een vaste oppas. Laat ik het zo zeggen dat ik aan het denken ben gezet door een aantal signalen die zij in verband met dit sterfgeval heeft uitgezonden.'
'Signalen? Dan kunt u het haar toch vragen?'
'Nee, dat kan niet.' Hij schudde zijn hoofd. 'Daarvoor is het te laat.'

Wafels voor het ontbijt, dacht hij. Die moesten van de vorige dag zijn geweest. Johnas was vast niet 's morgens vroeg opgestaan om beslag te maken. Wafels van de vorige dag, taai en koud. Hij deed zijn jas dicht en stapte in de auto. Niemand zou dat raar vinden. Kinderen verslikten zich constant. Zoals de patholoog had gezegd: ze proppen het naar binnen. Hij startte de auto, kruiste de Rosenkrantzgate en reed naar de rivier, waar hij links afsloeg. Hij had absoluut geen honger, maar hij reed naar het gerechtsgebouw, parkeerde en nam de lift naar de kantine, waar ze wafels verkochten. Hij nam een rozet wafels met een schep jam en een kop koffie en ging bij het raam zitten. Voorzichtig scheurde hij twee hartjes los. Deze waren knapperig en vers. Hij vouwde ze dubbel en nog eens dubbel, bleef ernaar zitten staren. Met een beetje moeite kon hij ze allebei in zijn mond steken en dan had hij nog plaats over om te kauwen. Hij deed het, voelde hoe ze zonder enige weerstand door zijn slokdarm omlaag gleden. Verse wafels waren glad en vet. Hij dronk van de koffie en schudde zijn hoofd. Sloeg onwillig de zich opdringende, flakkerende beelden gade, van het kleine jongetje dat bijna stikte. Hoe hij met zijn armpjes gebaarde en sloeg, zijn bordje brak en voor zijn leven vocht, zonder dat iemand hem hoorde. Alleen zijn vader had het bordje horen vallen. Waarom was hij niet naar binnen gelopen? Omdat de jongen aan de lopende band dingen kapot gooide, had de arts gezegd. En toch... een klein jongetje en een gebroken bordje. Zelf zou ik meteen naar hem toe zijn gerend, dacht hij. Ik zou gedacht hebben dat de stoel misschien was omgevallen en dat hij zich misschien pijn had gedaan. Maar zijn vader had eerst zijn toilet afgemaakt. En als zijn moeder toch wakker was geweest? Zou zij het bordje dan hebben horen vallen? Hij dronk verder van de koffie en besmeerde de rest van de wafels met jam. Daarna las hij zorgvuldig het rapport door. Ten slotte stond hij op en wandelde weer naar de auto. Hij dacht aan Astrid Johnas. Die in haar eentje boven had liggen slapen en niet had geweten wat er gebeurde.

Halvor pakte een boterham van het bord en zette de computer aan. Hij hield van het korte trompetgeschal en het blauwe licht dat de kamer binnenstroomde als de machine opstartte. Iedere keer als de fanfare speelde was een feestje. Hij had het idee dat hij als een belangrijk persoon welkom werd geheten, alsof hij verwacht werd. Vandaag probeerde hij iets anders. Hij had een pesthumeur, net zoals Annie vaak had gehad. Daarom begon hij vol vuur met 'Blijf af', 'Geen toegang' en 'Sodemieter op'. Zulke dingen zei ze als hij heel voorzichtig en vriendschappelijk een arm om haar heen sloeg. Maar ze zei het altijd op een lieve toon. En als hij het waagde om een kusje te vragen, dreigde ze zijn tuitlippen eraf te bijten. Haar stem zei iets anders dan haar woorden. Daardoor werden ze nog niet acceptabel, maar waren ze tenminste makkelijker te dragen. Hij mocht nooit echt dichtbij komen. Toch wilde ze dat wel. Ze lagen vaak dicht tegen elkaar aan om zich aan elkaar te warmen. Dat was op zich al heerlijk, om in het donker onder de deken dicht tegen Annie aan te liggen en naar de stilte buiten te luisteren, zonder de angst en de nachtmerries over zijn vader. Die niet langer blindelings kon binnenstormen om de deken van hem af te rukken, die hem niet langer kon bereiken. Veiligheid. De gewoonte om naast iemand te liggen, zoals hij al die jaren naast zijn broertje had gelegen. Het ademen van de ander horen en de warmte tegen zijn gezicht voelen.

Waarom had ze dit überhaupt opgeschreven? Wat was het? En zou hij het begrijpen als hij het uiteindelijk had gevonden? Hij kauwde op zijn brood met leverpastei en hoorde de televisie in de kamer tekeergaan. Het stak hem dat zijn oma 's avonds altijd alleen zat, en dat ze daar in haar eentje zou blijven zitten totdat hij erin slaagde de code te kraken en tot Annies geheim door te dringen. Dit moet iets geheims zijn, dacht hij, aangezien het zo moeilijk toegankelijk is. Iets geheims en gevaarlijks, dat niet hardop gezegd kon worden, maar moest worden opgeschreven en weggeborgen. Alsof het een kwestie van leven of dood was. Hij toetste het in. Hij schreef 'Leven of dood'. Er gebeurde niets.

*

Mevrouw Johnas had lunchpauze. Ze keek vanuit het kantoortje naar hem op, met een stukje knäckebröd in haar hand, gekleed in dezelfde rode jurk als de vorige keer. Ze leek te twijfelen. Het eten werd op het papier neergelegd, alsof het niet fatsoenlijk was om te zitten kauwen als ze over Annie zouden praten. Daarom concentreerde ze zich maar op de koffie.

'Is er iets gebeurd?' vroeg ze, terwijl ze uit de beker van de thermoskan dronk.

'Ik wil het vandaag niet over Annie hebben.'

Ze tilde haar beker op en keek hem met grote ogen aan.

'Vandaag wil ik het over Eskil hebben.'

'Pardon?' Haar volle lippen werden smaller. 'Dat is voorbij, dat heb ik achter me gelaten. En als ik het zeggen mag, dan heeft me dat heel veel moeite gekost.'

'Het spijt me dat ik niet meer consideratie heb. Ik wil een paar dingen weten over de dood van uw zoontje.'

'Waarom?'

'Daar hoef ik niet op te antwoorden, mevrouw Johnas', zei hij vriendelijk. 'Geeft u maar gewoon antwoord op mijn vragen.'

'En als ik weiger? Als ik er niet tegen kan om dit allemaal nog een keer naar boven te halen?'

'Dan ga ik weg,' zei hij rustig, 'en laat ik u een tijdje nadenken. Dan kom ik een andere keer terug met dezelfde vragen.'

Ze schoof de beker opzij, legde haar handen in haar schoot en rechtte haar rug. Alsof dit precies was wat ze had verwacht en zich schrap wilde zetten. 'Ik vind dit niet prettig', zei ze strak. 'Toen u hier laatst over Annie kwam praten, kwam het niet bij me op om mijn medewerking te weigeren. Maar als het over Eskil gaat... begint u dan maar meteen en maak het kort.'

Haar handen vonden elkaar en strengelden zich ineen. Alsof ze ergens bang voor was.

'Vlak voordat hij stierf,' zei Sejer, haar aankijkend, 'gooide hij zijn bordje op de grond, zodat het brak. Heeft u dat gehoord?'

De vraag verraste haar. Ze keek hem verbaasd aan, alsof ze iets anders had verwacht, misschien iets ergers. 'Ja', zei ze snel.

'U heeft het gehoord? Dus u was wakker?' Hij sloeg haar gade, zag de schaduw die over haar gezicht vloog en ging verder: 'Dus u sliep niet? Hoorde u het scheerapparaat?'

Ze boog haar hoofd. 'Ik hoorde Henning naar de badkamer gaan, hoorde de deur dichtslaan.'

'Hoe wist u dat hij naar de badkamer ging?'

'Ik wist het gewoon. We woonden daar al lang, de deuren hadden hun eigen geluid.'

'En daarvoor? Voordat hij naar de badkamer ging?'

Ze aarzelde even, zocht in haar herinnering. 'Hun stemmen, in de keuken. Ze ontbeten.'

'Eskil at wafels', zei hij voorzichtig. 'Kwam dat wel vaker voor?'

Wafels voor het ontbijt? Hij legde een vriendelijke glimlach naast de vraag.

'Hij zal er wel om gezeurd hebben', zei ze vermoeid. 'Hij kreeg altijd zijn zin. Je kon Eskil niet zomaar iets weigeren, dan werd hij helemaal wild. Hij kon geen tegenstand velen. Het was alsof je op gloeiende kooltjes blies. En Henning was niet erg geduldig, hij kon zijn gekrijs niet aanhoren.'

'Dus u heeft hem horen schreeuwen?'

Ze trok haar ene hand los uit de andere en pakte haar beker weer. 'Hij maakte altijd veel lawaai', zei ze tegen de damp die van de koffie opsteeg.

'Hadden ze ruzie, mevrouw Johnas?'

Ze glimlachte zwak. 'Ze hadden altijd ruzie. Hij zeurde om die wafels te krijgen. Henning had een boterham voor hem gesmeerd, maar die wilde hij niet opeten. En u weet hoe het is, we doen alles om onze kinderen aan het eten te krijgen, dus toen zal hij die wafels wel voor hem gepakt hebben, of misschien zag Eskil ze staan. Ze stonden met een stuk folie eroverheen op het aanrecht, van de vorige avond.'

'Heeft u een paar woorden kunnen verstaan? Die ze tegen elkaar zeiden?'

'Wat wilt u eigenlijk weten?' zei ze ineens. Haar ogen veranderden van kleur. 'Dat moet u maar aan Henning vragen, ik was er niet bij. Ik was boven.'

'Denkt u dat hij mij iets kan vertellen?'

Stilte. Ze sloeg haar armen over elkaar, alsof ze hem buiten wilde sluiten. De angst nam toe.

'Ik wil niet voor Henning praten. Ik ben niet meer met hem getrouwd.'

'Kwam het door het verlies van uw kind, dat u relatieproblemen kreeg?'

'Eigenlijk niet. Ons huwelijk was sowieso op de klippen gelopen. We pasten niet bij elkaar.'

'Was u degene die er een einde aan wilde maken?'

'Wat heeft dat ermee te maken?' vroeg ze bits.

'Waarschijnlijk niets. Ik vraag het alleen maar.'

Ze legde beide handen op tafel, keerde haar handpalmen naar boven.

'Toen Henning Eskil bij de tafel vond, wat deed hij toen? Heeft hij u geroepen?'

'Hij deed alleen de deur naar de slaapkamer open, stond daar maar te kijken. Ineens drong het tot me door hoe stil het was, er kwam geen enkel geluid uit de keuken. Ik ging rechtop in bed zitten en schreeuwde.'

'Is er iets aan het ongeval van uw zoontje wat u niet duidelijk is?'

'Wat?'

'Heeft u met uw man doorgenomen wat er is gebeurd? Heeft u hem ernaar gevraagd?'

Weer zag hij iets van angst in haar ogen.

'Hij heeft me alles verteld', zei ze afgemeten. 'Hij was ten einde raad. Had het gevoel dat het zijn schuld was, dat hij niet goed had opgelet. En het is niet gemakkelijk om daarmee te leven. Hij kon het niet, ik kon het niet. We hadden geen andere keus dan ieder onze eigen weg te gaan.'

'Maar er is niets aan zijn dood wat u niet heeft begrepen, of wat niet is opgehelderd?' Sejer keek haar vriendelijk aan, met zijn grote, leisteengrijze ogen, omdat zij de kern naderde en ze hem, als hij geluk had, tot die kern zou toelaten.

Haar schouders begonnen te schokken. Hij wachtte een tijdje geduldig, bedacht dat hij zich niet moest bewegen, de stilte niet moest verbreken, haar niet van de wijs moest brengen. Ze zat dicht tegen een bekentenis aan. Hij herkende het van andere verhoren, het hing in de lucht. Er zat haar iets dwars, iets waar ze niet aan durfde te denken.

'Ik hoorde ze tegen elkaar schreeuwen', fluisterde ze. 'Henning was woest, hij was nogal opvliegend. Ik trok een kussen over mijn hoofd, kon het niet aanhoren.'

'Ga door.'

'Ik hoorde Eskil lawaai maken, hij sloeg met zijn beker

op de tafel. En ik hoorde hoe Henning scheldend met laden en kastdeurtjes sloeg.'

'Kon u woorden onderscheiden?'

Haar onderlip begon weer te trillen. 'Eén zin maar. Vlak voordat hij de badkamer binnenstormde. Hij schreeuwde zo hard dat ik bang was dat de buren het zouden horen. Bang voor wat ze van ons zouden denken. Maar we hadden het niet gemakkelijk. We hadden een kind gekregen dat zich niet gedroeg zoals we verwachtten. We hadden immers al een zoon. En Magne was altijd zo stil, dat is hij nog steeds. We hadden nooit problemen met hem, hij deed wat we zeiden, hij...'

'Wat hoorde u? Wat zei hij?'

Plotseling rinkelde de winkelbel en ging de deur open. Er kwamen twee dames binnen die met fonkelende ogen naar al het garen keken. Mevrouw Johnas schrok en wilde de winkel ingaan. Hij hield haar tegen door een hand op haar schouder te leggen.

'Vertel het mij!'

Ze boog haar hoofd, alsof ze zich schaamde. 'Henning ging er bijna aan onderdoor. Hij kon het zichzelf niet vergeven. En ik kon niet langer met hem leven.'

'Vertel me wat hij zei!'

'Ik wil niet dat iemand het weet. En het maakt allemaal niets meer uit. Eskil is dood.'

'Maar u bent toch niet meer met Henning getrouwd?'

'Hij is Magnes vader. Hij heeft me verteld hoe hij in de badkamer stond te trillen van wanhoop, omdat hij er maar niet in slaagde te zijn zoals hij moest zijn. Hij bleef staan tot hij gekalmeerd was, daarna wilde hij naar binnen gaan en zijn excuses aanbieden omdat hij boos was geworden. Hij kon niet naar zijn werk gaan zonder dat hij het weer had goedgemaakt. Uiteindelijk ging hij naar binnen. De rest weet u.'

'Vertel me wat hij zei.'

'Nooit. Geen levende ziel zal dat van me horen.'

Hij liet de lelijke gedachte die in zijn hoofd wortel had geschoten, ontspruiten en groeien. Hij had in de loop der jaren zo veel gezien dat hij nog maar een doodenkele keer werd verrast. Misschien was Eskil Johnas zo'n kind dat je liever kwijt dan rijk was?

Hij haalde Skarre uit de meldkamer en trok hem mee.

'Laten we eens naar wat oosterse tapijten gaan kijken', zei hij.

'Waarom?'

'Ik ben net bij Astrid Johnas geweest. Ik geloof dat ze een verschrikkelijke achterdocht koestert. Dezelfde die bij mij is opgekomen. Namelijk dat Johnas in zekere zin schuldig is aan Eskils dood. Dat is volgens mij de reden dat ze van hem is gescheiden.'

'Ja maar, hoezo?'

'Ik weet het niet. Maar bij de gedachte alleen al krijgt ze het Spaans benauwd. En er is me nog iets anders opgevallen. Johnas heeft met geen woord over het ongeval gerept, toen we met hem spraken.'

'Dat is toch niet zo vreemd? We kwamen over Annie praten.'

'Ik vind het vreemd dat hij er niets over heeft gezegd. Er waren geen kinderen meer om op te passen, zei hij, omdat zijn vrouw was weggegaan. Hij zei niet dat het kind waar Annie altijd op paste dood was. Zelfs niet toen jij iets zei over de foto die aan de wand hing.'

'Hij kon er waarschijnlijk niet over praten. Het spijt me dat ik het zeg,' Skarre dempte plotseling zijn stem, 'maar jij hebt ook iemand verloren die je heel na stond. Hoe gemakkelijk is het eigenlijk om daarover te praten?'

Sejer was zo verrast dat hij plotseling bleef staan. Hij voelde zijn huid verbleken, alsof er een dunne draad over zijn gezicht werd getrokken. 'Daar zou ik wel over kunnen praten,' zei hij, 'als de situatie dat vereist, of als het voor mijn gevoel absoluut noodzakelijk is. Als andere belangen zwaarder wegen dan mijn eigen gevoelens.'

Haar geur, de geur van haar haren en haar huid, een combinatie van chemicaliën en zweet, haar voorhoofd had een bijna metalige glans. Het glazuur van haar tanden was aangetast door alle pillen, blauwig, als magere melk. Het wit van haar ogen werd langzaam geel.

Skarre stond voor hem, met opgeheven hoofd, absoluut niet verlegen. Sejer had het verwacht. Had hij zich versproken, was hij over de schreef gegaan? Moest hij zijn excuses aanbieden?

'Maar het is voor jouw gevoel dus nooit noodzakelijk geweest?'

Sejer keek de snotneus voor hem vragend aan. Waar haalde die melkmuil de brutaliteit vandaan?! 'Nee', zei hij gedecideerd en schudde zijn hoofd. 'Tot nog toe niet.' Hij liep door.

'Goed', ging Skarre onverstoorbaar verder. 'Wat zei mevrouw Johnas?'

'Henning en Eskil hadden ruzie. Ze hoorde hen tegen elkaar schreeuwden. Hoorde de badkamerdeur dichtslaan, het bordje breken. Johnas kon nogal tekeergaan. Ze zegt dat hij het zichzelf verwijt.'

'Dat zou ik ook gedaan hebben', zei Skarre.

'Heb jij nog iets opwekkends te melden?'

'Wel iets. Annies rugzak.'

'Wat is daarmee?'

'Weet je nog dat hij met vet was ingesmeerd? Waarschijnlijk om vingerafdrukken weg te vegen?'

'Ja?'

'Dat is geïdentificeerd. Een soort zalf die onder andere teer bevat.'

'Zoiets heb ik ook', zei Sejer verrast. 'Voor mijn eczeem.'

'Nee. Het was speciale potenzalf. Van dat spul voor zere hondenpoten.'

Sejer knikte. 'Johnas heeft een hond.'

'En Axel Bjørk heeft een herder. En jij heb een leeuw. Ik noem het alleen maar', zei hij snel, terwijl hij de deur openhield. De inspecteur stapte als eerste naar buiten. Hij was een beetje confuus.

*

Axel Bjørk deed de hond aan de riem en liet hem uit de auto.

Hij keek snel naar beide kanten, zag niemand, liep het plein over en haalde een loper uit de zak van zijn uniform. Draaide zich nogmaals om en keek naar de auto die goed zichtbaar vlak voor de hoofdingang stond, een blauwgrijze Peugeot met een skibox op het dak en het logo van het beveiligingsbedrijf op het portier en op de motorkap. De hond wachtte terwijl hij met het slot frunnikte. Voorlopig rook hij nog niets, dit hadden ze zo vaak gedaan, de auto in en uit, deuren en liften in en uit, honderden verschillende geuren. Hij volgde trouw. Hij leidde een prima hondenleven met veel beweging, massa's indrukken en goed eten.

Het fabrieksgebouw was stil en verlaten, niet meer in gebruik, alleen als opslagplaats. De ruimte was van de vloer tot aan de nok volgestapeld met kisten, dozen en zakken, het rook er naar karton en stof en vermolmd hout. Bjørk deed de lichten niet aan. Toen hij de grote hal betrad, ontstak hij de lantaarn die aan zijn riem hing. Zijn laarzen klonken hol op de stenen vloer. Iedere voetstap veroorzaakte een heel speciale echo in zijn hoofd. Zijn eigen voetstappen, stap voor stap, alleen in de stilte. Hij geloofde niet in God, dus de hond was de enige die de voetstappen hoorde. Achilles volgde losjes aan de riem, met afgemeten passen, goed afgericht. Hij vermoedde geen enkel gevaar en hij was dol op zijn baasje.

Ze naderden de machine, een grote wals. Bjørk perste

zich naar binnen achter het ijzer en het metaal, trok de hond met zich mee, hing de riem over een stalen hendel, commandeerde: 'Zit!' De hond ging zitten, maar was op zijn hoede. Er verspreidde zich een geur in de ruimte. Een geur die niet vreemd meer was, die een steeds belangrijker deel van hun dagelijkse leven was gaan uitmaken. Maar er was ook nog iets anders. De stramme lucht van angst. Bjørk liet zich op de vloer glijden, het enige dat te horen was, was het gladde geluid van zijn nylon overall en het gehijg van de hond. Hij pakte een zakflesje uit zijn dijzak, draaide de dop eraf en begon te drinken.

De hond wachtte, met glimmende ogen en gespitste oren. Hij zou nu geen koekje krijgen, maar hij bleef toch zitten, wachtte en luisterde. Bjørk staarde in de hondenogen, er kwam geen woord over zijn lippen. De spanning in de donkere hal nam toe. Hij voelde dat de hond hem in de gaten hield, en zelf hield hij de hond in de gaten. In zijn zak had hij de revolver.

Halvor gromde ontevreden. Hier komt geen hond binnen, dacht hij mismoedig. Het gezoem van de computer begon hem te irriteren. Het was niet langer een prettig geruis, eerder een eindeloos geraas, als van een grote machine in de verte. Het achtervolgde hem dag en nacht, elke keer als hij de computer uitzette en het binnen enkele seconden volkomen stil werd, voelde hij zich bijna naakt, totdat het geluid weer in zijn eigen hoofd opdook. Kom op, Annie, dacht hij. Praat tegen mij!

Het voorprogramma was al begonnen. Terwijl hij met de kaartjes in zijn hand bij de ingang wachtte, kocht zij Smarties en citroentoffees in de kiosk. Wil je iets drinken? vroeg ze. Hij schudde zijn hoofd, had het te druk met naar haar te kijken, haar te vergelijken met alle anderen die voor de ingang van de bioscoopzaal samendrongen. De portier stond in de deur, in een zwart uniform en met de tang in zijn hand, terwijl hij de kaartjes knip-

te monsterde hij de gezichten die voor hem stonden, de meesten sloegen hun ogen neer, want de meesten waren onder de leeftijdsgrens voor deze film. Een Bondfilm. De allereerste die ze samen zagen, de eerste keer dat ze uitgingen, bijna als een echt stelletje. Hij zwol van trots. En de film was goed, dat vond Annie tenminste. Zelf zag hij er niet veel van, hij moest de hele tijd uit zijn ooghoek naar haar kijken en in het donker naar haar geluiden luisteren. Maar hij wist de titel nog: For your eyes only.

Hij tikte het in en wachtte even, maar er gebeurde niets. Hij stond koppig op en deed een paar passen, trok de deksel van een pot in de vensterbank waar hij een zakje kamfersnoepjes in bewaarde. Dit was zinloos. Plotseling duwde hij zijn slechte geweten ver naar achteren in zijn hoofd. Daar had hij een geheim kamertje, dat er al lang zat. Halvor was niet meer te stoppen, hij liep de keuken door, de kamer in, naar de telefoon in de boekenkast, pakte de telefoongids en zocht computerbenodigdheden op, draaide het nummer dat hij vond.

'Ra Data, met Solveig.'

'Ja, ik bel over een beveiligde map', stamelde hij. De moed zakte hem in de schoenen, hij voelde zich klein, als een dief, of een gluurder. Maar nu was het te laat om rechtsomkeert te maken.

'Krijg je hem niet open?'

'Eh, nee. Ik ben het wachtwoord vergeten.'

'Ik ben bang dat de consulent al naar huis is. Maar als je even wacht, dan zal ik even kijken.'

Hij klemde de hoorn zo hard tegen zijn wang dat zijn oorlelletje er beurs van werd. Op de achtergrond hoorde hij geroezemoes en telefoons, hij wierp een blik op zijn oma die met een loep de krant zat te lezen en dacht: dit zou Annie eens moeten weten.

'Ben je daar nog?'

'Ja.'

'Woon je ver weg?'

'In Lundeby.'

'Dan heb je mazzel. Hij kan op weg naar huis even langskomen. Mag ik het adres?'

Daarna zat hij in zijn kamertje te wachten, zijn hart bonkte in zijn keel. Hij had de gordijnen opengetrokken, zodat hij de auto het erf op zou zien draaien. Het duurde precies dertig minuten, toen verscheen er een witte Kadett Combi met het logo van Ra Data op het portier. Een verrassend jonge jongen stapte uit de auto en keek onzeker naar het huis.

Halvor holde naar de deur om open te doen. De jonge systeemanalist bleek een aardige vent te zijn, hij was zo rond als een oliebol en had diepe lachkuiltjes. Halvor bedankte hem voor alle moeite. Samen liepen ze naar zijn kamer. De computerjongen opende een attachékoffertje en pakte er een stapel tabellen uit. 'Cijfer- of lettercode?' vroeg hij toen.

Halvor werd vuurrood.

'Weet je zelfs dát niet meer?' zei hij verbaasd.

'Ik heb er zo veel gehad', mompelde hij. 'Ik heb hem een aantal keren veranderd.'

'Welke map is het?'

'Die daar.'

'Annie?'

Hij stelde verder geen vragen. Een beetje etiquette hoorde bij het werk en hij had grootse ambities. Halvor bleef met gloeiende wangen bij het raam staan, hij voelde een mengeling van schaamte en nervositeit en zijn hart hamerde zo hard dat het net tromgeroffel leek. Achter hem hoorde hij het toetsenbord ratelen, het werd zo snel bespeeld, dat het net was alsof hij in de verte castagnetten hoorde. Verder was er geen enkel geluid, alleen het geroffel en de castagnetten. Na een tijdje, het voelde aan als een eeuwigheid, stond de jongen eindelijk op.

'Dat was het, knul!'

Hij draaide zich langzaam om en keek naar het beeldscherm. Pakte het schrijfblok aan om de factuur te ondertekenen. 'Zevenhonderd en vijftig kronen?' schrok hij.

'Per aangevangen uur', glimlachte de ander.

Met trillende handen zette hij zijn handtekening op de stippellijn onderaan het formulier en vroeg of ze een acceptgiro konden sturen.

'Het was een cijfercode', glimlachte de expert. 'Nul – zeven – een – een – negen – vier. Datum en jaartal, nietwaar?' Zijn lachkuiltjes werden nog dieper. 'Maar zo te zien niet je eigen geboortedatum. Want dan zou je nog geen acht maanden oud zijn!'

Halvor liep met hem mee naar de voordeur en bedankte hem, rende weer naar binnen en ging voor de computer zitten. Nu stond er een nieuwe tekst op het oplichtende scherm te lezen: *Please proceed.*

Hij kwijlde bijna op het toetsenbord en greep naar zijn hart omdat het zo hard bonsde. De tekst rolde voor zijn ogen tevoorschijn en hij begon te lezen. Naarmate hij verder bladerde in het document moest hij zich verscheidene keren aan het bureau vasthouden en met zijn ogen knipperen. Er was iets gebeurd, Annie had het opgeschreven, en eindelijk had hij het gevonden. Hij las met grote, opengesperde ogen en voelde een verschrikkelijke argwaan groeien.

Bjørk was ondertussen behoorlijk aangeschoten.

De hond zat nog steeds met zijn tong uit zijn bek ongeduldig te hijgen. Zijn ogen schoten alle kanten op. Uiteindelijk kwam Bjørk moeizaam overeind, hij zette het flesje op de ijskoude vloer, hikte een paar keer en slaagde erin te gaan staan. Hij viel meteen met gespreide benen achterover tegen de wand. De hond stond ook op, keek hem met zijn gele ogen aan. Zijn staart begon twee, drie keer voorzichtig te kwispelen. Bjørk tastte naar de revolver, die zat stevig weggestopt in de krappe jaszak, maar hij kreeg hem eruit en spande de haan. Hij staarde voortdurend naar de hond en luisterde naar het geluid van zijn eigen, tegen elkaar schurende kiezen. Ineens wankelde hij, zijn hand trilde, maar hij vocht zich erdoorheen, tilde zijn arm op en schoot. De geweldige explosie weergalmde tussen de muren. Zijn schedel barstte open. De inhoud spatte tegen de muur, er kwam een klodder op de snuit van de hond terecht. Het schot bleef maar rollen. Langzaam stierf het geluid weg, tot iets dat op een ver verwijderd onweer leek. De hond sprong naar voren om zich los te rukken, maar de riem hield het. Ten slotte, na ettelijke pogingen, werd hij moe. Toen gaf hij het op en bleef staan janken.

*

De galerie lag aan een stille straat, niet ver van de katholieke kerk. Buiten stond een ouder model Citroën, het type met de schuine koplampen. Net de ogen van een Chinees, dacht Sejer. De auto zat onder het stof. Skarre liep erheen om hem beter te bekijken. Het dak was schoner dan de rest van de auto, alsof er lang iets op had gelegen dat het dak had beschermd. De auto was grijsgroen.

'Geen skibox', was Sejers commentaar.

'Nee, die is er afgehaald. Er zijn sporen van de bevestigingen.'

Ze deden de deur open en gingen naar binnen. Het rook er ongeveer hetzelfde als in de wolwinkel van mevrouw Johnas, naar wol en appretuur, met een vleugje teer van de plafondbalken. In een van de hoeken was een camera op hen gericht. Sejer bleef staan en keek in de lens. De ruimte lag vol met hoge stapels tapijten, een brede, stenen trap voerde omhoog naar de andere etages. Er lagen een paar tapijten op de vloer uitgespreid, andere hingen over ronde stokken aan de wanden. Johnas kwam de trap af, gekleed in flanel en fluweel, rood en groen en roze en zwart, met zijn donkere krullen paste hij goed bij zijn grote passie. Hij straalde iets zachts en weeks uit. Zijn opvliegende karakter, als hij dat werkelijk had, was goed verborgen. Maar zijn ogen waren donker, bijna zwart, en zijn voorkomen was onmiskenbaar dat van een verkoper. Vriendelijk, gladjes en uitnodigend.

'Zo!' zei hij vrolijk. 'Komt u binnen. U wilt zeker een tapijt kopen?'

Hij stak een hand uit, alsof ze goede vrienden waren die hij lange tijd niet had gezien, of misschien potentiële, vermogende klanten met een zwak voor dit handwerk. De knopen. De kleuren. De patronen met religieuze codes. Geboorte en leven en dood, pijn, overwinning en trots, om onder de eettafel of voor de televisie te leggen. Onverslijtbaar, uniek.

'Wat een ruimte', was Sejers commentaar, om zich heen kijkend.

'Twee hele verdiepingen, plus een zolder. Dit is een enorme investering geweest! Deze plek heeft me bijna de kop gekost, en het zag er niet uit toen ik het kocht. Goor en beschimmeld. Maar ik heb alles goed schoongemaakt en de wanden gewit, en veel meer hoefde er in feite niet te gebeuren. Oorspronkelijk is het een oud herenhuis. Volgt u mij, alstublieft.' Hij wees langs de trap omhoog en begeleidde hen naar wat hij het kantoor noemde, maar wat eigenlijk een ruime keuken was, met een stalen aanrecht en een fornuis, een koffiezetapparaat en een koelkastje. Tegels boven het aanrecht met snoezige Hollandse meisjes in klederdracht, windmolens en vette, waggelende ganzen. Oude koperen ketels met toepasselijke deuken hingen aan een balk van het plafond. De keukentafel had een opstaande rand en hoekbeslag van messing, als iets van een oud schip.

Ze namen plaats op de banken aan weerszijden van de tafel. Johnas dook zonder te vragen in de koelkast en serveerde hun blauwe-druivensap in hoge wijnglazen.

'Hoe gaat het met de welpjes?' wilde Skarre weten.

'Hera mag er eentje houden en de andere twee zijn al vergeven. Dus nu kun je spijt hebben. Waar kan ik u mee helpen?' glimlachte hij, van zijn sap nippend.

Sejer wist dat zijn vriendelijkheid over niet al te lange tijd als sneeuw voor de zon zou verdwijnen.

'We hebben alleen wat vragen over Annie. Ik ben bang dat we alles nog eens moeten doornemen.' Hij veegde discreet zijn mond af. 'U heeft haar bij de rotonde opgepikt... zo was het toch?'

Sejers woordkeuze, de toon, en de minuscule insinuatie dat zijn eerdere uitspraken in twijfel werden getrokken, scherpten Johnas' alertheid.

'Dat heb ik verklaard en dat geldt nog steeds.'

'Maar ze wilde liever lopen, toch?'

'Wat bedoelt u?'

'Het kostte u nogal wat moeite om haar om te praten, naar ik heb begrepen?'

Zijn ogen werden nu wat smaller, maar hij bleef rustig.

'Ze wilde liever lopen', ging Sejer verder. 'Ze bedankte voor de lift. Heb ik gelijk?'

Johnas knikte plotseling, glimlachend. 'Dat deed ze altijd, ze was zo bescheiden. Maar ik vond het te ver om helemaal naar Horgen te lopen. Het is een heel eind.'

'Dus u haalde haar over?'

'Nee, nee...' Hij schudde heftig met zijn hoofd en nam een andere houding aan. 'Ik moest wel een beetje aandringen. Bij sommige mensen moet je nu eenmaal een beetje aandringen... een vreemde gewoonte is dat.'

'Dus ze had eigenlijk geen zin? Om in uw auto te stappen?'

Johnas hoorde duidelijk dat Sejer 'uw auto' benadrukte.

'Zo was Annie. Ze liet zich moeilijk overhalen, misschien. Met wie heeft u gesproken?' vroeg hij plotseling.

'We hebben een paar honderd personen gesproken', zei Sejer. 'En een daarvan heeft haar bij u in de auto zien stappen. Na een lange discussie. U bent, om precies te zijn, de laatste die haar in levenden lijve heeft gezien, dus u bent de enige aan wie we ons kunnen vastklampen, nietwaar?'

Johnas glimlachte weer, een samenzweerderige glimlach, alsof ze een spelletje deden en hij heel graag wilde meedoen. 'Ik was niet de laatste', zei hij ad rem. 'De moordenaar was de laatste.'

'Die blijkt nogal moeilijk te pakken te krijgen', zei Sejer, met gespeelde ironie. 'En we hebben ook *geen* aanwijzingen dat de man op de motor haar inderdaad opwachtte. We hebben alleen u.'

'Pardon? Waar wilt u heen?'

'Tja', zei hij, zijn armen spreidend. 'Het liefst naar de bodem van deze zaak. Uit hoofde van mijn functie ben ik gedwongen om aan mensen te twijfelen.'

'Beschuldigt u mij ervan te liegen?'

'Zo móét ik wel denken', zei hij en hij draaide zich ineens om. 'Ik hoop dat u mij dat vergeeft. Waarom wilde ze niet met u meerijden?'

Johnas werd onzeker. 'Natuurlijk wilde ze dat wel!' Hij zette zijn eerste stekels op, maar hield zich in. 'Ze is ingestapt en ik heb haar naar Horgen gebracht.'

'Niet verder?'

'Nee, zoals ik eerder al zei, is ze bij de winkel uitgestapt. Ik dacht dat ze misschien boodschappen ging doen. Ik ben niet eens helemaal tot voor de deur gereden, ik stopte op de weg en heb haar er daar uit gelaten. En daarna...' hij stond op en pakte een pakje sigaretten van het aanrecht, 'heb ik haar niet meer gezien.'

Sejer rangeerde de locomotief op een nieuw spoor. 'U

hebt zelf een kind verloren, Johnas. U weet hoe dat voelt. Heeft u daar met Eddie Holland over gesproken?'

Johnas zag er heel even verrast uit. 'Nee, nee, hij is nogal gesloten, ik wil me niet opdringen. Bovendien is het voor mij ook niet gemakkelijk om erover te praten.'

'Hoe lang is het geleden?'

'U heeft met Astrid gesproken, nietwaar? Bijna acht maanden. Maar dat is niet iets dat je zomaar vergeet, of waar je makkelijk overheen stapt.'

Hij tikte een sigaret uit het pakje, stak hem aan en rookte met bijna vrouwelijke gebaren, Merit met filter.

'Mensen proberen zich vaak voor te stellen hoe het is.' Hij keek Sejer met een vermoeide blik aan. 'Dat doen ze met de beste bedoelingen. Stellen zich het lege kinderbedje voor en denken dan dat ze daarbij staan te kijken. En dat deed ik ook vaak. Maar het lege bedje is slechts een onderdeel. Als ik 's morgens opstond en naar de badkamer ging, dan stond zijn tandenborstel daar onder de spiegel. Zo eentje die van kleur verandert als hij warm wordt. De plastic eend op de rand van het bad. Zijn pantoffels onder het bed. Ik betrapte mezelf erop dat ik voor een persoon te veel dekte, als we gingen eten, dat ben ik dagenlang blijven doen. In de auto lagen zijn knuffelbeesten. Maanden later vond ik een speen onder de bank.' Johnas praatte met opeengeklemde tanden, alsof hij volkomen tegen zijn zin iets losliet waar ze geen recht op hadden. 'Ik heb alles opgeruimd, stukje bij beetje, ik had het gevoel alsof ik een misdaad beging. Het deed pijn om iedere dag weer overal spulletjes van hem tegen te komen, het was afschuwelijk om ze in te pakken. Het achtervolgde me iedere seconde van de dag, en het achtervolgt me nog steeds. Weet u hoe lang de geur van een mens in een katoenen pyjama blijft hangen?'

Hij zweeg, zijn bruine gezicht was grauw geworden. Sejer zei niets. Hij moest plotseling aan Elises klompen denken, die altijd voor de deur hadden gestaan. Zodat ze ze snel kon aantrekken als ze afval weg moest gooien, of de post ging halen. Met een scheut van pijn herinnerde hij zich hoe hij de deur had opengemaakt en de witte klompen had opgepakt om ze binnen te zetten.

'Wij waren kort geleden op het kerkhof', zei hij zacht. 'Het is zeker alweer een tijdje geleden dat u daar bent geweest?'

'Waarom vraagt u dat?' zei hij met roestige stem.

'Ik wil alleen weten of u ervan op de hoogte bent dat er iets van het graf is verdwenen.'

'U bedoelt dat kleine vogeltje. Ja, dat was direct na de begrafenis al verdwenen.'

'Heeft u overwogen een nieuw te kopen?'

'U bent ook niet erg bescheiden met uw vragen! Ja, natuurlijk heb ik dat overwogen. Maar ik was niet tegen nóg zo'n ervaring opgewassen, daarom heb ik besloten om het zo te laten.'

'Maar u weet wie het gedaan heeft?'

'Natuurlijk niet!' zei hij plotseling scherp. 'Dan zou ik het onmiddellijk hebben aangegeven, en als ik de kans had gehad, zou ik de schuldige er eens goed van langs hebben gegeven.'

'U bedoelt een terechtwijzing?'

Hij glimlachte wrang. 'Nee, ik bedoel geen terechtwijzing.'

'Annie had het meegenomen', zei Sejer luchtig.

Johnas sperde zijn ogen.

'We hebben het tussen haar spullen gevonden. Dit is het toch?'

Hij stak zijn hand in zijn binnenzak en pakte het vogeltje eruit. Johnas' vingers trilden toen hij het aanpakte. 'Daar ziet het wel naar uit. Het lijkt op dat ding dat ik heb gekocht. Maar waarom...'

'Dat weten we niet. We hoopten dat u ons misschien zou kunnen helpen.'

'Ik? Mijn God, ik heb geen idee. Ik begrijp het niet. Waarom heeft ze dat in godsnaam gestolen? Ze was niet bepaald achterbaks. Niet de Annie die ik kende.'

'Dus moet ze er een reden voor hebben gehad. Die niets met achterbaksheid te maken had. Was ze boos op u?'

Johnas staarde naar het vogeltje, hij was met stomheid geslagen.

Dit wist hij niet, dacht Sejer. Hij loerde opzij naar Skarre, die met staalblauwe ogen de geringste beweging van de man volgde.

'Weten haar ouders hiervan?' vroeg hij ten slotte.

'We denken van niet.'

'En het is niet Sølvi die het heeft gedaan? Sølvi is nu eenmaal een beetje apart. Zij is net een ekster, snaait alles weg wat glimt.'

'Sølvi heeft het niet gedaan.' Sejer tilde zijn glas op bij de steel en nam een slok van zijn druivensap. Het smaakte naar laffe wijn.

'Nou ja, ze zal ook wel haar geheimpjes hebben gehad, die hebben we denk ik allemaal', zei Johnas met een glimlach. 'Ze had altijd al iets geheimzinnigs over zich. Vooral toen ze wat ouder werd.'

'Hoe nam ze Eskils dood op?'

'Ze kwam niet meer bij ons, kon er niet meer tegen. Dat begrijp ik wel, want ik heb zelf ook een hele tijd moeite gehad om onder de mensen te komen. Bovendien gingen Astrid en Magne weg en er gebeurde een heleboel tegelijk. Een onbeschrijfelijke periode', mompelde hij en verbleekte toen hij daaraan terugdacht.

'Maar u heeft haar toch nog wel eens gesproken?'

'Alleen een knikje als we elkaar op straat tegenkwamen. We waren tenslotte bijna buren.'

'Ging ze u uit de weg?'

'Ze voelde zich kennelijk nogal ongemakkelijk. We hadden het allemaal moeilijk.'

'En daar kwam nog bij,' zei Sejer, alsof hij er toevallig op kwam, 'dat u ruzie had met Eskil, vlak voordat hij doodging. Dat moet extra moeilijk voor u zijn geweest.'

'Geen woord meer over Eskil!' siste Johnas bitter.

'Kent u Raymond Låke?'

'U bedoelt die halve zool bij de Koll?'

'Ik vroeg of u hem kende.'

'Iedereen weet wie Raymond is.'

'Het was een ja-of-neevraag.'

'Ik kén hem niet.'

'Maar u weet waar hij woont?'

'Ja, dat weet ik. In dat oude krot van een huis. Maar dat is kennelijk goed genoeg, hij ziet er idioot gelukkig uit.'

'Idioot gelukkig?' Sejer stond op en schoof het glas van zich af. 'Ik denk dat idioten even afhankelijk zijn van de genegenheid van andere mensen om zich gelukkig te voelen, als ieder ander. En u moet niet vergeten: ook al kan hij de wereld om hem heen niet op dezelfde manier duiden als u, met zijn ogen is niets aan de hand.'

Johnas' gezicht verstijfde. Hij liep niet met hen mee naar de deur. Toen ze de trap naar beneden afliepen, voelde Sejer de lens van de camera in zijn nek branden.

Ze reden naar de flat om Kollberg op te halen. Hij mocht op de achterbank liggen. De hond was te vaak alleen, dat zou wel de reden zijn waarom hij zo onhandelbaar was, dacht Sejer, terwijl hij hem een stukje gedroogde vis toestak.

'Vind je dit erg stinken?'

Skarre knikte. 'Geef hem straks maar een Fisherman's Friend.'

Ze zetten koers naar Lundeby, sloegen af bij de rotonde en parkeerden bij de brievenbussen. Sejer liep de straat in, zich ervan bewust dat iedereen hem kon zien, de bewoners van alle eenentwintig huizen. Iedereen dacht natuurlijk dat hij naar de familie Holland ging. Maar aan het einde van de straat bleef hij staan en keek achterom, naar het huis van Johnas. Het zag er nogal verlaten uit, voor de meeste ramen waren de gordijnen dichtgetrokken. Hij wandelde langzaam terug.

'De schoolbus vertrekt om tien over zeven van de rotonde', zei hij uiteindelijk. 'Iedere ochtend. Alle kinderen aan de Kristalweg die in de stad op school zitten, nemen die bus. Dus ze gaan om ongeveer zeven uur van huis om op tijd te zijn.'

Het waaide een beetje, maar op zijn hoofd bewoog geen enkel haartje. 'Magne Johnas was net van huis vertrokken toen Eskil in zijn eten stikte.'

Skarre wachtte. Er schoot een bijbelcitaat over geduld door zijn hoofd.

'Annie was iets later dan de anderen vertrokken. Holland wist nog dat ze zich verslapen hadden. Ze is langs hun huis gelopen, misschien toen Eskil zat te ontbijten.'

'Ja? En wat zou dat?' Skarre keek naar het huis van Johnas. 'Alleen de ramen van de woonkamer en van de slaapkamers grenzen aan de straat. Maar ze zaten in de keuken.'

'Dat weet ik, dat weet ik', zei Sejer geïrriteerd. Ze liepen verder, naderden het huis en probeerden zich die dag voor te stellen, zeven november, 's morgens om zeven uur. In november is het dan donker, dacht Sejer.

'Kan ze bij hen aan de deur zijn geweest?'

'Ik weet het niet.'

Ze bleven staan, keken een tijdje naar het huis, nu van dichtbij. Het keukenraam zat in de zijmuur en keek uit op het huis ernaast.

'Wie woont er in dat rode huis?' vroeg Skarre.

'Irmak. Met zijn gezin. Maar is dat niet een steegje? Daar tussen de huizen door?'

Skarre keek eens goed. 'Ja, inderdaad. En er komt iemand aan.'

Plotseling dook er een jongen op tussen de twee huizen. Hij liep met gebogen hoofd en had de twee mannen op de straat nog niet opgemerkt.

'Thorbjørn Haugen. De jongen die heeft meegeholpen om naar Ragnhild te zoeken.'

Sejer stond hem op te wachten toen hij door het steegje slenterde. Hij had een zwarte tas over zijn schouder, om zijn hoofd droeg hij nog steeds hetzelfde gekleurde doekje. Ze keken goed naar hem toen hij langs het huis van Johnas liep. Thorbjørn was lang en zijn hoofd kwam halverwege het keukenraam.

'Is dit een snellere route?' vroeg Sejer.

'Ja?' Thorbjørn bleef staan. 'Dit paadje komt rechtstreeks op de Gneisweg uit.'

'Gaan hier veel mensen langs?'

'O ja, het scheelt bijna vijf minuten.'

Sejer liep een stukje het paadje op en bleef voor het raam staan. Hij was langer dan Thorbjørn en kon moeiteloos de keuken binnenkijken. Er stond geen kinderstoel meer, maar twee gewone keukenstoelen, en op de tafel stonden een asbak en een koffiekopje. Verder maakte het huis een nogal onbewoonde indruk. Zeven november, dacht hij. Buiten aardedonker, binnen licht. Je kon gemakkelijk van buiten naar binnen kijken, maar van binnenuit kon je buiten niets zien.

'Johnas vindt het vervelend als we hierlangs lopen', zei Thorbjørn plotseling. 'Hij is dat geren langs zijn huis zat, zoals hij zegt. Maar nu gaat hij verhuizen.'

'Dus alle kinderen steken hierlangs een stukje af, als ze naar de schoolbus gaan?'

'Iedereen die in de stad op school zit.'

Sejer gebaarde Thorbjørn dat hij kon doorlopen en draaide zich om naar Skarre. 'Er schiet me net iets te binnen, iets wat Holland zei toen ik hem op het bureau sprak. Op de dag dat Eskil stierf, kwam Annie vroeger dan anders thuis van school, omdat ze ziek was. Ze ging rechtstreeks naar bed. Hij moest naar haar toe gaan om over het ongeluk te vertellen.'

'Wat voor ziekte?' wilde Skarre weten. 'Ze was toch nooit ziek?'

'"Niet lekker".'

'Je denkt dat ze iets heeft gezien, hè? Door het raam?'

'Ik weet het niet. Misschien.'

'Maar waarom heeft ze niets gezegd?'

'Misschien durfde ze niet. Of misschien heeft ze niet goed begrepen wat ze zag. Misschien heeft ze Halvor in vertrouwen genomen. Ik heb aldoor het gevoel dat hij meer weet dan hij loslaat.'

'Konrad', zei Skarre zacht. 'Dat zou hij toch wel verteld hebben?'

'Dat weet ik nog zo niet. Het is een vreemde vogel. Laten we nog maar eens met hem gaan praten.'

Op dat moment ging zijn pieper over, hij liep naar de auto en draaide meteen het nummer dat op het schermpje stond. Holthemann nam op.

'Axel Bjørk heeft zichzelf met een oude Enfield-revolver door zijn slaap geschoten.'

Sejer moest steun zoeken bij de auto. De informatie smaakte als een bitter medicijn en liet een onaangename droogte in zijn mond achter. 'Is er een brief gevonden?'

'Niet op zijn lichaam. Ze zoeken bij hem thuis. Maar het is duidelijk dat de man ergens een slecht geweten over had, of wat denk jij?'

'Ik weet het niet. Het kan zo veel zijn geweest. Hij had moeilijkheden.'

'Hij was onberekenbaar en hij was aan de drank. En hij had nog een appeltje te schillen met Ada Holland, een zuur appeltje', zei Holthemann.

'Hij was in de allereerste plaats ongelukkig.'

'Haat en wanhoop liggen dicht bij elkaar. Mensen tonen wat hun het beste uitkomt.'

'Ik denk dat je je vergist. Hij had het opgegeven. En dat zal de reden wel zijn dat hij er een eind aan heeft gemaakt.'

'Misschien wilde hij Ada mee in het ongeluk storten?'

Sejer schudde zijn hoofd en keek de straat af, naar het huis van de familie Holland. 'Dat zou hij Sølvi en Eddie niet hebben aangedaan.'

'Wil je een dader of niet?'

'Ik wil alleen de echte.'

Hij beëindigde het gesprek en keek Skarre aan. 'Axel Bjørk is dood. Ik vraag me af wat Ada Holland nu zal denken. Misschien hetzelfde als Halvor, toen zijn vader stierf. Dat dat maar "beter zo" was.'

Halvor stond ineens op. De stoel viel achterover en hij draaide zich snel om naar het raam. Keek naar het verlaten erf. Zo bleef hij lange tijd staan. In zijn ooghoek zag hij de omgevallen stoel en de foto van Annie die op het nachtkastje stond. Zo zat het dus in elkaar. Dat had Annie allemaal gezien. Hij ging weer voor het scherm zitten, las alles nog eens van het begin tot het einde door. Annie had in haar tekst ook zíjn verhaal verwerkt, dat hij haar in het diepste geheim had toevertrouwd. Zijn woedende vader, het schot in de schuur, dertien december. Dat had er niets mee te maken, dus hij haalde diep adem, markeerde de alinea en verwijderde die voor eens en voor altijd uit het document. Daarna schoof hij een diskette in de computer, waar hij de tekst op kopieerde. Toen ging hij stilletjes de kamer uit, de keuken door.

'Wat is er, Halvor?' riep zijn oma, toen hij, met zijn spijkerjasje half aan, de kamer binnenkwam. 'Ga je weg?'

Hij gaf geen antwoord. Hij hoorde haar stem, maar de betekenis van de woorden drong niet tot hem door.

'Waar ga je heen? Ga je naar de bioscoop?'

Hij begon zijn jasje dicht te knopen en dacht aan zijn

Karin Fossum

De moord op Harriet Krohn

LITERAIRE THRILLER

Manteau | Anthos

motor, vroeg zich af of die zou willen starten. Als hij niet startte moest hij de bus nemen en dan zou hij zeker een uur onderweg zijn. Hij had geen afspraak, hij moest zo snel mogelijk vertrekken.

'Hoe laat kom je thuis? Ben je op tijd voor het eten?'

Hij bleef staan en keek haar aan, alsof het plotseling tot hem doordrong dat ze daar vlak voor hem stond te zeuren.

'Eten?'

'Waar ga je heen, Halvor, het is al bijna avond!'

'Ik moet iemand spreken.'

'Maar wie dan? Je ziet zo bleek, ik vraag me af of je misschien bloedarmoede hebt. Wanneer ben je eigenlijk voor het laatst bij de dokter geweest, dat weet je zelf waarschijnlijk niet eens. Hoe heette hij, zei je?'

'Dat heb ik niet gezegd. Hij heet Johnas.'

Zijn stem was merkwaardig resoluut. De deur sloeg met een knal dicht en toen ze door het raam keek, zag ze hoe hij over de motor gebogen stond en met nijdige bewegingen het sleuteltje ronddraaide.

De positie van de camera op de begane grond was niet erg gunstig. Dat viel hem nu op, terwijl hij naar de linker monitor keek. Doordat de lens te veel tegenlicht had, werden de klanten gereduceerd tot onduidelijke omtrekken en leken ze bijna spoken. Hij zag graag wie zijn klanten waren, voordat hij hen tegemoet liep. Op de eerste verdieping, waar het licht beter was, kon hij gezichten en kleding onderscheiden, en als het vaste klanten waren kon hij zich voorbereiden voordat hij zijn kantoor verliet. De houding aannemen die iedere afzonderlijke klant vereiste. Hij staarde weer naar het scherm dat de ingang op de begane grond liet zien. Daar stond een eenzame gedaante. Voor zover hij kon zien was het een man, een jong iemand, met een kort jasje. Dit leverde waarschijnlijk niets op, maar zoals altijd moest hij toch naar hem toe, correct, klantvriendelijk, om de naam van de galerie, waar zo langzamerhand niets op viel aan te merken, hoog te houden. Bovendien kon je tegenwoordig niet meer aan iemands uiterlijk zien of hij geld had. Misschien was die vent wel schatrijk, wist hij veel. Hij daalde langzaam de trap af. Zijn voetstappen waren bijna niet te horen, hij had een lichte, sluipende tred, het was niet zijn gewoonte om rond te springen alsof hij in een speelgoedzaak werkte. Dit was een galerie en hier binnen sprak men met gedempte stem. Geen prijskaartjes en kassa's. Gewoonlijk stuurde hij een rekening, een enkele keer betaalden mensen met Visa of een andere creditcard. Hij was bijna beneden, had nog twee treden te gaan, toen hij plotseling bleef staan.

'Goedemiddag', mompelde hij.

De jongeman stond met zijn rug naar hem toe, maar draaide zich nu om en keek hem nieuwsgierig aan. In zijn blik lag argwaan, gecombineerd met verbazing. Hij zei niets, staarde hem alleen aan, alsof hij iets op zijn gezicht hoopte te lezen. Een geheim misschien, of de oplossing van een raadsel. Johnas kende hem. Een seconde of twee overwoog hij om dat toe te geven.

'Kan ik je helpen?'

Halvor gaf geen antwoord. Hij keek hem nog steeds onderzoekend aan. Hij wist dat hij herkend was. Johnas had hem vaak gezien, hij was samen met Annie bij hem aan de deur geweest, ze waren elkaar op straat tegengekomen. Halvor zag dat de man zich pantserde. Al het zachte en donkere aan de man, het flanel, het fluweel en de bruine krullen stolden tot een harde korst.

'Ongetwijfeld', antwoordde Halvor. Hij deed een paar passen, kwam dichterbij, liep op Johnas toe, die nog steeds met zijn hand op de leuning onderaan de trap stond. 'U verkoopt tapijten.' Hij keek om zich heen.

'Dat klopt... ja.'

'Ik wil een tapijt kopen.'

'Ja!' zei hij glimlachend. 'Dat nam ik al aan. Wat zoek je? Iets speciaals?'

Hij komt niet voor een tapijt, dacht Johnas. Dat kan hij niet betalen, hij wil iets anders. Misschien is hij gewoon nieuwsgierig, een wild verzinsel van een jonge jongen. Hij had vast geen idee hoeveel de tapijten kostten. Maar daar kwam hij wel achter, reken maar.

'Groot of klein?' vroeg hij, van de laatste trede afstappend. De jongen was meer dan een kop kleiner dan hijzelf, en zo dun als een aanmaakhoutje.

'Ik wil een tapijt hebben dat de hele vloer bedekt, zodat de stoelpoten er niet buiten hoeven te staan. Dat is zo lastig met dweilen.'

Johnas knikte. 'Dan moeten we naar boven. De grootste tapijten liggen boven.'

Hij liep de trap op. Halvor volgde hem. Het kwam niet bij hem op om vraagtekens te zetten bij de situatie, hij werd als het ware door een onbekende kracht voortgedreven, alsof hij over een paar rails een zwarte berg binnenreed.

Johnas ontstak de zes kroonluchters, afkomstig van een glasblazerij in Venetië. Ze hingen aan de geteerde plafondbalken en wierpen een warm, maar fel licht in de grote ruimte.

'Welke kleur had je gedacht?'

Halvor bleef bovenaan de trap staan en keek om zich heen. 'Ze zijn allemaal rood', zei hij zacht.

Johnas glimlachte minzaam. 'Ik wil niet arrogant lijken,' zei hij vriendelijk, 'maar besef je wel wat ze kosten?'

Halvor keek hem met toegeknepen ogen aan. Er dook iets uit het verleden op in zijn gedachten, iets dat hij heel lang niet had gevoeld. 'Ik zie er waarschijnlijk niet zo angstaanjagend rijk uit', zei hij toonloos. 'Wilt u misschien een bankafschrift zien?'

Johnas aarzelde. 'Het spijt me. Maar vrij veel mensen die hier binnenkomen brengen zichzelf in verlegenheid. Ik wilde je een dienst bewijzen, zodat je daarvan verschoond bleef.'

'Dat is attent van u', zei Halvor stilletjes. Hij liep verder, langs de tapijthandelaar, en zette koers naar een groot kleed dat tegen de wand was gespannen. Strekte een hand uit en speelde met de franjes. In de figuren herkende hij mannen en paarden en wapens.

'Tweeëneenhalf bij drie meter', zei Johnas zacht. 'Een goede keuze, wat dat betreft. Het patroon toont een oorlog tussen twee nomadenvolken. Het is erg zwaar.'

'U helpt toch wel met het vervoer?' zei Halvor.

'Natuurlijk. Ik heb een bestelwagen. Ik dacht meer aan het onderhoud en zo. Om het uit te kloppen heb je een paar man nodig.'

'Ik neem het.'

'Pardon?' Johnas deed nog een paar passen en staarde hem onzeker aan. Wat een vreemde jongen. 'Het is ongeveer het duurste dat ik heb', zei hij. 'Zeventigduizend kronen.'

Hij doorboorde Halvor met zijn blik toen hij dat zei. Halvor vertrok geen spier.

'Dat is het ongetwijfeld waard.'

Johnas voelde zich niet op zijn gemak. Een gevoel van argwaan sloop kronkelend langs zijn ruggengraat omhoog, als een koude slang. Hij begreep niet wat de jongen wilde en waarom hij zich zo gedroeg. Zo veel geld had hij nooit, en al had hij het gehad, dan zou hij het niet aan een tapijt uitgeven.

'Wilt u het alstublieft voor mij inpakken', zei Halvor, zijn armen over elkaar slaand. Hij leunde tegen een mahonie klaptafeltje, dat verschrikt piepte onder zijn gewicht.

'Inpakken?' Johnas krulde zijn lippen tot een glimlach.

'Ik rol ze op en doe er plastic en stevig plakband omheen.'
'Dat lijkt met prima.' Halvor wachtte.
'Het is nogal een klus om het van de wand te halen. Ik stel voor dat ik het vanavond kom bezorgen. Dan kan ik ook helpen om het op zijn plaats te leggen.'
'Nee', zei Halvor koppig. 'Ik wil het nu hebben.'
Johnas aarzelde. 'Je wilt het nu hebben. En... neem me niet kwalijk, ik wil niet vrijpostig zijn, maar hoe wil je betalen?'
'Contant, als dat goed is.'
Hij tikte tegen zijn achterzak. Hij droeg een verschoten spijkerbroek met bleke rafels. Johnas stond nog steeds voor hem, in tweestrijd.
'Is daar iets op tegen?' vroeg Halvor.
'Ik weet het niet. Misschien.'
'En wat zou dat moeten zijn?'
'Ik ken jou', zei Johnas plotseling, hij zette zijn benen uit elkaar. Het was een opluchting om het ijs te breken.
'Kennen wij elkaar?'
Johnas knikte, wiegde met zijn handen op zijn heupen heen en weer. 'Ja, Halvor, zeker kennen wij elkaar. Ik vraag me af of je niet beter kunt vertrekken.'
'Waarom? Is er iets mis?'
'Nu houden we op met deze onzin!' zei Johnas afgemeten.
'Daar ben ik het helemaal mee eens!' siste Halvor. 'Haal dat tapijt van de wand en een beetje snel graag!'
'Als ik erover nadenk, dan wil ik het eigenlijk niet verkopen. Ik ga verhuizen, ik wil het zelf hebben. Bovendien is het te duur voor jou. Wees nou maar eerlijk, we weten allebei dat je het niet kunt betalen.'
'Dus u wilt het zelf hebben?' Halvor draaide ineens als een blad aan een boom om. 'Tja, daar kan ik wel inkomen. Dan zal ik een ander moeten nemen.' Hij keek weer naar de wand en wees onmiddellijk een ander tapijt aan,

roze met groen. 'Dan neem ik dat maar', zei hij eenvoudig. 'Wilt u het alstublieft voor mij van de muur halen? En een kwitantie uitschrijven?'

'Dat kost vierenveertigduizend.'

'Prima.'

'Ja, is dat goed?' Hij wachtte nog steeds, met zijn armen over elkaar en pupillen zo hard als geweerkogels. 'Mag ik je vragen te laten zien dat je dat geld echt hebt, of ga ik dan buiten mijn boekje?'

Halvor schudde zijn hoofd. 'Natuurlijk. Je kunt tenslotte niet zomaar aan iemand zien of hij geld heeft of niet.' Hij stak zijn hand in zijn achterzak en trok een oude portemonnee tevoorschijn. Van stevig geruit nylon, met een klittenbandsluiting, zo plat als een pannenkoek. Hij stak zijn vingers erin en rinkelde wat met de munten. Pakte er een paar uit en legde ze op het klaptafeltje. Johnas keek hem argwanend aan, terwijl de munten van vijf en tien kronen zich tot een klein stapeltje ophoopten.

'Nu is het genoeg!' zei hij nijdig. 'Nu heb je me lang genoeg lastiggevallen. Opgesodemieterd, nu meteen!'

Halvor keek naar hem op, gekwetst bijna. 'Ik ben nog niet klaar. Ik heb nog meer.' Hij groef verder in zijn portemonnee.

'Dat heb je niet! Je woont samen met je oma in een oud krot en je brengt ijs rond! Vierenveertigduizend kronen', zei hij scherp. 'Die wil ik graag zien, zo snel mogelijk...'

'Dus u weet waar ik woon?' Halvor keek hem aan. Het begon gevaarlijk te worden, maar hij was niet bang, om de een of andere reden was hij absoluut niet bang.

'Ik heb dit', zei hij plotseling en trok iets uit het vakje voor het papiergeld. Johnas keek wantrouwig naar wat hij in zijn hand hield, tussen twee vingers.

'Dit is een diskette', verklaarde Halvor.

'Ik wil geen diskette hebben, ik wil vierenveertigduizend kronen hebben', blafte Johnas, terwijl hij de angst als een bijl in zijn borst voelde.

'Annies dagboek', zei Halvor stilletjes, met de diskette zwaaiend. 'Ze was een tijdje geleden aan een dagboek begonnen. In november, om precies te zijn. We hebben ernaar gezocht, ik niet alleen. U weet hoe meisjes zijn. Die moeten hun hart kunnen luchten.'

Johnas ademde zwaar. Zijn blik trof Halvor als een nietpistool.

'Ik heb het gelezen', ging Halvor verder. 'Het gaat over u.'

'Geef hier!'

'Om de dooie dood niet!'

Johnas schrok. Halvors stem veranderde van toon, werd plotseling dieper. Het was alsof hij een kwade geest hoorde praten door de mond van een kind.

'Ik heb nog meer kopieën gemaakt', ging hij verder. 'Dus ik kan net zo veel tapijten kopen als ik wil. Iedere keer als ik een nieuw tapijt wil hebben, maak ik gewoon weer een kopie. Snapt u?'

'Je bent een hysterische rotjongen! Uit wat voor gesticht ben je eigenlijk weggelopen?'

Johnas zette zich schrap en Halvor zag in een fractie van een seconde hoe zijn bovenlichaam opzwol, klaar om te springen. De man was misschien twintig kilo zwaarder dan hijzelf en hij kookte van woede. Hij dook opzij en zag hoe Johnas miste en over de stenen vloer gleed, waar hij met een klap met zijn hoofd tegen het klaptafeltje aan kwam. De munten vlogen alle kanten uit en vielen rinkelend op de grond. Tijdens de val stootte hij de lelijkste vloek uit die Halvor ooit had gehoord, zelfs als hij zijn vaders uitgebreide woordenschat meerekende. Binnen twee seconden was hij weer op de been. Eén enkele blik op het donkere gezicht was genoeg om Halvor te doen begrijpen dat de strijd verloren was. Hij was veel groter. Hij rende naar de trap, maar Johnas maakte opnieuw vaart, deed drie, vier grote stappen en wierp zich naar voren. Hij raakte Halvors schouder. Die hield instinctief zijn hoofd omhoog, maar zijn lichaam sloeg met een enorme kracht tegen de stenen vloer.

'Blijf verdomme met je poten van me af!'

Johnas draaide hem om. Halvor voelde Johnas' adem tegen zijn gezicht en zijn handen die zijn hals omklemden.

'Je bent niet goed bij je hoofd!' gorgelde hij. 'Je bent er geweest! Het maakt niet uit wat je met mij doet, maar jíj bent er geweest!'

Johnas zag of hoorde niets. Hij hief zijn vuist op en mikte op het smalle gezicht. Halvor had wel eerder klappen gehad en wist wat hem te wachten stond. De knokkels raakten hem onder zijn kin en zijn kaak knapte als een droge twijg. Zijn ondertanden sloegen met een enorme kracht tegen de tanden in zijn bovenkaak en minieme stukjes afgebroken glazuur vermengden zich met het bloed dat uit zijn mond stroomde. Johnas bleef maar doorbeuken, hij mikte niet meer, maar stompte in het wilde weg, terwijl Halvor heen en weer kronkelde. Uiteindelijk knalden zijn knokkels tegen de stenen vloer en schreeuwde hij het uit. Hij krabbelde overeind en staarde naar zijn hand. Hij hijgde van de inspanning. Het was een bloederig geheel geworden. Hij keek naar wat er op de vloer lag en haalde diep en intens adem. Na een paar minuten had zijn hart zijn normale ritme hervonden en kon hij weer helder denken.

'Hij is er niet', zei de oma bezorgd, toen Sejer en Skarre voor de deur stonden en naar Halvor vroegen. 'Hij ging iemand opzoeken. Ik geloof dat hij Johnas heette. Hij was nerveus en hij had nog niet gegeten. Ik weet me geen raad en bovendien ben ik te oud om overal op te letten.'

Als reactie op deze informatie sloeg Sejer twee keer met zijn vuist tegen de deurpost. 'Werd hij opgebeld of zo?'

'Niemand belt hierheen. Alleen Annie belde nog wel eens. Hij heeft de hele middag op zijn kamer met zijn computer zitten spelen. Ineens kwam hij naar buiten en ging ervandoor.'

'We vinden hem wel. Neemt u ons niet kwalijk, maar we hebben nogal haast.'

'Van alle dingen die hij had kunnen ondernemen,' zei hij tegen Skarre, terwijl hij het portier dichtsmakte, 'is dit wel het allerergste.'

'Dat zal blijken', antwoordde die verbeten, terwijl hij de auto het erf rond manœuvreerde.

'Ik zie Halvors motor niet staan.'

Skarre sprong naar buiten. Sejer draaide zich om naar Kollberg, die nog steeds op de achterbank lag, en pakte een hondenkoekje uit zijn zak.

Ze duwden tegen de deur, die langzaam openging en keken uitdagend in de camera aan het plafond. Johnas zag hen vanuit de keuken. Hij bleef nog even aan de scheepstafel zitten en haalde diep adem, onderwijl op zijn pijnlijke knokkels blazend. Hij had geen haast. Eén ding tegelijk. Weliswaar gebeurden er in zijn leven altijd veel dingen tegelijk, maar gewoonlijk slaagde hij er toch in om alles tot een goed einde te brengen. Hij was slim. Handelde één probleem tegelijk af, in de volgorde waarin ze zich voordeden. Dat was zijn talent. Hij stond heel rustig op en liep de trap af.

'Bent u daar alweer?' vroeg hij ironisch. 'Dit begint op intimidatie te lijken.'

'O, vindt u dat?' Sejer bleef als een paal voor hem staan. Alles zag er rustig en betrouwbaar uit, er waren geen klanten te zien. 'We zoeken iemand. We dachten hem hier misschien te kunnen vinden.'

Johnas keek hen vragend aan, draaide zich half om en spreidde zijn armen. 'Ik ben de enige hier. En ik wilde net gaan sluiten. Het is al laat.'

‘We willen graag even rondkijken. Heel snel, natuurlijk.’

‘Het spijt me wel, maar...’

‘Misschien is hij in een onbewaakt ogenblik naar binnen geglipt en houdt hij zich ergens schuil. Je kunt nooit weten.’

Sejer beefde en Skarre vond dat hij er uitermate streng uitzag.

‘Ik ga nu sluiten!’ zei Johnas beslist.

Ze liepen langs hem heen de trap op. Keken overal rond. Gingen het kantoor binnen, maakten de deur van het toilet open, klommen verder naar de zolder. Er was niemand te zien.

‘Wie dacht u hier aan te treffen?’ Johnas leunde tegen de trapleuning en keek hen met opgetrokken wenkbrauwen aan. Zijn borstkas ging op en neer onder zijn overhemd.

‘Halvor Muntz.’

‘En wie mag dat zijn?’

‘Het vriendje van Annie.’

‘Hij heeft hier toch niets te zoeken?’

‘Dat weet ik nog zo niet.’ Sejer begon onverstoorbaar langs de wanden te lopen. ‘Maar hij heeft laten vallen dat hij hierheen ging. Hij is op eigen houtje voor detective aan het spelen en ik vind dat we daar een stokje voor moeten steken.’

‘Daar sluit ik mij volledig bij aan’, zei Johnas, minzaam glimlachend. ‘Maar er is hier niemand van The Hardy Boys geweest.’

Sejer schopte met de punt van zijn schoen tegen de tapijtrollen. ‘Heeft dit gebouw een kelder?’

‘Nee.’

‘Waar laat u de tapijten ’s nachts? Laat u ze hier gewoon liggen?’

‘De meeste wel, ja. Maar de duurste leg ik in de kluis.’

'O ja.' Hij zag ineens het kleine mahonie tafeltje staan. Er lag een handvol munten over de vloer uitgestrooid. 'Bent u zo slordig met uw wisselgeld?' vroeg hij nieuwsgierig.

Johnas haalde zijn schouders op. Het stond Sejer niet aan dat hij zo stil was. De gezichtsuitdrukking van de tapijthandelaar stond hem ook niet aan. Ineens zag hij in een hoek van de ruimte een roze emmer en een zwabber staan. De vloer was nat. 'Was u aan het schoonmaken?' vroeg hij luchtig.

'Dat is het laatste dat ik doe voordat ik afsluit. Ik spaar aardig wat uit door het zelf te doen. Zoals u ziet,' zei hij ten slotte, 'is hier niemand.'

Sejer keek hem aan. 'Kunt u ons de kluis laten zien?'

Even zag het ernaar uit dat Johnas wilde weigeren, toen veranderde hij van gedachten en begon de trap af te lopen. 'Die is op de begane grond. Natuurlijk mag u die zien. Hij zit vanzelfsprekend op slot en die jongen kan zich daar onmogelijk verstopt hebben.'

Ze volgden hem naar beneden, naar de ruimte onder de trap, waar ze een stalen deur ontwaarden, vrij laag, maar veel breder dan een gewone deur. Johnas liep erheen en begon aan het slot te draaien, draaide het wiel verschillende malen heen en weer. Elke keer klonk er een klikje. Hij gebruikte de hele tijd zijn linkerhand, een beetje onhandig, want hij was rechts.

'Dus hij is u veel waard, die jongen, dat u vindt dat ik hem hier zou moeten opsluiten?'

'Mogelijk', zei Sejer kort en keek toe hoe de man met zijn linkerhand stuntelde. Johnas greep de zware deur beet en trok met al zijn kracht.

'Het gaat vast gemakkelijker als u beide handen gebruikt', zei Sejer droog.

Johnas trok een wenkbrauw op, alsof hij het niet begreep. Sejer keek rond in het kleine kamertje, dat een kleine brandkast bleek te bevatten, een paar schilderijen die tegen de wand stonden en een stel opgerolde en opgestapelde tapijten, die eruitzagen als gekapte boomstammen.

'Dat is alles.' Hij keek hen uitdagend aan. Er was in de kluis niets te zien en het licht van de twee tl-buizen aan het plafond was fel. De wanden waren kaal.

Sejer glimlachte. 'Maar hij is hier wel geweest, nietwaar? Wat wilde hij?'

'Behalve u is hier niemand geweest.'

Sejer knikte en kwam weer naar buiten. Skarre keek hem een beetje onzeker aan, maar volgde.

'Als hij hier mocht verschijnen, wilt u dan contact met ons opnemen?' vroeg hij ten slotte. 'Hij heeft het een beetje moeilijk, na alles wat er is gebeurd. Hij heeft hulp nodig.'

'Natuurlijk.'

De deur van de kluis viel met een dreun dicht.

Toen ze weer buiten op de parkeerplaats stonden gebaarde Sejer dat Skarre moest rijden.

'Als je hier in gaat, dan kun je achteruit die inrit daar inrijden. Zie je die?'

Skarre knikte.

'Zet hem daar maar neer. We wachten tot hij vertrekt en dan volgen we hem. Ik wil zien waar hij naartoe gaat.'

Ze hoefden niet lang te wachten. Nog geen vijf minuten later verscheen Johnas plotseling in de deuropening. Hij sloot af en activeerde het inbraakalarm, liep langs de grijze Citroën en verdween door een zijdeur naar de binnenplaats. Hij bleef een paar minuten uit het gezicht, toen verscheen er een oude Transitbus. Hij bleef even staan voordat hij de straat opreed en gaf de richting aan naar links. Sejer kon de motor duidelijk horen ronken.

'Hij heeft natuurlijk ook een bestelwagen', zei Skarre.

'Met een kapotte cilinder. Hij ronkt als een oude schuit. Volg maar, maar doe voorzichtig. Hij gaat naar het kruispunt daar, niet te dicht achter hem.'

'Kun je zien of hij in zijn spiegeltje kijkt?'

'Dat doet hij niet. Laat die Volvo voor, Skarre, die groene!'

De Volvo remde omdat hij voorrang moest verlenen, maar Skarre wenkte dat hij voor kon gaan. De chauffeur bedankte door met een witte hand te wuiven.

'Hij gaat naar rechts. Naar de rechterrijbaan! Verdomme, er is te weinig verkeer, zo heeft hij ons meteen in de gaten.'

'Hij ziet ons niet, het lijkt wel alsof hij op rails rijdt. Waar denk je dat hij naartoe gaat?'

'Misschien naar de Oscarsgate. De man is toch aan het verhuizen? Voorzichtig, hij remt weer. Pas op die bierauto, als die voor ons komt, kunnen we hem kwijtraken!'

'Makkelijker gezegd dan gedaan. Wanneer neem je eens een wat snellere wagen?'

'Nou remt hij alweer. Ik wed dat hij de Børresensgate in gaat. Laat we hopen dat die Volvo ook die kant op moet.'

Johnas reed de grote auto rustig en soepel door de stad, alsof hij geen aandacht wilde trekken. Hij zette zijn richtingaanwijzer uit en veranderde van rijbaan, naderde de Oscarsgate, en ze konden nu duidelijk zien dat hij verscheidene keren in zijn achteruitkijkspiegeltje keek.

'Hij stopt bij dat gele gebouw. Nummer vijftien. Stop, Skarre!'

'Hier?'

'Zet de motor af. Hij stapt uit.'

Johnas sprong uit de auto, keek om zich heen en stak met grote passen de straat over. Sejer en Skarre keken naar de deur waar hij voor bleef staan. Hij prutste met zijn sleutels. In zijn hand droeg hij een gereedschapskist.

'Hij gaat naar zijn flat. We wachten even. Als hij binnen

is, ga jij snel naar buiten en ren je naar zijn auto. Ik wil dat je door het achterraampje naar binnen kijkt.'

'Wat denk je dat hij daar heeft?'

'Daar durf ik niet aan te denken. Nu kun je gaan. Doe je best, Skarre!'

Skarre glipte de auto uit en rende kromgebogen als een oude man over de stoep, hij ging gedeeltelijk schuil achter de rij geparkeerde auto's. Achter Johnas' auto zakte hij door zijn knieën, sloop om de wagen heen, schermde zijn gezicht met zijn handen af om beter te kunnen zien. Drie seconden later draaide hij zich om en rende terug. Hij plofte op de stoel en sloeg het portier dicht.

'Een stapel tapijten. En de Suzuki van Halvor. Die ligt achterin de auto, met de helm op het stuur. Zullen we naar boven gaan?'

'Geen sprake van. Blijf rustig zitten. Ik wed dat hij niet lang wegblijft.'

'En dan volgen we hem weer?'

'Dat ligt eraan.'

'Is er ergens licht aangegaan?'

'Niet dat ik kan zien. Daar is ie weer!'

Ze doken omlaag en zagen dat Johnas op de stoep bleef staan. Hij keek de straat in beide richtingen af en zag de lange rij geparkeerde auto's aan de linkerkant. Hij zag nergens iemand zitten. Hij liep naar de Transit, stapte in, startte, en begon achteruit te rijden. Skarre stak zijn hoofd een klein stukje boven het dashboard uit.

'Wat doet hij?' vroeg Sejer.

'Hij rijdt achteruit. Nu rijdt hij weer naar voren. Hij steekt achteruit de straat over en parkeert voor de ingang. Nu stapt hij weer uit. Hij loopt naar de achterdeur. Nu maakt hij hem open. Pakt er een rol tapijt uit. Gaat op zijn hurken zitten. Legt hem over zijn schouder. Hij wankelt een beetje. Het ziet er godsgruwelijk zwaar uit!'

'Godallemachtig, hij valt bijna om!'

Johnas wankelde onder het gewicht van het tapijt. Zijn knieën begaven het bijna. Sejer legde zijn hand op de grendel.

'Hij gaat weer naar binnen. Hij probeert hem vast in de lift te krijgen. Het lukt hem nooit om dat ding de trappen op te dragen! Hou de ramen in de gaten, Skarre, kijk of hij licht aandoet!'

Kollberg begon plotseling te piepen.

'Stil jij!' Sejer draaide zich om en gaf hem een aai. Ze wachtten en keken langs de gevel omhoog, naar de donkere ramen.

'Er is licht aangegaan op de derde. Hij heeft een appartement op de derde, vlak boven die erker, kun je het zien?'

Sejer keek naar boven. Het gele raam had geen gordijnen.

'Gaan we niet naar boven?'

'Niet te fanatiek nu. Johnas is slim. We moeten nog even wachten.'

'Maar waar wachten we dan op?'

'Het licht gaat weer uit. Misschien komt hij naar buiten. Duiken, Skarre!'

Ze doken weg. Kollberg bleef piepen.

'Als je gaat blaffen, krijg je een week lang geen eten!' fluisterde Sejer met opeengeklemde kaken.

Johnas kwam weer naar buiten. Hij zag er afgepeigerd uit. Deze keer keek hij niet links of rechts, hij stapte in de auto, sloeg het portier dicht en startte.

Sejer opende zijn portier op een kier.

'Jij volgt hem. Hou goed afstand. Ik ga boven kijken.'

'Hoe denk je binnen te komen?'

'Ik heb een cursus sloten openbreken gevolgd. Jij niet?'

'Natuurlijk, natuurlijk.'

'Raak hem niet kwijt! Wacht tot hij de hoek om is, dan ga je erachteraan. Waarschijnlijk wacht hij tot het donker is. Als je ziet dat hij inderdaad naar huis gaat, ga je naar het bureau en vraag je iemand mee. Je houdt hem thuis aan. Geef hem geen kans om zich te verkleden, of iets weg te leggen, en geen woord over deze flat! Als hij onderweg stopt om die motor ergens te dumpen, dan grijp je niet in. Begrepen?'

'Ja, maar waarom niet?' vroeg Skarre verstoord.

'Omdat hij twee keer zo groot is als jij!'

Sejer stapte snel uit, pakte Kollbergs riem en trok de hond met zich mee. Hij bukte achter de auto, precies op het moment dat Johnas de Transit in de versnelling zette en wegreed. Skarre wachtte een paar seconden en gleed toen ook de straat op. Zijn geloof liet hem op dat moment een beetje in de steek.

Even later zag Sejer beide auto's rechtsaf verdwijnen. Hij stak de straat over, belde aan door op een willekeurige bel te drukken en bromde 'Politie' in de intercom. De deur zoemde en hij liep naar binnen, liet de lift voor wat die was en holde de trappen op naar de derde etage. Er waren twee deuren, maar aangezien hij het licht aan en uit had zien gaan, keerde hij zich automatisch naar de woning aan de straatkant. Op de deur zat geen naamplaatje. Hij keek naar het slot, een eenvoudig knipslot. Hij pakte zijn portemonnee en zocht naar een plastic kaartje. Hij had weinig zin om zijn bankpasje te gebruiken, maar ernaast zat een kaartje van de bibliotheek, met naam en nummer en op de achterkant de tekst 'Boeken openen alle deuren'. Hij stak het kaartje in de kier en de deur ging open. Het slot was waardeloos, maar zou te zijner tijd wellicht vervangen worden. Voorlopig was het appartement nog zo goed als leeg, er was hoegenaamd niets van waarde. Hij deed het licht aan. Zijn oog viel op de gereedschapskist die midden in de kamer stond en op twee krukjes bij het raam. In de keuken stond een kleine piramide van verfblikken en onder de gootsteen zag hij een vijfliter jerrycan met terpentine. Johnas was bezig de woning op te knappen. Hij sloop naar binnen en luisterde. Het was een licht, open appartement met grote, gebogen ramen en een redelijk uitzicht op de straat, een eindje van de ergste verkeersdrukte vandaan. Het gebouw was een oud herenhuis van rond de eeuwwisseling, met een fraaie gevel en gipsen rozetten aan het plafond. In de verte kon hij nog net een stukje van de brouwerij zien, die zich in de rivier spiegelde. Toen kuierde hij op zijn dooie gemak van de ene kamer naar de andere en keek om zich heen. De telefoon was nog niet aangesloten en er waren geen meubelen, maar hier en daar stonden wel een paar met een stift beschreven kartonnen dozen langs de wanden. Slaapkamer. Keuken. Woonkamer. Hal. Een paar schilderijen. Een halflege fles goedkope rode wijn op het aanrecht. Onder het woonkamerraam lag een aantal opgerolde tapijten. Kollberg stak zijn neus in de lucht en snuffelde. Hij rook de verflucht en de geur van tapijtlijm en terpentine. Sejer maakte nog een rondje, bleef bij het raam staan en keek naar buiten. Kollberg was onrustig. Hij struinde op eigen houtje rond, Sejer volgde hem, maakte een paar kasten open. Het zware tapijt was nergens te bekennen. De hond begon te janken, liep het appartement verder in. Sejer ging achter hem aan.

Uiteindelijk bleef hij voor een deur staan. Zijn pels stond recht overeind.

'Wat is er?'

Kollberg snuffelde intensief aan de kier en krabde met zijn poten aan de deur. Sejer wierp een blik over zijn schouder, hij wist niet waarom, maar plotseling werd hij bevangen door een merkwaardig gevoel. Er was iemand in de buurt. Hij legde zijn hand op de deurkruk en drukte die naar beneden. Toen maakte hij de deur open. Iets zwarts sprong met een geweldige kracht tegen zijn borst. Daarna was alles een schok van geluid en pijn, gesis, gegrom en hysterisch hondengeblaf, toen het grote dier zijn klauwen in zijn borst plantte. Kollberg zette zich schrap en hapte toe, precies op het moment dat Sejer de dobermann van Johnas herkende. Toen viel hij op de grond, met beide honden over zich heen. Instinctief rolde hij zich op zijn buik, met zijn armen over zijn hoofd. De dieren tuimelden op de grond en hij keek om zich heen naar iets om mee te slaan, maar vond niets. Hij vluchtte de badkamer in, zag een zwabber staan en griste die mee, haastte zich weer naar buiten en ging achter de honden aan. Ze stonden een paar meter van elkaar af, gromden zacht en lieten hun tanden zien.

'Kollberg!' schreeuwde hij. 'Je ziet verdomme toch dat het een teef is!' Hera's ogen lichtten als gele lampen op in haar zwarte kop. Kollberg legde zijn oren in de nek, de andere hond stond als een zwarte panter klaar om aan te vallen. Hij tilde de zwabber op en deed een paar stappen, hij voelde zweet en bloed onder zijn overhemd stromen. Kollberg zag hem, bleef staan en vergat een ogenblik zijn vijand in de gaten te houden, die als een zwart projectiel met open bek naar voren schoot. Sejer sloot zijn ogen en haalde uit. Hij raakte de hond boven op de nek en sloot wanhopig zijn ogen toen de hond jankend instortte. Ze bleef liggen piepen. Het volgende moment wierp hij zich naar voren en greep haar halsband, sleepte het dier achter zich aan, maakte de deur van de slaapkamer open, gaf het beest een stevige duw en sloeg de deur dicht. Toen liet hij zich tegen de wand zakken en gleed omlaag. Hij staarde naar Kollberg, die nog steeds in verdedigingshouding midden in de kamer stond.

'Verdomme, Kollberg! Je ziet toch dat het een teef is!' Hij veegde zijn voorhoofd af. Kollberg kwam naar hem toe en likte hem in zijn gezicht. Achter de deur hoorden ze Hera kermen. Hij bleef een poosje met zijn gezicht in zijn handen zitten en probeerde weer tot zichzelf te komen. Hij keek naar zijn lichaam, zijn kleren zaten onder de hondenharen en het bloed, en Kollberg bloedde aan zijn ene oor.

Toen krabbelde hij weer overeind. Strompelde naar de badkamer. Op een plaid in de douche zag hij ineens iets zwarts en zijdezachts, dat zielig piepte.

'Geen wonder dat ze aanviel', fluisterde hij. 'Ze wilde haar welpjes beschermen.'

De rol tapijt lag tegen de wand. Hij ging op zijn hurken zitten en bekeek het kleed eens goed. Het was stevig opgerold, met plastic omwikkeld en zorgvuldig dichtgeplakt met tapijttape, van het soort dat er bijna niet af te krijgen is. Hij begon te trekken en te rukken, terwijl hij het zweet over zijn lichaam voelde stromen. Kollberg krabde en groef om te helpen, maar Sejer duwde hem weg. Uiteindelijk kreeg hij het plakband los en begon hij het plastic eraf te trekken. Stond op, sleepte de rol naar de woonkamer. Ze hoorden Hera in de slaapkamer piepen. Hij bukte weer en gaf de rol een stevige duw. Het tapijt ontrolde zich, langzaam en zwaar. Binnenin lag een samengedrukt lichaam. Met een kapotgeslagen gezicht. Zijn mond was helemaal dichtgetaped en zijn neus, of wat ervan over was, gedeeltelijk. Sejer wankelde een beetje en staarde Halvor aan. Hij moest zijn hoofd afwenden en zocht een ogenblik steun bij de wand. Toen maakte hij zijn telefoon los van zijn riem. Keek door het raam naar buiten, toetste een nummer in. Volgde met zijn ogen een vrachtboot die de rivier opvoer. Hexagon. Bremen. Hij hoorde het schip toeteren, een langgerekt, droevig geluid. Hier kom ik, zei het. Hier kom ik, maar haast je niet.

'Konrad Sejer, Oscarsgate vijftien', zei hij in de hoorn. 'Ik heb versterking nodig.'

*

'Henning Johnas?'

Sejer liet zijn pen tussen zijn vingers dansen en keek hem aan.

'Weet u waarom u hier bent?'

'Wat is dat voor vraag?' vroeg hij hees. 'Laat ik u één ding zeggen: er zijn grenzen aan wat ik kan verdragen. Als het over Annie gaat, dan heb ik niets meer te zeggen.'

'We zullen het niet over Annie hebben', zei Sejer.

'Goed zo.'

Hij wiegde een beetje heen en weer op zijn stoel en Sejer meende vluchtig iets van opluchting op zijn gezicht te zien.

'Halvor Muntz lijkt van de aardbodem verdwenen. Weet u nog steeds zeker dat u hem niet heeft gezien?'

Johnas perste zijn lippen op elkaar. 'Absoluut zeker. Ik ken hem niet.'

'En dat weet u heel zeker?'

'U gelooft het misschien niet, maar mijn hoofd is nog steeds helder, ondanks de herhaalde intimidatie van de politie.'

'We vroegen ons alleen af wat zijn motor in uw garage doet. Achterin uw bestelbus.'

Er klonk een snorkelend geluid van schrik. 'Pardon, wat zei u?'

'De motor van Halvor.'

'Dat is Magnes motor', mompelde hij. 'Ik moet hem helpen met wat reparaties.' Hij praatte snel, keek Sejer niet aan.

'Magne heeft een Kawasaki. Bovendien heeft u geen verstand van motoren, u heeft een ander vak, zacht uitgedrukt. Probeert u het nog maar eens, Johnas.'

'Oké, oké!' Hij stoof op en verloor zijn zelfbeheersing, hield zich met beide handen aan de tafel vast. 'Hij kwam de galerie binnenstormen en begon me te jennen. Jezus, wat kan die jongen jennen! Gedroeg zich als de eerste de beste verslaafde gek, zei dat hij een tapijt wilde kopen. Geld had hij natuurlijk niet. Er komen tegenwoordig zo veel vreemde lui de winkel binnen en ik had mezelf niet meer in de hand. Ik gaf hem een draai om zijn oren. En toen ging hij er als een klein kind vandoor, liet zijn motor en alles staan. Ik heb het ding in mijn auto gezet en mee naar huis genomen. Als straf mag hij hem zelf komen ophalen. Hij mag erom komen smeken.'

'Voor alleen een draai om zijn oren hebben uw handen nogal te lijden gehad.' Sejer keek naar de ontvelde knokkels. 'Het probleem is alleen dat geen hond weet waar hij is.'

'Dan zal hij er wel met de staart tussen de benen vandoor zijn gegaan. Waarschijnlijk heeft hij een slecht geweten.'

'Heeft u een suggestie?'

'U onderzoekt de moord op zijn vriendinnetje. Misschien moet u daar beginnen.'

'U moet niet vergeten, Johnas, dat u in een klein dorp woont. Er wordt snel geroddeld.'

Johnas zweette zo heftig dat zijn overhemd aan zijn borst plakte. 'Ik ga toch verhuizen', mompelde hij.

'Ja, dat heeft u verteld. Naar het centrum, is het niet? Dus u wilde Halvor een lesje leren. Misschien moeten we dat onderwerp maar even laten rusten?' Het beviel Sejer niets. Maar dat liet hij niet merken. 'Is het zo dat u uw zelfbeheersing nogal snel verliest, Johnas? Laten we het daar eens over hebben.' Hij speelde weer met de pen. 'Te beginnen met Eskil.'

Johnas had geluk. Hij had zich net voorovergebogen om zijn sigaretten uit zijn jaszak te pakken. Het duurde even voor hij weer omhoogkwam.

'Nee', steunde hij. 'Ik kan het niet opbrengen om over Eskil te praten.'

'We kunnen het rustig aan doen', zei Sejer. 'Laten we

beginnen met zeven november, toen jullie 's ochtends opstonden, uw zoon en u.'

Johnas schudde langzaam zijn hoofd en likte nerveus zijn lippen af. Hij kon alleen maar aan de diskette denken, die hij nog niet had kunnen bekijken. Sejer had hem afgepakt en alles gelezen wat Annie had geschreven. Bij die gedachte ging hij bijna van zijn stokje.

'Het is moeilijk om daarover te praten. Ik heb geprobeerd het achter mij te laten. Wat wilt u toch met die oude tragedie? Heeft u geen recentere dingen om u mee bezig te houden?'

'Ik begrijp dat het moeilijk is. Maar probeert u het toch maar. Ik weet dat het moeilijk was en dat jullie eigenlijk professionele hulp hadden moeten hebben. Vertel me over hem.'

'Maar waarom wilt u over Eskil praten?!'

'De jongen nam een belangrijke plaats in Annies leven in. En we moeten alles wat met Annie te maken heeft onderzoeken.'

'Dat begrijp ik, dat begrijp ik. Maar ik ben zo in de war. Ik dacht heel even dat u mij er misschien van verdacht... ja, u weet wel, dat ik iets met Annies dood te maken zou hebben.'

Sejer glimlachte, een zeldzaam openhartige glimlach. Toen keek hij Johnas vragend aan en schudde zijn hoofd.
'Zou u een motief hebben om Annie te vermoorden?'

'Natuurlijk niet', zei hij gejaagd. 'Maar om eerlijk te zijn vond ik het wel moeilijk om op te bellen en te zeggen dat ze bij mij in de auto had gezeten. Ik begreep dat ik daarmee mijn nek uitstak.'

'Daar waren we toch wel achtergekomen. Iemand heeft jullie immers gezien.'

'Dat dacht ik wel. Daarom heb ik gebeld.'

'Vertel me over Eskil', herhaalde Sejer onverstoorbaar.

Johnas liet zijn schouders hangen en nam een trek van

zijn sigaret. Hij zag er ontredderd uit. Zijn lippen bewogen, maar er kwam geen geluid uit zijn mond.

In zijn hoofd was alles helder, maar nu schrompelde de kamer ineen en het enige wat hij hoorde was de adem van de man aan de andere kant van de tafel. Hij wierp een blik op de klok aan de wand om zijn gedachten op een rijtje te krijgen. Het was nog vroeg in de avond. Het was zes uur.

Het was zes uur. Eskil werd met een enthousiast gejoel wakker. Klom bij ons in bed en ging tekeer als een wildeman, sprong vol overgave heen en weer. Hij wilde meteen naar beneden. Astrid wilde nog even blijven liggen, ze had slecht geslapen, daarom stond ik op. Hij volgde me naar de badkamer, hing aan mijn broek. Zijn armen en benen waren overal en zijn mond stond geen moment stil, een eindeloze stroom klanken en uitroepen. Hij kronkelde als een aal toen ik wanhopig probeerde hem in de kleren te krijgen. Hij wilde geen luier om. Wilde de kleren die ik voor hem had gepakt niet aan, trok de hele tijd aan alles wat los en vast zat en klauterde ten slotte op de wc-deksel, om vervolgens dingen van het plankje onder de spiegel te gooien. Astrids potjes en flesjes kletterden op de grond. Ik zette hem op de vloer en verviel onmiddellijk in het bekende patroon. Ik gaf hem een standje, eerst vriendelijk, duwde zijn Ritalin-pilletje in zijn mond, maar dat spuugde hij weer uit, hij pakte het douchegordijn vast en trok dat naar beneden. Ik probeerde mezelf aan te kleden, probeerde op te passen dat hij zich geen pijn deed en niets kapotmaakte. Uiteindelijk waren we allebei aangekleed. Ik pakte hem op en droeg hem naar de keuken om hem in zijn stoel te zetten. Onderweg gooide hij plotseling zijn hoofd naar achteren, tegen mijn mond aan. Mijn lip barstte. Het begon te bloeden. Ik maakte hem vast en smeerde een boterham, maar die wilde hij niet hebben, hij schudde zijn hoofd en veegde het bord over tafel, terwijl hij schreeuwde dat hij worst wilde hebben.

'Johnas?' zei Sejer. 'Vertel me over Eskil.'

Johnas schrok op en keek hem aan. Toen nam hij een beslissing.

'Goed, zoals u wilt. Zeven november. Een dag als alle andere, een onbeschrijfelijke dag dus. Hij was een ongeleid projectiel, hij verwoestte ons gezin. Magne haalde steeds slechtere cijfers op school, wilde niet meer thuis zijn en vertrok 's middags en 's avonds naar vriendjes. Astrid kreeg niet genoeg slaap, ik redde het niet om de winkel op tijd te openen. Iedere maaltijd was een beproeving. Annie,' zei hij plotseling, met een trieste glimlach, 'Annie was ons enige lichtpuntje. Zodra ze tijd had, kwam ze hem halen. Dan daalde de rust over ons huis neer, als een stilte na de storm. We zakten in elkaar waar we zaten of lagen, volkomen uitgeblust. We waren uitgeput en wanhopig, en niemand hielp ons. We hadden duidelijk te horen gekregen dat hij er nooit overheen zou groeien. Hij zou altijd concentratieproblemen houden en de rest van zijn leven hyperactief zijn, en de hele familie had de komende jaren maar rekening met hem te houden. Jarenlang. Kunt u zich dat voorstellen?'

'U had die dag ruzie met hem?'

Johnas lachte een waanzinnige lach. 'We hadden altijd ruzie. We werden er allemaal gestoord van. Hij is vast ook door ons verziekt, we waren niet tegen hem opgewassen, konden hem niet aan. We schreeuwden en scholden tegen hem, zijn leven bestond uit scheldwoorden en narigheid.'

'Vertel wat er gebeurde.'

'Magne stak zijn hoofd om de deur van de keuken en zei gedag. Hij ging met zijn rugzak op naar de bus. Het was donker buiten. Ik smeerde nog een boterham en belegde die met worst. Ik sneed het brood in dobbelsteentjes, hoewel hij heel goed korstjes kon eten. Hij sloeg de hele tijd met zijn beker op het tafelzeil, hij krijste en schreeuwde, niet omdat hij vrolijk of boos was, gewoon een eindeloze stroom geluiden. Plotseling zag hij de wafels staan, die waren van de vorige dag en stonden op het aanrecht. Meteen begon hij erom te zeuren en hoewel ik wist dat hij uiteindelijk zou winnen zei ik nee. Dat woord werkte altijd als een rode lap, dus hij gaf het niet op, hij sloeg met zijn beker en wiebelde zo hard heen en weer dat zijn stoel bijna omviel. Ik stond met mijn rug naar hem toe bij het aanrecht en begon te beven. Uiteindelijk deed ik een stap opzij, pakte het bord, trok het folie eraf en pakte een rozet wafels. Gooide de boterham met worst in de vuilnisbak en zette de wafels voor hem neer. Scheurde er een paar hartjes af. Ik wist dat hij ze niet rustig zou opeten, er stond me nog meer te wachten, ik kende hem. Eskil wilde er jam op. Ik smeerde bliksemsnel frambozenjam op twee van de hartjes, met trillende handen. Op dat moment glimlachte hij. Ik weet het nog goed, zijn allerlaatste glimlach. Hij glunderde. Ik kon het niet uitstaan dat hij zo tevreden was, terwijl ik de instorting nabij was. Hij tilde het bordje op en begon ermee op de tafel te slaan. Hij hoefde ze toch niet te hebben, het ging niet om de wafels, hij wilde alleen zijn zin krijgen. Ze gleden van het bord en vielen op de grond, dus ik moest een doekje zoeken. Ik draaide me om, maar zag er geen liggen, in plaats daarvan pakte ik de wafels op en vouwde ze dubbel. Hij keek geïnteresseerd toe hoe ik er een dikke prop van maakte. Zijn gezichtje vertoonde geen angst, hij wist niet wat er komen ging. Inwendig kookte ik. De druk moest van de ketel, ik wist niet hoe, maar plotseling boog ik me over de tafel en propte de wafels in zijn mond, duwde ze zo ver mogelijk naar binnen. Ik zie nog zijn verbaasde gezicht voor me en de tranen die in zijn ogen sprongen.'

'Nu!' schreeuwde ik woedend. 'Nu eet je die verdomde wafels op!'

Johnas knakte als een stok doormidden. 'Ik bedoelde het niet zo!'

De sigaret lag in de asbak te smeulen. Sejer slikte en liet

zijn ogen in de richting van het raam gaan, maar vond niets dat het beeld van zijn netvlies kon verdrijven, het beeld van het kleine jongetje met zijn mond vol wafels en grote, angstige ogen. Hij keek naar Johnas. 'We moeten onze kinderen nemen zoals ze zijn, nietwaar?'

'Dat zeiden ze allemaal. Ze wisten niet beter. Niemand wist iets. En nu word ik beschuldigd van mishandeling, de dood tot gevolg hebbend. Maar u bent te laat. Ik heb mijzelf allang aangeklaagd en veroordeeld, daar kunt u niets aan veranderen.'

Sejer keek hem aan. 'En wat behelst die aanklacht precies?'

'Eskils dood is geheel en al mijn schuld. Ik was verantwoordelijk voor hem. Er valt niets goed te praten of te verontschuldigen. Ik had het alleen niet zo bedoeld. Het was een ongeluk.'

'U moet door een hel zijn gegaan', zei Sejer stil. 'U kon nergens heen met uw wanhoop. En tegelijkertijd heeft u waarschijnlijk het gevoel dat u uw straf al heeft gehad. Nietwaar?'

Johnas zweeg. Zijn ogen schoten heen en weer.

'Eerst verloor u uw jongste zoon en vervolgens verliet uw vrouw u, en nam de oudste met zich mee. U bleef moederziel alleen achter.'

Johnas begon te huilen. Het klonk alsof er een dikke brij door zijn hals omhoog kwam.

'Toch heeft u zich erdoorheen geslagen. U heeft gezelschap van uw hond. U breidde de zaak uit, die steeds beter loopt. Het vergt veel kracht om opnieuw te beginnen.'

Johnas knikte. De woorden hadden de werking van lauw water.

Sejer had zijn vizier scherpgesteld en vuurde een nieuw schot af. 'En toen u de dingen eindelijk weer een beetje onder controle had en het leven weer had opgepakt... toen verscheen Annie?'

Johnas schrok.

'Misschien keek ze u beschuldigend aan wanneer u haar op straat tegenkwam. U moet zich hebben afgevraagd waarom ze zo onvriendelijk was. Dus toen u haar zag lopen, met haar rugzak op haar rug, toen moest u voor eens en voor altijd weten wat er aan de hand was?'

Er kwam een meisje de helling afgerend. Ze herkende me meteen en bleef ineens staan. Ze vertrok haar gezicht en zond mij een vertwijfelde blik. Uit heel haar houding sprak afkeuring, een koppige, bijna agressieve houding die mij angst inboezemde.

Ze liep verder, met snelle passen, keek niet achterom. Dus ik riep haar. Ik wilde het niet opgeven, ik moest weten wat er aan de hand was! Uiteindelijk gaf ze zich gewonnen en stapte in, zat met haar rugzak op schoot, haar armen stijf om de tas heen geklemd. Ik reed langzaam, wilde iets zeggen, maar wist niet goed hoe ik moest beginnen. Wist niet of ik misschien iets deed wat voor ons beiden gevaarlijk kon worden. Dus ik reed door en in mijn ooghoek zag ik de gespannen gestalte naast me, als één grote, trillende aanklacht.

Ik moet met iemand praten, begon ik aarzelend, mijn handen stijf om het stuur geklemd. Ik heb het moeilijk.

Dat weet ik, antwoordde ze, naar buiten starend, maar plotseling draaide ze zich om en keek mij een seconde aan. Dat vatte ik op als een kleine opening en ik probeerde te ontspannen. Ik had de mogelijkheid nog om me terug te trekken en het daarbij te laten, maar ze zat er nu en ze luisterde naar me. Misschien was ze volwassen genoeg om het te begrijpen en misschien was dat het enige wat ze wilde, een bekentenis, een soort smeekbede om vergeving. Annie, met al haar gepraat over rechtvaardigheid.

Kunnen we ergens naartoe rijden en met elkaar praten, Annie, het is zo moeilijk hier in de auto. Als je even tijd hebt, een paar minuten maar, dan breng ik je daarna waar je zijn moet.

Mijn stem was zacht en vragend, ik zag dat het haar aangreep. Ze knikte langzaam en ontspande een beetje, ging iets achterover zitten en keek weer naar buiten. We passeerden Horgen Handel, ik zag dat er een motor naast de winkel stond. De bestuurder zat over zijn stuur gebogen iets te bestuderen, misschien een kaart. Ik reed langzaam en voorzichtig het slechte weggetje naar de Koll op en zette de auto op de keerplaats. Annie zag er ineens een beetje bezorgd uit. Ze liet haar rugzak voorin de auto staan, ik probeer me te herinneren wat ik toen dacht, maar kan er niet opkomen, weet alleen nog dat we het zachte paadje opwandelden. Annie lang en rank naast mij, jong en onbewogen, maar niet ongevoelig, ze volgde me tot aan het water en ging aarzelend op een steen zitten. Peuterde wat aan haar vingers. Ik herinner me haar korte nagels en de smalle ring aan haar linkerhand.

Ik heb je gezien, zei ze stil. Ik zag je door het raam. Toen je je over de tafel boog. Daarna ben ik weggerend. Later vertelde pappa dat Eskil dood was.

Ik had het al begrepen, antwoordde ik moeizaam, aan de manier waarop je tegen me deed, dat je mij de schuld gaf. Elke keer als we elkaar op straat of bij de brievenbussen of bij de garage tegenkwamen. Je beschuldigde mij.

Ik begon te huilen. Boog me voorover en snikte, met mijn gezicht in mijn schoot, terwijl Annie heel stil naast me zat. Ze zei niets, maar toen ik uiteindelijk ophield en opkeek, zag ik dat zij ook huilde. Ik voelde me beter dan ik me in lange tijd had gevoeld, echt waar. De wind was mild en streek langs mijn rug, er was nog hoop.

Wat moet ik doen? fluisterde ik toen. Wat moet ik doen om dit achter me te laten?

Ze keek me aan met die grijze ogen, bijna verbaasd. Jezelf aangeven, natuurlijk. En vertellen hoe het is gegaan. Anders krijg je nooit rust!

En toen keek ze me aan. Mijn hart werd zo zwaar. Ik stopte mijn handen in mijn zakken, probeerde ze uit alle macht daar te houden. Heb je het aan iemand verteld? vroeg ik toen.

Nee, zei ze stilletjes. Nee, nog niet.

Je waagt het niet, hoor, Annie! riep ik wanhopig. Plotseling was het alsof ik vanaf de bodem opsteeg, uit de duisternis, om-

hoog naar een licht. Ineens drong er iets tot me door, één enkele verlammende gedachte. Dat Annie de enige was die het wist en verder helemaal niemand. Het was alsof de wind draaide, mijn oren suisden. Alles was verloren. Haar gezicht had dezelfde verbaasde uitdrukking als dat van Eskil had gehad. Later liep ik snel het bos door. Ik draaide me niet meer om om naar haar te kijken.

Johnas bestudeerde de gordijnen en de tl-buis aan het plafond, terwijl zijn lippen onafgebroken woorden vormden die nooit naar buiten kwamen. Sejer keek hem aan.

'We hebben uw huis doorzocht en technische bewijzen veiliggesteld. U wordt aangeklaagd wegens dood door schuld van uw eigen zoon, Eskil Johnas, en wegens doodslag op Annie Sofie Holland. Begrijpt u wat ik zeg?'

'U vergist zich!'

Zijn stem was niet meer dan een iel gepiep. Een paar gesprongen bloedvaten hadden zijn ogen een rode glans gegeven.

'Het is aan anderen om te beoordelen of u schuldig bent, niet aan mij.'

Johnas begon onderin het zakje van zijn overhemd te wroeten. Hij beefde zo erg dat hij net een oude man leek. Uiteindelijk kwam zijn hand weer tevoorschijn, met een plat metalen doosje. 'Ik heb zo'n droge mond', mompelde hij.

Sejer keek naar het doosje. 'Maar u had haar niet hoeven te vermoorden, weet u.'

'Waar heeft u het over?' vroeg hij zacht. Hij draaide het doosje om en schudde een pepermuntje in zijn hand.

'U had Annie niet hoeven te vermoorden. Als u nog even had gewacht, zou ze vanzelf gestorven zijn.'

'Is dit een grap?'

'Nee', zei Sejer met een zucht. 'Over leverkanker zou ik nooit grapjes maken.'

'Nu vergist u zich toch echt. Annie was kerngezond. Ze stond aan de oever van het ven toen ik opstond en wegliep, het laatste wat ik hoorde, was het geluid van de steentjes die ze in het water gooide. Ik durfde het de eerste keer niet te vertellen, dat ze eigenlijk helemaal tot aan het ven was meegereden. Maar zo was het! Ze wilde niet mee terugrijden, ze wilde liever lopen. Snapt u niet dat er iemand is gekomen, terwijl ze daar bij het ven stond! Een jong meisje, alleen in het bos. Het wemelt van de toeristen boven op de Koll. Is het wel eens bij u opgekomen dat u zich misschien vergist?'

'Dat komt een doodenkele keer wel eens voor. Maar u heeft de strijd verloren, weet u. We hebben Halvor gevonden.'

Johnas' gezicht vertrok plotseling in een grimas, alsof iemand hem met een naald in zijn oor stak.

'Dat is een bittere pil, hè?'

*

Sejer zat heel stil met zijn handen in zijn schoot. Hij betrapte zichzelf erop een paar keer over zijn trouwring te wrijven. Veel meer kon hij niet doen. Bovendien was het stil en bijna donker in het kleine kamertje. Zo nu en dan hief hij zijn hoofd op en keek naar Halvors kapotte gezicht dat gewassen en verzorgd was, maar toch volkomen onherkenbaar. Zijn mond hing halfopen. Een aantal van zijn tanden was kapot en het oude litteken in zijn mondhoek was niet meer te zien. Zijn gezicht was als een rijpe vrucht gebarsten. Maar zijn voorhoofd was heel en zijn haar was achterover gekamd, zodat de gladde huid zichtbaar was, een kleine indicatie van hoe mooi hij was geweest. Sejer boog zijn hoofd en legde zijn handen voorzichtig op het laken. Ze waren duidelijk aanwezig in de lichtcirkel van de lamp op het tafeltje naast het bed. Hij hoorde alleen zijn eigen adem en het zachte gonzen van een lift in de verte. Hij schrok van een plotselinge beweging onder zijn handen. Halvor opende zijn ene oog en keek hem aan. Het andere was bedekt met de geleiachtige massa van een grote vloeibare pleister, als een kwal. Hij wilde iets zeggen. Sejer legde een vinger tegen zijn mond en schudde zijn hoofd. 'Het is prettig om dat strakke bekkie van je te zien, maar je moet je mond houden. Anders schieten de hechtingen eruit.'

'Gak', mompelde Halvor onduidelijk.

Ze keken elkaar een hele tijd aan. Sejer knikte een paar keer, Halvor knipoogde steeds met zijn groene oog.

'Die diskette,' zei Sejer, 'die we bij Johnas hebben gevonden. Is dat een exacte kopie van Annies dagboek?'

'Mm.'

'Er is niets gewist?'

Hij schudde zijn hoofd.

'Er is niets veranderd of gecorrigeerd?'

Nog meer geschud.

'Dan houden we het daarop', zei Sejer langzaam.

'Gak.'

Halvors oog liep vol water. Hij begon te snuffen.

'Niet huilen!' zei Sejer snel. 'Dan laten de hechtingen los. Je hebt ook een snotneus, ik zal een tissue zoeken.' Hij stond op en haalde een papieren handdoekje bij de wastafel. Probeerde het snot en bloed dat uit zijn neus liep af te vegen.

'Je vond misschien dat Annie af en toe moeilijk was. Maar nu begrijp je vast dat ze zo haar redenen had. Meestal hebben we allemaal zo onze redenen', voegde hij eraan toe. 'En die arme Annie kon dit niet allemaal alleen dragen. Ik weet dat het stom klinkt,' ging hij verder, misschien in een poging om te troosten, omdat hij zo verschrikkelijk te doen had met de jongen die daar met zijn kapotgeslagen gezicht in het bed lag, '...maar je bent nog jong. Op dit moment heb je veel verloren. Op dit moment zou je alleen Annie, en niemand anders, om je heen willen hebben. Maar de tijd gaat verder en dingen veranderen. Ooit zul je anders denken.'

Jeetje, daar beweer ik nogal wat, dacht hij plotseling.

Halvor gaf geen antwoord. Hij keek naar Sejers handen op de deken, naar de brede gouden trouwring aan zijn rechterhand. Zijn blik was beschuldigend.

'Ik weet wat je denkt', zei Sejer stil. 'Dat ik makkelijk praten heb, met mijn grote trouwring. Een dikke, glimmende tienmillimeter. Maar weet je,' zei hij met een trieste glimlach, 'eigenlijk zijn het twee vijfmillimeters die aan elkaar gesmolten zijn.' Hij draaide de ring weer rond. 'Ze is dood', zei hij zacht. 'Begrijp je?'

Halvor sloeg zijn oog neer en er stroomde nog meer bloed en snot over zijn gezicht. Hij deed zijn mond open, zodat Sejer de afgebroken stompjes tand kon zien.

'Solly', sliste hij.

Toen brak eindelijk de zon door. Sejer en Skarre wandelden met de hond tussen hen in over straat. Kollberg sjokte kalmpjes voort, met zijn staart hoog opgeheven, als een vaandel.

Sejer had een bos bloemen in zijn hand, rode en blauwe anemoontjes, ingepakt in zijdepapier. Zijn jasje hing los over zijn schouder en zijn eczeem was beter dan het in tijden was geweest. Hij wandelde op zijn kalme, soepele manier verder, terwijl Skarre naast hem huppelde. De hond liep verrassend mooi in de maat. Niet te snel, ze hadden versgestreken overhemden aan en wilden niet bezweet aankomen.

Matteus trippelde verwachtingsvol rond, met een pluchen, zwart met witte orka in zijn armen. Hij heette Free Willy en was bijna net zo groot als hijzelf. Het eerste wat bij Sejer opkwam, was naar hem toe te rennen en hem luid jubelend optillen. Zo zou je alle kinderen moeten verwelkomen, met echte, overweldigende vreugde. Maar zo zat hij niet in elkaar. Hij trok hem heel voorzichtig op schoot en keek naar Ingrid, die een nieuwe jurk droeg, een botergele zomerjurk met rode frambozen. Hij feliciteerde haar met haar verjaardag en drukte haar hand. Over niet al te lange tijd zou ze naar de andere kant van de aardbol reizen, naar hitte en oorlog. En ze zou een eeuwigheid wegblijven. Vervolgens gaf hij zijn schoonzoon een hand, terwijl hij met zijn andere hand Matteus vasthield. Daarna wachtten ze stil op het eten.

Matteus zeurde nooit. Hij was een welopgevoed kind, dat zelden krijste of dwars was, en gelukkig was hij nooit koppig of tegendraads. Het enige dat Sejer niet in hem herkende, was een bescheiden neiging tot onschuldige kwajongensstreken. Hij glimlachte de hele dag en stroomde over van liefde, en zijn biologische ouders, van wie ze maar weinig wisten, hadden hem nauwelijks genen meegegeven die tot abnormaal gedrag zouden leiden. Hij zou hen niet tot waanzin drijven of hen het bloed onder de nagels vandaan halen. Sejer liet zijn gedachten de vrije loop. Terug naar de Gamle Möllevej buiten Roskilde in Denemarken, naar de tijd dat hij zelf een kind was. Lange tijd zat hij een beetje te mijmeren. Tot hij opschrok.

'Wat zei je Ingrid?' Hij keek verbaasd op naar zijn dochter en zag dat ze een blonde haarlok van haar voorhoofd veegde, met de bijzondere glimlach die hem alleen was voorbehouden.

'Cola, pappa?' vroeg ze. 'Wil je cola?'

Tegelijkertijd, ergens anders, reed een oude bestelwagen hobbelend over de weg, in de laagste versnelling. Een forse manspersoon, met haar dat recht overeind stond, zat over het stuur gebogen. Onderaan de helling stopte hij om een klein meisje, dat net twee stappen op de weg had gezet, te laten oversteken. Ze bleef ineens staan.

'Hoi Ragnhild!' riep hij enthousiast.

In haar ene hand hield ze een springtouw, dus zwaaide ze met de andere.

'Ben je aan het wandelen?'

'Ik ga naar huis', zei ze beslist.

'Luister!' schreeuwde Raymond, hard en schel om het gebrom van de motor te overstemmen. 'Caesar is dood. Maar Påsan heeft jonkies gekregen!'

'Maar dat is toch een mannetje?' vroeg ze achterdochtig.

'Dat kun je niet altijd zo goed zien, of het een mannetjes- of een vrouwtjeskonijn is. Ze hebben zo'n dikke vacht. Maar hij heeft echt jonkies gekregen. Vijf. Je mag ze wel zien als je wilt.'

'Ik mag niet', zei ze teleurgesteld. Ze keek de straat af, vaag hopend dat er iemand zou opduiken die haar van deze enorme verleiding zou redden. *Babykonijntjes!*

'Hebben ze al haar?'

'Ze hebben haar en hun oogjes zijn open. Ik zal je daarna naar huis brengen, Ragnhild. Kom, ze groeien heel snel!'

Ze keek nog een keer de weg af, kneep haar ogen even stijf dicht en deed ze weer open. Toen rende ze de straat over en klom in de auto. Ragnhild droeg een wit bloesje met een kanten kraagje en een heel klein, rood broekje. Niemand zag dat ze instapte. De mensen waren allemaal in hun achtertuin, druk bezig met planten en wieden en het opbinden van rozen en clematis. Raymond voelde zich een hele vent, in Sejers oude windjack. Hij zette de auto in de versnelling. Het kleine meisje zat gespannen op de stoel naast hem. Hij floot tevreden en keek om zich heen. Niemand had hen gezien.

Van Karin Fossum zijn verschenen:

Eva's oog

Bekroond met De Glazen Sleutel voor de beste Scandinavische misdaadroman

Het leven van de alleenstaande moeder en schilderes Eva Magnus wordt overhoop gehaald wanneer ze het lichaam van een man in het water aantreft. Alle sporen van twee recente moorden leiden naar haar...

'Fossum schrijft adembenemend. Ze schiep hartverwarmende personages en een sterke plot, spannend van begin tot eind. Prachtig.' – *Vrij Nederland*

'*Eva's oog* bezit alles dat het lezen van een thriller zo aangenaam kan maken. In het slothoofdstuk komt de schrijfster nog met een onverwachte wending op de proppen. De thriller is daarmee volmaakt. Karin Fossum is een exponent van Scandinavische topkwaliteit.'
– *de Volkskrant*

'Een spannende thriller.' – *Trouw*

'Een thriller met een originele intrige, ongewone situaties en wrange wendingen.' – *Leesidee*

KIJK NIET ACHTEROM

Een zesjarig meisje wordt vermist nadat ze in een bestelwagen is ingestapt. De vijftienjarige Annie Holland wordt dood teruggevonden. Inspecteur Sejer gaat op zoek naar de naakte feiten, die verscholen liggen in schijnbaar normale gezinsverhoudingen, in een rustige dorpsgemeenschap.

'*Kijk niet achterom* is meer dan een boeiende thriller, het is een misdaadroman in de allerbeste Scandinavische traditie, geschreven door een vrouw met veel inlevingsvermogen.' – *De Morgen*

'Een van onderdrukte emoties zinderende thriller.' – *Humo*

WIE DE WOLF VREEST

Een psychiatrische patiënt wordt door een bankovervaller gegijzeld. Samen verschansen ze zich in een hut in het bos, waar ze op elkaar aangewezen zijn. Als een twaalfjarige jongen uit een tehuis ook nog bij de zaak betrokken blijkt te zijn, dringt het drama langzaam tot inspecteur Sejer door.

'De boeken van Karin Fossum zijn literaire romans met een spannende bodem, gekenmerkt door hun zorgvuldig opgebouwde plots, ijzingwekkende spanningsopbouw en levensechte personages.' – *Knack*

'De interessantste Noorse schrijfster van het ogenblik is Karin Fossum.' – *De Morgen*

De duivel draagt het licht

Een oudere, verwarde vrouw houdt in haar kelder een jonge inbreker gevangen, die van de trap is gevallen en zijn rug heeft gebroken. Ze heeft hem in haar macht, en doet niets om hem te redden.

'De karakters zijn ongelooflijk goed en geloofwaardig neergezet.' – *Flair*

'Sterke karakters, benauwende spanning, goed opgebouwd.' – *Knack*

De Indiase bruid

Gunder Jomann reist naar India, op zoek naar een vrouw. Hij leert Poona kennen, ze worden verliefd en trouwen. Hij reist terug naar huis om haar komst voor te bereiden, maar op de afgesproken dag verschijnt ze niet op de luchthaven. Een dag later wordt inspecteur Sejer geconfronteerd met het toegetakelde lijk van een vrouw...

'Meesterwerkje van Karin Fossum, een van Scandinaviës beste thrillerauteurs.' – *Het Nieuwsblad*

'Een juweeltje van een thriller.' – *De Standaard*

'Fossum schreef een ontroerende roman met subtiele observaties van haar personages. Ze laat je als het ware zelf ontdekken wat er gebeurd is.' – *Feeling*

Zwarte seconden

Helga Joner beleeft de nachtmerrie van alle moeders. Haar dochter Ida gaat even naar de kiosk om een tijdschrift over paarden en wat kauwgum te kopen. Ze komt niet terug. Negen dagen later wordt het meisje langs de kant van de weg gevonden, gekleed in een wit nachthemd en zorgvuldig in een deken gewikkeld.
Konrad Sejer staat voor een lang en moeizaam onderzoek. Er is geen motief, geen logische verklaring. Maar door zijn mensenkennis, zijn sympathie met zowel het slachtoffer als de dader, en zijn directe manier van communiceren, weet hij ook deze zaak naar een ontknoping te leiden.

'Karin Fossum verveelt nooit. Met *Zwarte seconden* heeft de Noorse misdaadauteur opnieuw een atypisch politieverhaal geschreven. Spannend, maar vooral met veel oog voor de psychologie van haar personages en nieuwsgierigheid naar de drijfveren achter hun daden.'
– *Metro*

'Veel goede psychologische thrillers komen uit het hoge Noorden. Vooral vrouwelijke Scandinavische thrillerauteurs koppelen spanning aan uitgediepte portretten van mensen in nood. Karin Fossum maakt de plot zelfs ondergeschikt aan de psychologie van de personages. Dat ze een meester is in suggestie, bewijst ze opnieuw in *Zwarte seconden*.' – *De Standaard*